Дарья

Только новы

Читайте романы
примадонны иронического детектива
Дарьи Донцовой

Сериал «Любительница частного сыска Даша Васильева»:

1. Крутые наследнички
2. За всеми зайцами
3. Дама с коготками
4. Дантисты тоже плачут
5. Эта горькая сладкая месть
6. Жена моего мужа
7. Несекретные материалы
8. Контрольный поцелуй
9. Бассейн с крокодилами
10. Спят усталые игрушки
11. Вынос дела
12. Хобби гадкого утенка
13. Домик тетушки лжи
14. Привидение в кроссовках
15. Улыбка 45−го калибра
16. Бенефис мартовской кошки
17. Полет над гнездом Индюшки
18. Уха из золотой рыбки
19. Жаба с кошельком
20. Гарпия с пропеллером
21. Доллары царя Гороха
22. Камин для Снегурочки
23. Экстрим на сером волке
24. Стилист для снежного человека
25. Компот из запретного плода
26. Небо в рублях
27. Досье на Крошку Че
28. Ромео с большой дороги
29. Лягушка Баскервилей
30. Личное дело Женщины−кошки
31. Метро до Африки
32. Фейсконтроль на главную роль
33. Третий глаз−алмаз
34. Легенда о трех мартышках
35. Темное прошлое Конька−Горбунка
36. Клетчатая зебра
37. Белый конь на принце
38. Любовница египетской мумии
39. Лебединое озеро Ихтиандра
40. Тормоза для блудного мужа
41. Мыльная сказка Шахерезады
42. Гений страшной красоты
43. Шесть соток для Робинзона
44. Пальцы китайским веером
45. Медовое путешествие втроем
46. Приват−танец мисс Марпл
47. Самовар с шампанским
48. Аполлон на миллион

Сериал «Евлампия Романова. Следствие ведет дилетант»:

1. Маникюр для покойника
2. Покер с акулой
3. Сволочь ненаглядная
4. Гадюка в сиропе
5. Обед у людоеда
6. Созвездие жадных псов
7. Канкан на поминках
8. Прогноз гадостей на завтра
9. Хождение под мухой
10. Фиговый листочек от кутюр
11. Камасутра для Микки−Мауса
12. Квазимодо на шпильках
13. Но−шпа на троих
14. Синий мопс счастья
15. Принцесса на Кириешках
16. Лампа разыскивает Алладина
17. Любовь−морковь и третий лишний
18. Безумная кепка Мономаха
19. Фигура легкого эпатажа
20. Бутик ежовых рукавиц
21. Золушка в шоколаде
22. Нежный супруг олигарха
23. Фанера Милосская
24. Фэн−шуй без тормозов
25. Шопинг в воздушном замке
26. Брачный контракт кентавра
27. Император деревни Гадюкино
28. Бабочка в гипсе
29. Ночная жизнь моей свекрови
30. Королева без башни
31. В постели с Кинг−Конгом
32. Черный список деда Мазая
33. Костюм Адама для Евы
34. Добрый доктор Айбандит
35. Огнетушитель Прометея
36. Белочка во сне и наяву
37. Матрешка в перьях
38. Маскарад любовных утех

Сериал «Виола Тараканова. В мире преступных страстей»:

1. Черт из табакерки
2. Три мешка хитростей
3. Чудовище без красавицы
4. Урожай ядовитых ягодок
5. Чудеса в кастрюльке
6. Скелет из пробирки
7. Микстура от косоглазия
8. Филе из Золотого Петушка
9. Главбух и полцарства в придачу
10. Концерт для Колобка с оркестром
11. Фокус-покус от Василисы Ужасной
12. Любимые забавы папы Карло
13. Муха в самолете
14. Кекс в большом городе
15. Билет на ковер-вертолет
16. Монстры из хорошей семьи
17. Каникулы в Простофилино
18. Зимнее лето весны
19. Хеппи-энд для Дездемоны
20. Стриптиз Жар-птицы
21. Муму с аквалангом
22. Горячая любовь снеговика
23. Человек-невидимка в стразах
24. Летучий самозванец
25. Фея с золотыми зубами
26. Приданое лохматой обезьяны
27. Страстная ночь в зоопарке
28. Замок храпящей красавицы
29. Дьявол носит лапти
30. Путеводитель по Лукоморью
31. Фанатка голого короля
32. Ночной кошмар Железного Любовника
33. Кнопка управления мужем
34. Завещание рождественской утки
35. Ужас на крыльях ночи
36. Магия госпожи Метелицы
37. Три желания женщины-мечты

Сериал «Джентльмен сыска Иван Подушкин»:

1. Букет прекрасных дам
2. Бриллиант мутной воды
3. Инстинкт Бабы-Яги
4. 13 несчастий Геракла
5. Али-Баба и сорок разбойниц
6. Надувная женщина для Казановы
7. Тушканчик в бигудях
8. Рыбка по имени Зайка
9. Две невесты на одно место
10. Сафари на черепашку
11. Яблоко Монте-Кристо
12. Пикник на острове сокровищ
13. Мачо чужой мечты
14. Верхом на «Титанике»
15. Ангел на метле
16. Продюсер козьей морды
17. Смех и грех Ивана-царевича
18. Тайная связь его величества
19. Судьба найдет на сеновале

Сериал «Татьяна Сергеева. Детектив на диете»:

1. Старуха Кристи – отдыхает!
2. Диета для трех поросят
3. Инь, янь и всякая дрянь
4. Микроб без комплексов
5. Идеальное тело Пятачка
6. Дед Снегур и Морозочка
7. Золотое правило Трехпудовочки
8. Агент 013
9. Рваные валенки мадам Помпадур
10. Дедушка на выданье
11. Шекспир курит в сторонке
12. Версаль под хохлому
13. Всем сестрам по мозгам
14. Фуа-гра из топора
15. Толстушка под прикрытием
16. Сбылась мечта бегемота
17. Бабки царя Соломона

Сериал «Любимица фортуны Степанида Козлова»:

1. Развесистая клюква Голливуда
2. Живая вода мертвой царевны
3. Женихи воскресают по пятницам
4. Клеопатра с парашютом
5. Дворец со съехавшей крышей
6. Княжна с тараканами
7. Укротитель Медузы горгоны
8. Хищный аленький цветочек
9. Лунатик исчезает в полночь
10. Мачеха в хрустальных галошах

А также:
Кулинарная книга лентяйки. Готовим в мультиварке
Кулинарная книга лентяйки
Кулинарная книга лентяйки-2. Вкусное путешествие
Кулинарная книга лентяйки-3. Праздник по жизни
Простые и вкусные рецепты Дарьи Донцовой
Записки безумной оптимистки. Три года спустя. Автобиография
Я очень хочу жить. Мой личный опыт

Дарья Донцова

*Ш*уры-муры с **призраком**

роман

Москва

2015

УДК 821.161.1-312.4
ББК 84(2Рос=Рус)6-44
     Д67

Оформление серии художника *В. Щербакова*

Иллюстрация на обложке художника *В. Остапенко*

Д67 **Донцова, Дарья Аркадьевна.**
     Шуры-муры с призраком : роман / Дарья Донцо-
ва. — Москва : Издательство «Э», 2015. — 320 с. —
(Иронический детектив).

     ISBN 978-5-699-82618-6

     В офис детективного агентства обратилась Лаура Кривоносова
и попросила меня, Евлампию Романову, разыскать ее пропавшего
мужа. Тут же выяснилось: Никита Обжорин находится... в морге.
Он насмерть сбил пешехода и застрелился прямо на месте происшествия. Все, казалось бы, ясно. Но не тут-то было! Через несколько дней мой начальник Володя Костин сообщил, что подруга
нашла Лауру в квартире мертвой и наняла нас расследовать обстоятельства ее смерти. Дело оказалось чрезвычайно запутанным, а я
еще решила поэкспериментировать со внешностью... В общем, я
чуть не наломала дров, но все-таки с честью распутала клубок за-
гадок. Вдобавок ко всему я стала звездой Интернета, теперь меня
повсюду узнают, поклонники просят автографы и считают самой
авангардной моделью...

                              УДК 821.161.1-312.4
                              ББК 84(2Рос=Рус)6-44

Глава 1

— Если вышла замуж за принца, то не надо злиться на то, что он не хочет пахать, как простой крестьянин.

— Ну спасибо, Лампа, утешила, — закричали из мобильного с такой силой, что мне пришлось отодвинуть трубку от уха, — помогла подруге в ее беде.

Я включила громкую связь, положила сотовый на столик у зеркала, начала натягивать на Кису теплую курточку и продолжила беседу:

— Извини, Света, но никакой трагедии в происшедшем я не вижу. Ты всегда твердила: «Возьму в спутники жизни только принца, человека с богатым внутренним миром, энциклопедически образованного. Не хочу пролетария, который, придя вечером с работы, плюхается у телика с бутылкой пива. О чем с ним разговаривать?»

— Да! — заорала Светлана. — Для меня главное — родственность души и ума.

— И чем ты теперь недовольна? — удивилась я. — Нашла невероятно умного ученого, в присутствии твоего супруга люди чувствуют себя полными идиотами. У меня высшее образование, но я и тысячной долей знаний Валеры не обладаю. С ним очень интересно общаться.

— Супер! — завопила Света. — Болтать он горазд. Но это все, на что муж способен. Мы живем на мои деньги, я работаю с девяти утра до ночи в салоне, ноги отваливаются, в выходные ношусь по клиентам, пашу как лошадь. Вот сегодня, например, приехала к семи тридцати, постоянная клиентка улетает в командировку, она меня попросила пораньше выйти, чтобы прическу сделать. А муж?! Утром ему надо завтрак приготовить и оставить на плите, их высочество раньше полудня не встает. Вечером приношусь усталая домой, Валера на диване лежит, на кухне посуда грязная, в бачке гора белья, по углам пыль. И как супруг меня встречает? Ласково говорит: «Солнышко, как хорошо, что ты пришла. Пожарь картошечку, очень есть хочется».

А у меня ноги-руки гудят, голова кругом идет, но я держу себя в руках и с улыбкой спрашиваю: «Дорогой, чем ты занимался, как день провел?»

И слышу всегда один ответ: «Читал, думал».

Вот здорово! Если ни фига не делал, то мог бы и порядок навести, и мне ужин приготовить. Так нет же! Ни копейки в дом не приносит, а если я ему говорю, что неплохо бы куда-нибудь на работу устроиться, он горестно вздыхает: «Да я бы с радостью, очень мучаюсь, что на твоей шее сижу. Но где мне заработать? Ты парикмахер, у тебя прекрасная профессия, волосы все стригут. А я умею только размышлять! Кому мое образование нужно?»

И такой у него вид печальный делается, что приходится мужика утешать. Но в последнее время мне его по голове гладить надоело, все больше хочется пнуть лентяя.

— Света, ты мечтала о принце, а он нуждается в слугах, и не может венценосная особа пахать, как крестьянин, — повторила я уже сказанное, — кто-то должен обслуживать королевича и заботиться о его коне.

— Боже, какая гадость! — простонала подруга. — Меня сейчас стошнит! Фуу-у!

— Извини, что это советую, но если при мысли о муже тебя тошнит, может, надо э... э... ну... пожить некоторое время раздельно, — промямлила я, косясь на часы.

Понятно, что у Светки проблемы с супругом-лентяем, ей хочется выговориться. Наверное, клиентка Яковлевой сидит с краской на волосах, вот у Светы и выдалась свободная минутка. Но у меня сегодня утром полно дел, как бы вежливо дать понять подруге, что я не могу продолжать разговор?

— Лампа, — сказала Киса, — надо...

— Да я сейчас не про своего трутня, а про жвачку, — взвизгнула Светка, — слопала на завтрак паштет, а он, зараза, с чесноком оказался! А мне с людьми работать!!! Сунулась в сумку, моей любимой «Треш» нет.

— Треш? — повторила я. — Это что?

— Жвачка! Самая лучшая! Вкус восхитительный, — запела Яковлева, — жаль, ее повсюду не продают, приходится хрен знает куда за ней мотаться. Если хочешь, дам тебе телефон Пети, он ею торгует, у него можно заказать ее по телефону. Петька постоянным клиентам сам «Треш» привозит. Но он ко мне только вечером приедет, а чеснок-то сейчас воняет. Пошла в киоск, продавщица посоветовала взять «Гранату из мяты». Ну и дрянь! Ну и пакость! Мерзость! Еще раз убедилась: лучше «Треша» ничего нет.

— Я бы не стала пробовать нечто под названием «Треш», — пробормотала я, ведь это по-английски «мусор».

— Лампа, — пропищала Киса, — надо...

— Яковлева, у тебя клиентка в кресле вся изве-
лась, — крикнул кто-то, — краска ей кожу щиплет.

— Вечером поболтаем, — скороговоркой выпалила
подруга и отсоединилась.

Я выдохнула. Ура! Теперь можно бежать по своим
делам.

— Лампа, у тети Светы дома живет лошадка? —
спросила Киса. — Ее трудно кормить? Капризная,
да? Кашу не любит? Надо коняшке целый день есть
не давать, тогда она проголодается и за ужином даже
молоко с пенкой выпьет.

— Неплохая идея, — согласилась я, — поделюсь ею
со Светланой. Надеюсь, если ее конь не получит ни
завтрака, ни обеда, ни ужина, он поднимется с дивана.

— Давай вместо садика к тете Свете в гости сходим? — неожиданно предложила Киса.

— Она сейчас на работе, — сказала я. — И почему
тебе вдруг к ней захотелось?

— Мечтаю посмотреть, как лошадь на кровати лежит, — ответила девочка.

Я постаралась не рассмеяться, взглянула на часы
и засуетилась:

— Через десять минут занятия по хореографии
начнутся. Побежали! Ой, шапку забыли! На календа-
ре сентябрь, а холодно и дождь идет, хорошо, что нам
две минуты идти.

Я схватила шерстяной капор, натянула его на голову
Кисе и взяла ее за руку.

— Лампа, — засопротивлялась Киса, — мы забыли...

И тут снова ожил мобильный, на экране появилась
надпись «Макс».

— Ты где? — спросил муж.

Киса дернула меня за край пальто.

— Лампа, надо...

Я быстро повела ее на лестничную клетку, одновременно говоря в трубку:

— Пытаюсь отвести Кису в садик, мы опаздываем на танцы.

— А куда подевалась Роза Леопольдовна? — удивился Макс.

— Она пошла к зубному врачу, ей ставят имплант, — ответила я. — Краузе не будет весь день.

— Ясненько, — протянул супруг, — когда ты приедешь в офис? Эй, я ничего не слышу.

— Мы в лифте, — закричала я, — связь прервалась, подожди, сейчас на улицу выйдем. Киса, дай мне руку.

Девочка забубнила:

— Лампа, мы забыли...

Я догадалась, что она оставила дома любимого пупса, и решила не обращать внимания на ее слова. Возвращаться времени нет, сегодня Кисе придется обойтись без Алены, это не трагично, в группе полно хороших игрушек.

— Ладно, — вздохнула Киса, когда мы очутились во дворе, — пойду так.

Я не ответила девочке, потому что продолжала беседу с мужем:

— Переодену малышку и сразу помчусь на работу.

— Отлично, — обрадовался Вульф, — только не задерживайся.

* * *

— А вот и Киса! — воскликнула воспитательница, которую я до сегодняшнего дня ни разу не видела. — Кто тебя сегодня привел? Бабуля? Ваша внученька у нас новенькая, но ее уже все полюбили. До сих пор девочка с няней приходила. Я очень рада с бабушкой познакомиться. Кисонька, ты не замерзла? На улице очень холодно, а ты без перчаток!

Я лишилась дара речи. Конечно, мне не двадцать лет, но у меня стройная фигура, тридцать шестой европейский размер, вешу я сорок пять кило, и со спины меня часто принимают за юную девушку. Я слежу за собой, пользуюсь разными кремами для лица, модно одеваюсь и, как мне до сих пор казалось, прекрасно выгляжу. Почему воспитательница приняла меня за пенсионерку? Правда, вчера вечером я выпила три большие чашки чая и слопала пару кусков очень вкусного торта, который принесли гости, а утром не успела «нарисовать» глаза... Неужели без макияжа я похожа на старуху?

— Ручки у меня теплые, — ответила Киса, — а вот ножкам холодно!

— Ой, мамочки! — заголосила воспитательница, стаскивая с Кисы длинную, прикрывающую колени, куртку. — Почему ты в таком виде? Детонька!

Я посмотрела на малышку и вновь онемела. На девочке были розовый свитерок с вышитым зайчиком, белые трусики в синий горошек и... больше ничего. Ноги у ребенка голые, на ней нет ни колготок, ни брючек, только сапожки на липучках.

— Ужас! — причитала воспитательница. — Ты заболеешь!

— Ольга Павловна, вы где? — крикнули из коридора.

Воспитательница ринулась на зов, а ко мне вернулся дар речи:

— Киса! Почему ты не надела колготки? Где юбка?

— Роза Леопольдовна перед сном вчера все-все постирала, — объяснила Киса, — из сушки достала, сказала тебе: «Завтра утром поглажу. Лампа, вам останется только вещи из хозяйственной комнаты забрать. Кофточка с зайкой чистая, она у кровати Кисы на стуле висеть будет, сапожки в прихожей».

Я напрягла память. Вечером в районе восьми к нам неожиданно нагрянули гости, если девочка цитирует Краузе, значит, няня это говорила. Но слова Розы Леопольдовны начисто вылетели из моей головы!

— Утром я только кофточку нашла. Сама хотела колготки взять, — объясняла тем временем Киса, — и джинсы. Но они высоко висели, я не допрыгнула, а другая одежда была в шкафу, до вешалок мне не достать. Говорила тебе, говорила: «Лампа, мы забыли...», а когда на улицу вышли, перестала. Все равно уже в садик бежали.

Я выдохнула.

— Прости, Киса. Не понимаю, как это получилось. Почему я не заметила, что ты без колготок и брючек?

— Это тетя Света виновата, — оправдала меня девочка, — она долго про лошадь на диване рассказывала, потом Макс позвонил. Не беда, в раздевалке детсадовское платье есть. И я глупая, не догадалась стул притащить, на него встать и все снять.

Я погладила малышку по голове.

— Нет, ты умница. Извини, бога ради, ужасно получилось, хорошо, что садик в паре шагов от дома. Где твой шкафчик?

— Вон там, — сказала Киса, — на нем лимон нарисован.

Я открыла дверцу и удивилась:

— Тут черные брючки, фиолетовая рубашка, коричневые сандалии. Где Роза Леопольдовна откопала эту одежду? Мне казалось, что я покупала тебе только яркие вещи с красивыми принтами.

Киса наклонилась и начала расстегивать сапожки.

— Лампа, ты открыла шкаф с апельсином, а у меня лимон.

Я опешила и схватилась за соседнюю дверцу.

— Нет, там грейпфрут, — остановила меня девочка.

Я ощутила себя полной идиоткой.

— А справа помело, — предусмотрительно сказала Киса. — Лимон последний в ряду, давай покажу, как он выглядит, желтенький такой!

— Фрукты очень похожи, — возмутилась я, — администрации следовало изобразить животных, собаку с зеброй не перепутаешь, а грейпфрут с помело запросто, они практически одинаковые.

— Зверей проходят в малышовой группе, — снисходительно сказала девочка, — а я в старшей, у нас задачи посложней. И помело с грейпфрутом совсем разные по размеру. Ты не нервничай, я сама оденусь!

— Да, да, — раздался женский голос. — Киса такая самостоятельная! Бабулечка, уходите спокойненько.

Я обернулась: во время того, как я пыталась найти шкафчик Кисы, воспитательница бесшумно вошла в раздевалку и замерла на пороге.

— Тра-ля-ля, тра-ля-ля, — донеслось из коридора.

— Танцы начинаются, — обрадовалась малышка, — пока, Лампа, не забудь меня забрать.

— Ну что ты, разве это возможно, — сконфуженно пробормотала я, бочком протиснулась мимо Ольги Павловны и выскользнула на улицу.

Глава 2

Дождь прекратился, я быстро пошла к гаражу, в очередной раз радуясь, что нам с мужем повезло найти прекрасную новую квартиру.

Некоторое время назад мы с Максом приняли решение перебраться за город. У Кисы началась аллергия на московскую пыль, у мопсих Фиры и Муси от реагентов, которыми в столице в холодное время года обрабатывают улицы, стали болеть лапы. Нам посчастливилось в рекордно короткий срок купить дом в Подмосковье... Увы, в особняке мы не задержались. Почему? Не хочется вспоминать ту историю[1]. Скажу лишь, что нам пришлось пожить в съемных апартаментах, а два месяца назад мы наконец-то перебрались в замечательное место. Я даже не предполагала, что в мегаполисе есть такие райские уголки. Наш новый дом находится в центре парка, территория огорожена забором, въехать сюда можно только показав охране пропуск. В доме всего семь квартир, по одной на этаже, но в реальности здесь сейчас, включая нас, живут лишь три семьи, где остальные владельцы, мне неведомо. Кирпичный дом, стилизованный под постройку девятнадцатого века, возводил для себя Игорь Львович Максимов, владелец крупной строительной корпорации, посторонним людям квартиры в этом здании он не продавал. На первом этаже Максимов поселил своих родителей, на втором дочь, на третьем сына, на четвертом устроился его брат, пятый и шестой заняли его лучшие друзья, а на седьмом он планировал поселиться

---

[1] История, о которой не хочет вспоминать Лампа, рассказана в книге Дарьи Донцовой «Маскарад любовных утех», издательство «Эксмо».

сам. Почему Игорь Львович решил обосноваться на верхотуре? На крыше он оборудовал настоящий сад, в жаркую погоду там можно загорать, пить чай, жарить шашлыки. Максимов не забыл и про свою собаку. Для лабрадора отвели специальную зону, которую он мог использовать вместо туалета, раз в неделю там просто меняется наполнитель, только он не в гранулах, а похож на газон в рулоне. Каким образом мы с Максом стали собственниками хозяйских апартаментов?

Игоря Львовича угораздило вляпаться в некрасивую историю, его обвинили в убийстве своей любовницы, двадцатилетней модели Иры Сазоновой. Все улики свидетельствовали против олигарха, но, по счастью, он догадался обратиться к Максу. Вульф выяснил, что у очаровательной манекенщицы, двадцатилетней блондинки, страстно обожавшей перешагнувшего на шестой десяток Игоря, был еще один мужчина, которому прелестница часто говорила: «Милый, я терпеть не могу Гарика, но он богат, помогает мне делать карьеру. Подожди немного, я покорю вершину фэшн-бизнеса, уйду от старого пня, и мы будем жить вместе». Парню надоело быть запасным аэродромом, он ревновал красавицу и в конце концов решил: раз Ира не хочет стать его женой, пусть никому не достанется. Отправив девушку к праотцам, парень все подстроил так, чтобы подозрение в убийстве пало на олигарха.

Макс разобрался в этой истории, Игорь Львович вышел из СИЗО, решил уехать жить в Англию и предложил Вульфу:

— Посмотрите мою квартиру на седьмом этаже, знаю, что вы с женой сейчас своего жилья не имеете. Если понравится, продам ее вам по себестоимости.

Я там не жил, едва успел чистовую отделку завершить, как загремел за решетку.

Мы с Максом отправились по указанному адресу, увидели парк, охрану, необъятные апартаменты, сад на крыше и пришли в полный восторг. Было лишь одно «но», и Макс сказал Игорю:

— Я знаю, за какую сумму уходят такие квартиры, а вы собрались отдать их нам по цене двушки в дешевом районе. Неудобно разорять вас.

— Да иди ты, — отмахнулся Максимов, — дом предназначался для своих, на продажу он не выставлялся, зарабатывать на нем я не планировал. Прошу деньги, которые были потрачены на стройку и отделку. Если не веришь, что я истратил столько, покажу счета. Ребята, не кривляйтесь, от чистого сердца предложение делаю, потому что тебе, Макс, по гроб жизни благодарен. Если откажетесь, я просто запру седьмой этаж. Не валяйте дурака!

Мы согласились и теперь совершенно счастливы. Квартира снабжена суперсовременной системой очистки воздуха, у Кисы мигом прошла аллергия. Фира и Муся гуляют на крыше, про больные лапы они забыли. Детский сад, куда я определила Кису, расположен в том же парке, надо просто выйти за ворота, перебежать широкую аллею, и все.

Я притормозила около нашего агентства, вошла внутрь, радуясь, что наконец-то приехала на службу.

Вас удивляет, что я, не хотевшая работать под руководством мужа, говорю: «наше агентство», «приехала на службу»? Да, я теперь сотрудница Макса, но не нахожусь в непосредственном подчинении у супруга. Мой босс — Володя Костин, которого Вульф сделал начальником особого отдела. Мужу пришла в голову идея создать подразделение, которое будет заниматься розыском пропавших людей. Не секрет, что полиция терпеть не может подобных дел и всеми силами пытается от них отбиться. Если придете в отделение со словами: «Супруг не вернулся вечером домой с работы, помогите!», то скорей всего, услышите в ответ: «Погодите волноваться. Загулял мужик! Проспится и приползет. Вот если он за три дня не объявится, тогда прибегайте».

На самом деле дежурный обязан принять заявление о пропаже человека от любого лица на всей территории России в любом отделении полиции или Следственного комитета. При этом не допускается никаких отсрочек во времени, отсутствие у вас фотографий исчезнувшего не имеет ни малейшего значения. Но наши граждане, к сожалению, часто юридически безграмотны, а некоторым полицейским неохота затевать поиск, поэтому они элементарно врут тому, кто примчался к ним за помощью.

«Что? Ваш муж уже один раз исчезал из дома на неделю? Ну тогда его вообще не стоит искать. А вы официально расписаны? Ах, в гражданском браке! Заявление имеют право писать исключительно родственники».

Не верьте этим словам, знайте, вы разговариваете с недобросовестным сотрудником. Идите к местному начальству, напомните ему, что у вас ОБЯЗАНЫ сразу принять заявление, а написать его может приятель, коллега, любовница пропавшего.

Но большинство людей верит недобросовестным стражам закона на слово и уходит пить успокаивающие лекарства. К счастью, ленивые служаки часто оказываются правы. Не успеет заплаканная мама-жена-сестра вернуться домой, как на пороге материализуется «потеряшка» и начинает каяться:

«Прости, пошел вчера с ребятами в бар, хотел пропустить кружечку пивка... Сам не знаю, как получилось... Глотнул два раза. Очнулся только час назад».

Оно понятно, что в пиво добавили водочки и гудели до рассвета, но домашние так рады увидеть родного, любимого живым-здоровым, что даже не ругают его.

Но порой случается иначе. Сообразив, что от тех, кто должен их защищать, прока нет, люди сами начинают поиски и находят тело в морге. Понимаю: мои слова станут для вас шокирующими, но узнать о смерти близкого человека — это не самое страшное, намного хуже оставаться в неведении, что с ним, куда он подевался, жить, задавая себе вопросы: где он, жив или погиб? Уж лучше упокоить человека, чем маяться в безвестности. И, пожалуйста, помните, если речь идет о пропавшем ребенке, важен каждый час. По статистике восемьдесят пять процентов детей возраста до десяти лет погибают в первые сутки после исчезновения. А к концу третьих в живых остаются лишь два малыша из сотни.

Но даже если у вас приняли заявление, то не факт, что полицейские сразу начнут по нему работать. Кое-кто из них скажет:

«Ступайте домой, мы займемся поисками».

Вы будете дежурить у телефона, но так и не дождетесь никаких звонков.

Вот почему Макс создал отдел розыска, мы с Костиным беремся за работу сразу и никогда никого не обманываем.

* * *

— Ну наконец-то! — воскликнул муж, когда я вошла в его кабинет. — Почему так долго?

— В пробку попала, — вздохнула я. — Что случилось?

— Костин тоже задержался, — объяснил Макс, — застрял на шоссе. В него въехала какая-то блондинка, а ГАИ никак не явится.

— Не повезло Вовке, — пожалела я приятеля.

— Ты хорошо себя чувствуешь? — вдруг спросил супруг.

— Да, — удивилась я, — прекрасно.

— Ты сегодня очень бледная, синяки под глазами, — продолжал Макс.

И тут я сообразила, что, торопясь утром в садик с Кисой, а потом несясь на работу, забыла сделать макияж.

— Лицо опухшее, — сказал муж. — Может, отдохнешь пару денечков? Там, правда, женщина приехала, ждет в приемной. Ну да Костин, наверное, скоро с аварией разберется. Не нравится мне твой вид.

— Просто не успела позавтракать, — заюлила я. — Попрошу Марину заварить чаю покрепче и принести в переговорную. Сбегаю на пять минут в туалет и примусь за работу.

В сортире я уставилась в зеркало. Мда, вид не из лучших. Я блондинка, поэтому брови и ресницы у меня светлые, почти незаметные. И кожа очень тонкая, под ней просвечивают сосуды, создавая под глазами иллюзию синяков. Здоровым румянцем я никогда похвастаться не могла, даже в детстве, придя с мороза, имела бледный вид, простите за каламбур. Каждо утро я, умывшись, мажу лицо питательным кремом, который придает ему оттенок слабого загара. Средство хорошее, если наносить его влажным спонжиком, оно совершенно невидимо для окружающих, потом я капаю на щеки жидкие румяна, брови и ресницы крашу раз в месяц у косметолога и выгляжу красавицей. Но в последнее время было много работы, я пропустила визит к Алене, брови с ресницами стали пепельными, про тональный крем с румянами сегодня я в спешке позабыла, и вот вам результат: сейчас из зеркала на меня смотрит белая мышь!

Я схватилась за косметичку, поняла, что оставила весь джентльменский набор дома, и растерялась. Что со мной происходит? Утром не заметила, что Киса щеголяет в одном свитерке, не вспомнила про макияж, хотя всегда непременно его наношу, пытаясь найти в садике нужный шкафчик, перепутала лимон с апельсином, а грейпфрут с помело. Воспитательница приняла меня за бабушку Кисы, а Макс, который, как мне всегда казалось, не обращает внимания на мою внешность, стал беспокоиться о моем здоровье. И вот вишенка на торте: пудра, тени, румяна и все прочее забыты дома.

Я начала щипать себя за щеки, надеясь, что после этого нехитрого приема хоть слегка порозовею. Но нет! Мордочка осталась сине-зеленой. Я закрыла глаза и сказала себе: «Лампа, не стоит расстраиваться. Сейчас поговорю с клиенткой. Потом сбегаю в расположенный неподалеку торговый центр, там точно есть отдел косметики. Скорей всего в нем не окажется моего любимого тонального крема и румян, но это не страшно, куплю самые маленькие упаковки любых средств, накрашусь и перестану пугать окружающих.

Глава 3

В переговорной сидела худенькая, похожая на кузнечика женщина неопределенного возраста.

— У меня муж пропал, — сердито сообщила она, увидев меня на пороге. — Хороши порядки в вашем агентстве, изождалась вся, пока нужный человек появится.

— Простите, в городе пробки, — ответила я.

— Надо выезжать пораньше, и повсюду успеешь, — огрызнулась клиентка. — Не в полицию пришла, не забесплатно помочь прошу, за деньги. А вы недешево берете!

Я устроилась в кресле напротив хмурой тетки.

— Финансовые вопросы решает Владимир Костин, возможно, он предложит вам скидку, окончательная сумма выяснится, когда наша работа завершится. Она зависит от расходов.

— О как! — фыркнула клиентка.

— Иногда расследование затягивается, — пояснила я, — приходится привлекать разных специалистов. Допустим, понадобились некие материалы из закрытого архива, официально к ним не подобраться, надо добывать другими путями.

— Ну и ну! — скривилась тетка. — Обдираловка!

Я встала.

— Наверное, вам лучше дождаться господина Костина, он вот-вот появится. Я не уполномочена обсуждать вопрос оплаты.

— У меня муж пропал, — тоскливо произнесла дама, — по телефону не отвечает. В полиции отмахнулись, сказали: «Ежели он три дня не появится, тогда и приходите. Да вы не дергайтесь, ну загулял мужик, протрезвеет и припрется». Я им попыталась объяснить, что Никита спиртное даже не нюхает, никогда выпивкой не увлекался, а сейчас и подавно. Болен он сильно.

Я вернулась на место.

— Чем страдает ваш супруг?

— У него болезнь Крейтцфельдта-Якоба, — без запинки выпалила незнакомка. — Слышали про нее?

— Никогда, — призналась я.

— Счастливая, — вздохнула женщина, — да и я про нее понятия не имела, пока она в дом не постучалась.

— Как вас зовут? — спросила я.

— Лаура Кривоносова, — представилась она, — мама решила, раз у меня фамилия неблагозвучная, то пусть хоть имя шикарное будет, в школе дразнить не станут. Да не вышло ничего хорошего! Меня все «Кривой нос» обзывали. А сейчас на работе пациенты посмеиваются, я в клинике пластической хирургии служу. Увидят клиенты табличку на двери «Старшая медсестра Лаура Кривоносова», и давай ржать. Я их не осуждаю, реально смешно. Кривоносова в клинике красоты! Обхохочешься.

Я поняла, что из клиентки потихонечку уходит агрессия, и продолжила:

— Надо было, выйдя замуж, паспорт поменять.

Лаура вдруг улыбнулась.

— Люблю читать журналы по психологии, например, «Пифия», очень там интересно пишут, недавно узнала про родительское программирование: что мать малышу с пеленок внушает, то с ним во взрослой жизни и случится. Мне моя твердила: «С твоей внешностью замуж быстро не выйти, учись хорошо, получи профессию, чтобы от мужика не зависеть. Чует мое сердце, попадется тебе спутник жизни с фамилией почище родительской. Это наша семейная карма. Бабка, в девичестве Дуракова, стала Хохотушкиной, я за Сергея Кривоносова выскочила. Ох, быть тебе Лаурой Выпивохиной». И ведь по всем позициям мамаша права оказалась. За лекции про необходимость хорошего образования я ей благодарна, на работе коллеги и начальство меня ценят, уважают. Но супруга я нашла в тридцать восемь лет, и зовут его Никита Владимирович Обжорин. Вот ведь напророчила мать, только слегка ошиблась, не Выпивохин мне попался, но все равно не хотелось Лаурой Обжориной становиться. Муж мой хороший человек, не пьет, не курит, рукастый, все починить может, не жадный. Одна беда — молчун. Он у меня бывший спортсмен, биатлонист, призовые места на Олимпиаде не занимал, но простых соревнований много выиграл, потом в школе учителем физкультуры работал. Мы с ним шестой год живем, я его прошлой зимой стала подбивать гимназию бросить, там мало платили, предложила в фитнес устроиться. К нам в клинику бизнесвумен ходит, она сетью спортивных залов владеет. Я к ней подкатилась с вопросом:

— Не нужны ли вам инструкторы? Супруг мой Никита биатлонист бывший, много его медалей дома на стене висит.

Она ответила:

— Лаура, у нас требуется специальное образование, дам тебе адрес курсов, пусть твой муж получит диплом, и тогда мы возьмем его на работу.

Никита загорелся, ходил по вечерам учиться, трудно ему приходилось, он школу-то почти не посещал, все тренировался, ни в математике, ни в литературе, ни в истории не разбирается. Но очень уж ему хотелось достойные деньги получать. Мы в основном на мою зарплату существуем, его заработок совсем маленький.

А потом на него болячка напала. Узнали мы о ней случайно. Я мужа постоянно мотивировала:

— Давай, Никитос, за два года не состаришься, мозг еще не обветшал. Это как в спорте, нацелься на результат, и победишь. Учеба сродни тренировкам, сначала тяжело, затем получишь медаль. Эльвира Михайловна обещала тебя в самый свой крутой фитнес взять, в закрытый клуб, куда олигархи и звезды ходят. Оклады там у инструкторов по сто двадцать тысяч, плюс чаевые клиенты дают, на круг до двухсот выходит. Мы ипотеку возьмем, из однушки выберемся, машину новую купим...

Он сначала говорил:

— Лорик! Не беспокойся, затвержу названия чертовых костей и мышц. Ты у меня в новой шубе ходить будешь.

Но никак ему наука не давалась. Я посоветовалась с нашим главврачом и владелицей клиники Майей Григорьевной. Та меня очень внимательно выслушала, сказала:

— Дай мне время до завтра подумать.

А на следующий день вручила мне три большие банки биодобавки «Быстроум», велела:

— Пусть твой супруг принимает по восемь капсул ежедневно. Отличное средство, оно ему поможет. Препарат производят в Америке!

Кит начал пить БАД, и так у него мозг просветлел, так просветлел! Легко учиться стало. Все у нас отлично складывалось, Никита как на крыльях летал, а потом...

Лаура отвернулась к окну.

— Я, дура, ничего сначала не заподозрила. Правда, видела, что Никита странный стал, пару раз на меня огрызнулся, раньше он всегда со мной только ласково разговаривал. Спал муж плохо, по ночам на кухню уходил, чай пил. Но я подумала, что это из-за учебы. На курсах инструкторов серьезно готовят, и анатомию преподают, и психологию, учебников штук двадцать. А потом Кит сказал:

— Лаура, я долго не проживу, у меня болезнь Крейтц-фельдта-Якоба, она имеет несколько форм, но все они не лечатся, стопроцентная смерть, как правило, в тече-ние года после начала заболевания. На конечной ста-дии больной совсем теряет разум. Основные симптомы: головная боль, головокружение, снижение умственных способностей...

Признался мне и заплакал. Я полезла в справочник, прочитала про болезнь, перепугалась, но сказала:

— Нельзя сдаваться, болячка неприятная, но она не очень хорошо изучена, для установления точного диагноза нужно сделать биопсию мозга. Возможно, у тебя что-то другое. Кто тебе про Крейтцфельдта сказал?

Оказалось, что у Никиты голова уже пару месяцев болит, он болеутоляющие лекарства пил. Сначала одна таблетка помогала, потом перестала, муж стал две пи-люли глотать, три, четыре... Когда до десяти дошел, решил к специалисту обратиться, меня волновать не хотел, пошел в районную поликлинику к невропатоло-гу, а тот ему заявил про смертельную хворобу. Господи! Я на супруга налетела:

— Докторишка — кретин! Разве так диагноз ставят? Он тебе направление на исследование выписал? В спра-вочнике сказано: «Необходимо ЭКГ-исследование, на нем выявляются фоновые плоские колебания в виде волн, состоящих из трех фаз».

Никита занервничал:

— Это что такое?

А я сама не знаю, хоть медсестрой работаю, но о многом понятия не имею, хорошо, ума хватило ответить:

— Это говорит о тупости врача! Услышал красивое название и тебе его приклеил. Голова все время болит? Ты просто устал, очень много занимаешься. Ну, подумай, «Быстроум» ведь тебе помог? Больному от витаминов легче не станет.

Никита вздохнул:

— После них я легко учиться стал, а теперь опять плохо. Голова кружится, руки иногда дрожат, колени слабые.

Но я решила не сдаваться.

— Кит! Майя Григорьевна Федина психолог, ведет в нашей клинике психотерапевтические сеансы. Но по образованию она невропатолог, я попрошу ее тебя посмотреть.

Лаура замолчала.

— Диагноз подтвердился? — спросила я.

Кривоносова кивнула.

— Майя Григорьевна сначала с Никитой долго говорила, меня в кабинет не пустила. Потом его сама отвезла на исследование в медцентр... ну и да! Болен мой муж. Очень болен. Нет надежды на исцеление. Правда, Федина Никите лекцию прочитала, ну, знаете, такую, оптимистичную. «Сдаваться нельзя, учебу нужно продолжать, многим людям ставили тяжелые диагнозы, но они не опустили рук, боролись и вылечились. Разве вы слабак?»

В Никите вроде боевой дух проснулся, он даже повеселел, мне пообещал:

— Ни за что не слягу.

А потом у мужа на курсах занятия стали проводить не два раза в неделю, а каждый день, и длились они дольше, Кит возвращался домой после одиннадцати. Раньше он за мной заезжал, но теперь у него не получалось. Вчера я после работы поехала к клиентам. Многим после операций курс уколов назначают, я их хорошо делаю, не больно, следов не остается. Вот кое-кто, уходя из стационара, и просит: «Лаурочка, вы мне инъекции не согласитесь дома делать?»

Почему нет? Приработок нужен. Вчера по пяти адресам смоталась, люди в разных концах города жили, домой около полуночи притопала. Никиты нет, машины тоже. Я забеспокоилась, начала ему звонить: мобильный отключен. Спать не легла, на кухне сидела, но муж не пришел. Вот такая петрушка. Нехорошее у меня предчувствие, помогите, пожалуйста. Уж простите, что я из-за денег скандалить начала, заплачу сколько потребуется. Это я от нервов заистерила. Кредит в банке возьму, не обману.

Я нажала на кнопку в столе, в переговорную ворвалась Марина, наш секретарь.

— Слушаю, Евлампия Андреевна.

— Принесите, пожалуйста, Лауре ваш фирменный капучино и печенье с шоколадной крошкой, — попросила я.

Помощница убежала.

— Не беспокойтесь, я уже пришла в себя, — пробормотала Кривоносова.

— Хороший кофеек никогда не помешает, — перебила ее я и взяла телефон. — Роман, добрый день, ты занят?

— Нет, лежу на пляже, пью коктейль, пялюсь на красивых девушек, — вмиг рассердился Бунин, наш главный компьютерщик, — говори, что надо.

— Никита Владимирович Обжорин вчера не вернулся домой, проверь, не попал ли он в больницу. Прошерсти как муниципальные, так и частные клиники, — попросила я.

— Только среди живых искать? В морги не заглядывать?

— Рядом сидит его жена, — продолжила я, — она рассказала, что муж страдает редким заболеванием.

— Понятно, не хочешь при ней морг упоминать, — догадался Роман, — но, если тело там обнаружится, придется ей правду сообщить.

— Проблемы надо преодолевать по мере их поступления, — остановила я Бунина, — действуй по стандартной схеме.

— Больницы-морги, временно задержанных полицией, вокзалы-аэропорты, вдруг он куда смылся, — на едином дыхании выпалил главный компьютерщик.

— Кофеек, — пропела Марина, входя в кабинет.

— Руки вымыть можно? — спросила Лаура.

— Пойдемте, провожу, — любезно предложила секретарша.

— Сделай побыстрее, супруга очень переживает, — сказала я, когда Кривоносова ушла.

— Все переживают, — буркнул Роман, — нас тут всего двое, я и Николай—стажер, загружены выше бровей.

— Ну, пожалуйста, — заныла я.

— Постараюсь, — пообещал Бунин и отсоединился.

Глава 4

Через полчаса, записав адрес и телефон Лауры, я осторожно посоветовала:

— Когда закончим беседовать, вам лучше поехать домой, как только Роман что-то разузнает, я сразу сообщу.

— Ладно, — согласилась Кривоносова.

— Еще хорошо бы получить фото вашего мужа, — сказала я.

Лаура взяла сумку.

— Дома есть, в альбоме. Сейчас у всех телефоны с камерами и Интернетом, снимки делают и друг другу пересылают, а у нас с Никитой старые трубки. Мы экономим, копим на квартиру, лишних покупок не делаем, хотим трешку купить. Еще бы дачку нам, я цветы обожаю, дома все подоконники горшками заставила.

— Хорошее жилье большая радость, — согласилась я. — У меня к вам есть еще один вопрос, заранее прошу извинения, если он покажется вам бестактным. Пока пили кофе, мы обсудили, у кого из друзей Никита Владимирович мог остаться переночевать...

— Я ответила: нет у мужа никого, — поморщилась Лаура. — Чего по сто раз про одно и то же говорить? Муж родителей рано потерял, его бабушка воспитывала, она мальчика в секцию отдала, чтобы по улицам без дела не болтался, под дурное влияние не попал. В спорте друзей нет, там соперники. В юности Кит ни с кем контактов не поддерживал, в зрелости тоже. Вот у меня есть подруга, она учитель, а у Никиты из близких одна я. Все праздники втроем отмечаем. Мы и Лена Яшина.

— Ваша знакомая не замужем? — уточнила я.

Кривоносова кивнула.

— Многие женщины остерегаются несемейных знакомых, — сказала я.

— Вон что вам в голову пришло, — протянула клиентка. — Лена не способна на подлость, мы знаем друг друга не первый год. Когда мы с Китом поженились, Лена его в свою школу перетащила, пошепталась с директором, и Никиту взяли физруком. До того, как мы встретились, супруг в магазине лыжами торговал, еще раньше коньки в прокате выдавал, а благодаря Елене стал педагогом, престижная работа, жаль, что малооплачиваемая.

Я молча слушала Лауру. Давно успела понять, что у каждого человека свои тайны, и любимая жена, как правило, последней узнает о походе налево своего заботливого, нежного, идеального мужа.

На столе заверещал телефон, меня искал Роман.

— Есть результат.

— Ага, — приуныла я, понимая, почему он почти мгновенно справился с задачей. — Где?

— Морг на Всеволжской. Вчера в районе десяти вечера на Ремонтную улицу вызвали «Скорую». Медики нашли разбитую машину и два трупа. Никита Владимирович Обжорин находился за рулем, он застрелился.

— Погоди-ка, ничего не понимаю, — воскликнула я, — сейчас зайду к тебе.

— Что? — одними губами спросила Лаура. — Узнали про моего мужа?

— Пока нет, — соврала я, — отбегу на секундочку, пришел человек, которому назначили встречу на пять вечера. То ли он время перепутал, то ли решил, что все равно, когда в агентство заглянуть. Быстро вернусь. Включить вам телевизор?

— Не надо, — отказалась Кривоносова, — так посижу.

* * *

— Рассказывай коротко, — велела я Роману, влетая в его забитую компьютерами комнату.

— Обжорин застрелился. Случилось ДТП. Он сбил человека, — в телеграфном стиле сообщил начальник отдела.

— Ничего не поняла, объясни, — потребовала я.

— Уж определись, тебе надо коротко или подробно, — ухмыльнулся Роман.

— В деталях, но быстро!

— Дайте мороженое погорячее, — съязвил Бунин.

— Жена Никиты в переговорной, — объяснила я, — не хочу ее надолго одну оставлять.

Роман крутанулся на стуле.

— Вчера примерно в двадцать два часа на улице Ремонтной напротив банка «Мэте» автомобиль «ВАЗ-21099» совершил наезд на гражданина Сыркина Виталия Павловича. Последний скончался на месте. Водитель достал из бардачка оружие, и бум! «Скорую» вызвали в четверть одиннадцатого. Медики зафиксировали смерть, кликнули полицейских, те живо установили, что водителя звали Обжорин Никита Владимирович, права находились при нем, в кармане лежал паспорт. И вот самая интересная штука. На переднем пассажирском сиденье нашли конверт с письмом. В нем написано: «Я, Обжорин Никита Владимирович, добровольно ухожу из жизни. Я страдаю тяжелой болезнью, которая неминуемо сделает меня безумцем. Не готов проводить последние дни как сумасшедший. Прошу никого в моей смерти не винить. Я специально выбрал для совершения суицида парк на улице Фонарева, там в позднее время никого не бывает, я никого не напугаю. Не хочу, чтобы жена нашла мое тело в квартире, она не заслужила такого стресса. Прости, Лаура, я был с тобой очень счастлив, но лучше уйти сейчас, пока я еще способен принять решение, находясь в твердом уме». Дальше подпись и число.

— Послание длинное, — протянула я.

Роман показал на экран ноутбука.

— Зацени оперативность, вот тебе фото предсмертной записки. Обрати внимание, написано без единой помарки.

— Обжорин не спешил, — отметила я, — он заранее приготовил текст, вероятно, составил его дома. Непохоже, что у него дрожала рука. Если ты только что переехал человека, то не останешься хладнокровным. Нет, он решил застрелиться, выехал из дома...

— Парк находится через три квартала от улицы, где случилось ДТП, — подхватил Роман. — Обжорин готовился уйти из жизни, наверное, нервничал, стемнело, шел дождь... он просто не заметил Сыркина, а тот не увидел автомобиль. Можно считать случай банальным ДТП, но суицид придает ему необычный окрас.

Я поежилась.

— Никита Владимирович, наверное, здорово перепугался, когда наехал на человека, понял, что приедет ГАИ... и решил сразу свести счеты с жизнью. Бедняга, не повезло ему в последние минуты.

— Ну, Сыркину еще хуже, — заметил Роман.

— Знаете, что необычно? — вдруг спросил стажер Николай, до этого молча слушавший нашу беседу. — Ремонтная улица прямая, широкая. Странное дело, но на ней не особенно оживленное движение.

— Ничего удивительного, — возразил стажеру Роман. — Ремонтная тупиковая, насквозь ее проехать, чтобы миновать пробки, нельзя. И там практически нет жилых домов, только на пересечении с Форткина возведена блочная башня. Из учреждений там поликлиника, банк «Мэте», агентство недвижимости, театр «Новая абстракция», дальше несколько автосервисов. Все это на момент аварии уже закрылось. Откуда народу взяться?

— Театр должен вечером работать, — возразила я.

— Этот нет, — заспорил Николай, — я проверил. Представления у них начинаются в семь. Вчера шла пьеса «Мой любимый каннибал», она завершилась в девять тридцать, мест в зале мало, публика быстро разъехалась. В двадцать два на Ремонтной, наверное, было пусто. Разве что кто-то из жильцов блочной башни домой спешил. Но ему лучше идти по улице Форткина, там остановка автобуса.

— К чему ты клонишь? — спросил Роман.

— Ремонтная пустая, отчего Обжорин не заметил пешехода? — прищурился Николай.

— Лампа только что сказала: «Никита Владимирович был в состоянии стресса», не задавай глупых вопросов, — вскипел начальник. — Человек приготовился свести счеты с жизнью, на сиденье лежала предсмертная записка, он думал только о самоубийстве.

— Ладно, спрошу иначе, — не успокоился Николай. — По какой причине Сыркин не заметил машину? Было темно, шел дождь, но свет фар хорошо виден.

— Некоторые люди надевают наушники, на голову накидывают капюшон и топают, не думая о безопасности. Сколько раз я таких объезжал, — негодовал Роман.

— Непонятно, однако, — тянул Николай. — Чего Обжорин не сигналил?

Бунин закатил глаза.

— Е-мое! Да не заметил он мужика! Не заметил!

— «Скорую» кто вызвал? — не утихал Николай.

Мы с Романом переглянулись, Бунин забегал пальцами по клавиатуре, а Николай продолжал:

— Сыркин покойник. Обжорин застрелился. Кто врачам звякнул?

— Никита Владимирович? — предположила я.

Николай потянулся.

— Заботливый, однако, сначала переехал, потом решил врача пригласить и лишь после этого: ба-бах? Не похоже на стрессовое состояние. Аффект иначе выражается: увидел труп на дороге, хвать пистолет! И почему Обжорин решил, что Сыркину уже не поможешь?

Я откашлялась.

— Коля, Никита Владимирович полагал, что человек, которого он сбил, жив, поэтому перед тем, как самому уйти из жизни, вызвал врачей.

— Чего он тогда до парка не докатил? — спросил парень. — Там десять секунд ехать. И нелогично получается. Сначала вы говорили: «Обжорин пустил себе пулю в лоб, когда понял, что убил человека». Типа психанул — и бумс. А сейчас, по-вашему, получается, шофер увидел, что пешеход шевелится, и обратился к докторам. Чего ему в этом случае психовать? За фигом прямо на месте наезда стреляться? Можно в парк отправиться, сделать, как решил.

— Ты у нас психиатр доморощенный или специалист по поведенческому анализу? — налетел на стажера Роман. — Неизвестно, кто врачей вызвал. Человек не представился. Аноним.

— Если не ошибаюсь, диспетчеры всегда видят номер того, кто звонит, — пробормотала я, — даже если он скрыт, специальная аппаратура определяет телефон, а сейчас еще и выясняется местоположение.

— Только в случае, когда звонят с трубки последнего поколения, — уточнил Николай, — местонахождение древнего мобильника останется тайной. Думаю, на месте происшествия был еще кто-то. Свидетель. Это он в службу спасения обратился, а там все записывают. Не смотрите на меня волками, давайте проверим, сравним голос Обжорина со звуковым файлом. Если не самоубийца врачей вызвал, значит, там был еще кто-то. И почему он удрал?

— Хорошо, узнай всю информацию и вышли мне фото предсмертной записки, — попросила я и пошла в переговорную.

Глава 5

— Что? — спросила Лаура, едва я появилась на пороге. — Плохо, да? Вижу по вашему лицу... муж... да?

— Мне очень жаль, — сказала я, — тело человека с документами на имя Обжорина Никиты Владимировича находится в морге.

Кривоносова закрыла лицо руками, я нажала на кнопку и велела секретарше:

— Срочно Вадима сюда! Со всем набором.

Лаура вытерла ладонями щеки.

— Что с ним произошло?

— Точных данных пока нет, — обтекаемо ответила я, — похоже, ваш муж совершил самоубийство.

— Он оставил записку? — прошептала Лаура.

Я не успела ответить, в комнату вошел врач с чемоданчиком, Кривоносова уставилась на него.

— Это Вадим Борисович, — представила я, — наш доктор, он вам сейчас давление померяет.

— Я старшая медсестра, — заявила Лаура, — отлично понимаю, что на аппарате двести двадцать на сто тридцать выскочит.

— И все же давайте посмотрим, — попросил Вадим, — я вам таблетку дам, могу укол сделать, у нас есть где полежать.

— Мне лучше домой, — всхлипнула Кривоносова, — только заплачу сначала. Сколько с меня?

— Вы ничего не должны, — ответила я, — мы по делу совсем не работали. Пусть Вадим Борисович все-таки измерит давление, а я пока позвоню вашим родственникам. Не надо сейчас одной оставаться.

— Никого из близких, кроме подруги Лены, у меня нет, — уточнила Лаура, — я в порядке. Знала, что скоро этот день наступит, готовилась... Просто когда услышала...

— Дайте, пожалуйста, телефон Елены, — попросила я.

Лаура продиктовала цифры, я, оставив ее с врачом, вышла в коридор.

Живет себе человек, расстраивается по разным поводам, из-за отсутствия денег, хочет большую квартиру, новую машину, повышения по службе... А потом заболевает, и становится понятно: господи, мне ничего, кроме здоровья, не надо. Все вокруг жалуются на тяжелую жизнь, но что-то никто в лучший мир не торопится.

— Алло, — пропел звонкий голос.

Я почему-то вздрогнула.

— Добрый день, Елена, вас беспокоит Евлампия Романова из частного детективного агентства Макса Вульфа. Вы знакомы с Лаурой Кривоносовой?

— Да, мы близкие подруги, — встревожилась собеседница. — Что случилось?

— Ее муж, Никита Владимирович, вчера...

— Знаю, — перебила Лена, — она мне в шесть утра позвонила, я посоветовала ей идти в полицию. Кит не такой человек, чтобы нажраться и заснуть в канаве.

— К сожалению, Обжорин умер, — договорила я.

— Господи! Прямо на улице? — испугалась Яшина. — За что ему это! Никита болел, но не выглядел совсем уж плохим.

— Он покончил с собой, — объяснила я.

— Ох! Бедная Лаура, — запричитала Яшина, — она его так любит! А он ее! У них замечательная семья! Ну как же так? А?

Я подождала, пока Елена чуть-чуть успокоится, и продолжила:

— Обстоятельства кончины Никиты Владимировича не совсем обычны, есть нюанс, о котором мы пока не сообщили вдове. У меня к вам просьба. Не могли бы вы приехать к ней домой? Я привезу Лауру и в вашем присутствии расскажу ей, как погиб Обжорин.

— Что-то ужасное? Да? — перепугалась Яшина. — Пожалуйста, объясните мне прямо сейчас, я с ума сойду, пока не узнаю.

— Перед тем, как застрелиться, Никита Владимирович сбил пешехода, — пояснила я.

— Ой, мамочка! — ахнула Лена. — Я в законах не разбираюсь, а вы, наверное, хорошо их знаете. Лаура с Никитой в официальном браке состоят. Мою подругу могут заставить оплачивать лечение пострадавшего? Она совсем не богатая, работает медсестрой, Кит получал...

— Пешеход умер на месте, — перебила я Елену.

— О боже! О господи! Теперь его родня потребует с Кривоносовой компенсацию, — еще сильнее задергалась Яшина.

— Давайте пока не будем переживать из-за того, что не произошло, — попросила я. — Сейчас надо аккуратно сообщить Лауре обстоятельства смерти мужа. Лучше это сделать в домашней обстановке, в вашем присутствии. И не оставляйте Кривоносову сегодня одну ночевать.

— Нет, конечно, нет, — затараторила Лена. — Вы когда приедете?

— Это зависит от пробок, думаю, через час, — уточнила я.

— Ага, сейчас сношусь в супермаркет, — засуетилась Яшина, — куплю еды, прихвачу Лаурино любимое шоколадное мороженое, оно ее всегда успокаивает.

* * *

Около пяти вечера мы с Еленой сидели на маленькой кухне. Яшина включила чайник.

— Сделать вам бутерброд?

— Спасибо, совсем есть не хочется, — отказалась я.

— Завидую тем, кто в момент стресса к жратве не кидается, — вздохнула Елена, — а мы с Лаурой, если понервничаем, сразу на пирожные накидываемся. Хотя для детектива смерть человека обыденность, особых эмоций не вызывает, работа у вас такая, привыкли к гибели людей.

— Равнодушный сыщик должен уходить из профессии, — возразила я, — но и сильно переживать нельзя. Мне всегда очень жаль и жертву, и ее родственников, вот только я понимаю, что чересчур личное отношение мешает выяснить правду. Простите, кто-то меня разыскивает. Алло.

— Лампудель, — сказал Роман, — есть информация. «Скорую» вызывал не Обжорин, у звонившего на пульт был закрытый номер, но у диспетчера он определился. Принадлежит Андрею Николаевичу Кузнецову, проживающему по адресу: Баканинская улица, дом пять. Есть запись его голоса. Слушай.

— «Алло! Скорая? — раздался из трубки красиво окрашенный баритон. — Улица Ремонтная, семь, напротив клуба «Ликси» сбили человека. Он жив, поторопитесь».

— Это все, — продолжал Роман, — потом он швырнул трубку. Врачи ехали пятнадцать минут. Когда они прибыли, Сыркин был еще жив, но едва доктор к нему приблизился, как он умер. В документах врач со «Скорой» указал: «Смерть до прибытия», но я с доктором нежно погутарил, и он признался: «Сыркин скончался, когда я над ним наклонился. Реанимировать его не могли, травмы не совместимые с жизнью, и у нас нужной аппаратуры нет. На данный случай есть негласный приказ писать в бумаге: «Смерть до прибытия». Я не сволочь, всегда бьюсь за больного, но в случае с Сыркиным все было бесполезно». Андрей Николаевич Кузнецов по указанному адресу не проживает, потому что Баканинской улицы в Москве нет. Эй, чего молчишь?

— Я нахожусь дома у Лауры Кривоносовой, меня ее подруга Елена чаем угощает, — ответила я.

— Понял, не дурак. Значит, сам скажу. Телефон Кузнецова сейчас отключен. Вероятнее всего, симку купили у продавца, который не проверял паспорт клиента. Ничего нового.

— Сейчас варенье принесу, — пообещала Лена и вышла.

— И зачем доброму дяде так шифроваться? — продолжал Роман. — Со смертью Обжорина все не так просто.

— Некоторые мужчины заводят второй мобильник для общения с любовницей, — подсказала я, — прячут его в машине, чтобы супруге на глаза не попался. Вероятно, наезд увидел неверный муж, побоялся воспользоваться официальной трубкой, сообразил, что полиция заинтересуется свидетелем, вызовет его, а до законной половины дойдет, что благоверный вечером не на совещании сидел, а зачем-то по Ремонтной улице шлялся. Вот он и воспользовался запасным сотовым, а потом выбросил его. Меня удивило, почему он сказал: «Напротив клуба «Ликси»? Обжорин совершил наезд возле банка «Мэте». Можешь проверить, где «Ликси» находится? Про Сыркина что-нибудь узнали? Большое спасибо за звонок, непременно сегодня заберу свой заказ».

— Понял, опять говорить не можешь, звякни, как освободишься. Есть кое-что про Сыркина, — сообщил Роман.

Я положила трубку в сумку.

— Плохо, когда квартира размером с пятак, — вздохнула Лена, открывая банку с вареньем, — Лаура хозяйственная, делает осенью запасы, а где их держать? Никита оборудовал шкаф в коридоре, но в него...

Стеклянная банка выскочила из-под руки Яшиной, перевернулась, крышка отскочила, густая темно-красная масса начала стекать со столешницы.

— Ой, что я наделала, — запричитала Лена. — Куда бумажное полотенце подевалось? Всегда над мойкой стоит, а сейчас его нет! Лампа, вам не сложно принести рулон? В туалете в стене за унитазом всякая ерунда складирована, я не могу, вся перемазалась.

Я поспешила в санузел. Квартира у Кривоносовой крошечная, но очень уютная, видно, что хозяева с любовью украшали свой быт и старались использовать каждый сантиметр пространства. Никита на самом деле был рукастым, в туалете он сделал удобный шкаф с дверями-гармошкой. Я сложила створки и невольно вздохнула. У нас с Максом намного больше места, но у меня в хозяйственном отсеке вдохновенный беспорядок. А тут прямо немецкий Ordnung[1]. Банки-бутылки стоят по росту, а на стене приклеено объявление. «СтЕральные пАрАшки в верху. В низу для мебИли. Красный кАнтеНер для труб». Я несколько раз прочитала текст, взяла бумажное полотенце, принесла его Елене и спросила:

— Никита Владимирович любил порядок?

— Не то слово, — улыбнулась Яшина, собирая варенье с пола. — Я Лене завидовала, она никогда о чистоте не заботилась. Никита сам пылесосом орудовал. Вы только посмотрите, что на полках, откройте любой шкафчик.

Я распахнула высокий «пенал» и присвистнула.

— У меня начинает бурно развиваться комплекс плохой хозяйки. Крупы в стеклянных банках стоят в линеечку. Ни одного разорванного пакета или кое-как смятой упаковки.

— Да, — засмеялась Елена, — такого чистюлю, как Обжорин, поискать. Придет из магазина, сразу все пересыплет, он даже подсолнечное масло из бутылок в специальную тару переливал, стеклянную, с дозатором.

— Трудно жить с таким человеком, — предположила я, — меня бы он каждый день грыз, частенько оставляю в ванной открытые тюбики, комкаю полотенца. А у Кривоносовой санузел выглядит как в номере дорогой гостиницы, куда вот-вот въедут новые постояльцы:

---

[1] Ordnung — порядок.

все сверкает, халаты и махровые простынки идеально сложены.

— Никита Лауре никогда замечаний не делал, — возразила Яшина, — он просто убирал то, что жена раскидывала. В каждом шкафу объявления повесил, но не для того, чтобы Лорку воспитывать, он таким образом хотел ей жизнь облегчить. Начнет она в отсутствие Никиты вещи искать, полчаса потратит. Хозяйством муж занимался, Лора не в курсе, где утюг. А вдруг он ей понадобится, когда Кита нет? Лаура шкафик откроет и видит. Ну-ка, гляньте сейчас на дверцу.

Я посмотрела, куда велела Яшина. Никита прикрепил к внутренней стороне двери рамку для фото, в нее был вставлен лист бумаги. «Верхняя полка. Крупы. Соль. Средняя — БОкОлея. Чай. КофЭ. СахОр. ВОнил. Нижняя — ...»

Я оторвалась от захватывающего чтения.

— Обжорин не был грамотеем.

Елена включила чайник.

— И что? Да, Никита писал безграмотно. Он с юных лет в спорте, на учебу времени не оставалось, заканчивал школу победителем разных соревнований, оценки в аттестате ему натянули. Вот у меня был муж грамотный, он и слова правильно писал, и запятые где надо ставил, но не от этого семейное счастье зависит, развелись мы. Кит очень Лауру любил, оберегал, хотел купить большую квартиру. Не для себя, о Лауре думал, она цветовод знатный, вон, полюбуйтесь, весь подоконник заставлен. Никита мне один раз сказал: «Лаура такую красоту выращивает, ей бы места побольше. Из кожи выпрыгну, а приобрету трешку с огромными окнами». Сам Никита увлекался моделированием автомобилей.

Видели в комнате полочку, на ней машинки всякие стоят? А на стене висят дипломы и медали.

— Обратила внимание на игрушки, — ответила я, — думала, хозяин их покупал, очень красивые. И награды заметила, но сочла, что они за спортивные достижения покойного. И там еще семейных снимков много в рамках, очень красивых, с золотым орнаментом.

— Верно, — согласилась Елена, — Лаура очень Никитой гордилась, поэтому вывесила на стену все свидетельства его успехов. Слева спортивные, а справа автомодельные. Обжорин постоянно на конкурсах сборщиков копий машинок побеждал. Как ни забегу к ним в гости, Кит в комнате над столом сгорбился, ковыряется с очередным экземпляром. В библиотеку он еще ходил, читал книги-журналы про всякие лимузины, прежде чем за новую модель сесть, материал собирал, фото смотрел. Жюри конкурса требовало представить им не только модель, но и рассказ о ней. Никита долго описание составлял, набирал его на компе, распечатывал и вручал Лауре. Жена все ошибки исправляла, Кит потом тщательно весь текст правил. Кривоносова совсем не умеет на ноутбуке работать, глаза у нее от него болят, поэтому они избрали вот такой путь. Никита обычно рукопись незадолго до первого дня конкурса подготавливал, Лаура торопилась с правкой, боялась не успеть, у нее занятость в клинике высокая. Позавчера она мне сказала: «Недоделала работу над ошибками, написала на полях: «Дальше не читала», умчалась на работу и испугалась, вдруг он не заметит мою пометку, решит, что все готово, поправит доклад и отвезет? А там две последние страницы не тронуты! Я заволновалась, позвонила мужу, тот меня успокоил: «Все видел, оставил бумаги в папочке, основную часть поправил, последние листы не тронул».

Лорка очень переживала за мужа, хотела, чтобы он, как всегда, первое место получил на конкурсе моделей. И с настоящими автомобилями Кит отлично справлялся. Он свою «девятку» так переделал! Снаружи она вроде старенькая, а под капотом зверь! С места ракетой взлетала. Золотые у него руки были, и характер бриллиант. И фото, которые у них в комнате на стене висят, Кит сам окантовал, рамки золотой краской разрисовал, он все умел делать. Лауру любил без памяти. Чтобы на престижную работу устроиться и хорошую зарплату получать, на курсы пошел. Учеба ему с трудом давалась, но Никита вовсе не дурак. Из него мог получиться прекрасный инструктор, он детей здорово тренировал, у него все классы и на лыжах ходили, и кросс бегали, и азы гимнастики выучили. Мы с ним в одной гимназии работали, там психолог есть, уж простите, полная дура, хоть и с высшим образованием. Заглянет к ней в кабинет ребенок за советом, а Вера Семеновна тест подсовывает. Сама в проблему вникать не желает, отделывается бумажкой. Детей обмануть трудно, они живо раскусили кто есть кто и со своими проблемами к полуграмотному Никите бежали. Обжорин писал «замуж» или «зберечь», но он ребят понимал, многим помог. И все знали: если попросишь Никиту сохранить тайну, никому не рассказывать, на что ты жаловался, он рта не откроет. А Вера Семеновна на родительских собраниях вслух результаты тестов докладывает:

— Уважаемый Петров! Ваша дочь на вопрос, имела ли она половой контакт с мужчиной, поставила крестик. Ей всего тринадцать лет. Разберитесь.

Здорово, да? Может, девочка перепутала, не тот знак нарисовала? Каково отцу это слышать? Кстати, на анкетах сверху написано: «Результаты не разглашаются». Ну и кто у нас психолог, а кто дура?

Глава 6

Пылкую речь Елены прервал звонок в дверь.

— Кого это принесло? — удивилась Яшина. — Вот некстати, сейчас Лауру разбудят, ей бы пару часиков поспать.

Лена вышла в прихожую, я открыла айфон и стала читать присланное мне Романом на почту предсмертное письмо Обжорина, краем уха слушая разговор, долетавший из передней.

— Здрассти, вы к кому?

— Курьерская доставка, пакет Лауре Кривоносовой.

— Спасибо, дайте сюда.

— Покажите паспорт.

— У меня его нет.

— Другой документ, удостоверяющий личность.

— Пропуск в школу подойдет? Я учительница.

— Там фото есть?

— Да.

— Хорошо.

Послышался шорох, потом беседа возобновилась.

— Не могу отдать бандероль.

— Почему? — возмутилась Елена.

— Тут указано, получатель Лаура Сергеевна Кривоносова. А вы показали карточку на имя Елены Константиновны Яшиной.

— Верно, это я. Лаура моя лучшая подруга.

— Тут не написано: «Отдать знакомой». Я обязан вручить пакет лично Кривоносовой.

— Она спит. У Лауры муж умер, она в шоке, поэтому легла.

— Ну и чего? Разбудите ее.

— Никогда!!!

— Ладно, до свиданья.

— Куда вы?

— У меня полная машина отправлений, некогда тут с вами трендеть.

— Оставьте пакет.

— Запрещено. В доставочном листе указано: «Вручить лично в руки Кривоносовой».

— Приезжайте часа через три, она проснется.

— Нет.

— Почему?

— Оплачена одноразовая доставка.

— Хорошо, дайте адрес, где Лаура сама может посылку получить.

— Нигде.

— Как это?

— Мы не почта. Курьерская служба. Бандероль вернут отправителю за невручением. Распишитесь вот тут, в графе укажите: «Отказ в связи с отсутствием получателя».

— Лаура дома!

— Пусть забирает бандероль.

— Она спит.

— До свидания.

Раздалось шуршание.

— Это что? Деньги?

— Да, давайте я за Лауру распишусь, — стала умолять Лена, — а вы пообедаете вкусно.

— Ага! А потом Кривоносова хай поднимет, и я работы лишусь. От чаевых никогда не отказываюсь, но другому человеку корреспонденцию не отдаю.

— Евлампия Андреевна, — зашептала Елена, заглядывая в кухню, — помогите.

Я вышла в крошечную прихожую и увидела на пороге тощего лысого мужичонку неопределенного возраста.

— Вот она из полиции, — торжественно заявила Яшина, — пришла по поводу смерти Никиты Владимировича. Сотруднику правоохранительных органов вы обязаны все отдать.

— Нет, — не дрогнул доставщик, — только если ордер от прокурора есть, придется ей в наш головной офис ехать. Я законы знаю.

— Лена, кто-то пришел? — спросила из комнаты Лаура.

— Разбудили! — всплеснула руками Яшина. — Милая, тебе бандероль принесли, выйди, пожалуйста, с паспортом.

— Сейчас, — пообещала хозяйка.

Я посмотрела на конверт формата А-4, который курьер не выпускал из рук, и вернулась на кухню.

— Вот долдон! — сердито воскликнула Лена, вернувшись. — Впервые такого зануду встречаю.

— Он прав, — защитила я курьера, — нельзя отдавать письма в чужие руки. Жаль, что Лаура проснулась.

— Лена! — закричала из комнаты хозяйка. — Сюда, скорей!

Яшина метнулась на зов, через пару секунд до моих ушей долетел отчаянный плач.

Я колебалась пару минут, потом заглянула в комнату.

— Что-то случилось?

Лаура лежала на диване, уткнувшись лицом в подушку, ее плечи тряслись. Лена сидела рядом, на коленях у нее лежал открытый конверт. Увидев меня, она сделала резкий жест рукой, я поняла его правильно и вернулась в кухню.

Минут через десять Яшина снова появилась и начала извиняться.

— Я выгнала вас, Лаура не из тех, кто любит рыдать при посторонних, заметь она вас, ей бы совсем плохо стало. Уж простите.

— Ну что вы, я все понимаю, — пробормотала я. — Кривоносову расстроила бандероль? Кто-то гадость написал?

Яшина положила на стол несколько фото, наклеенных на картон, по краям снимки были обрамлены золотым орнаментом.

— Там сзади есть колечко, — объяснила Елена, — фотографии можно на стену повесить. Смотрите, справа Лаура, слева Никита.

— Такие счастливые, — улыбнулась я, — мороженое едят. Снято на отдыхе?

— Свадебное путешествие, — горько вздохнула Лена, — я их буквально заставила на неделю путевки купить. Они сначала год в гражданском браке жили, потом отношения оформили. Праздника устраивать не стали, да и не для кого. Ни у Лауры, ни у Кита родни нет, мы пошли в кафе, чаю с пирожными попили, и я стала их уламывать:

— Возьмите тур.

Они не соглашались, твердили:

— Хотим на квартиру копить, первый взнос — сорок процентов стоимости, на остальное ипотеку возьмем.

Но я их уломала. Они потом постоянно ту счастливую неделю вспоминали. В бандероли эти снимки лежали, Никита отдал их окантовать. Хотел сюрприз Лауре на годовщину знакомства сделать, двадцать пятого сентября они впервые встретились. Записочку написал. Вот.

Лена положила на стол открытку.

— Читайте, там секретов нет.

Я взяла почтовую карточку. «ДАрАгая Лаура! Люблю тИбя как тАгда». Дальше шла подпись.

— Ленуся, — позвала хозяйка, — принеси попить.

Яшина налила в стакан воды из кувшина и убежала, а я сфотографировала снимки, открытку и успела отложить айфон за пару секунд до возвращения Елены.

— Евлампия Андреевна, — смущенно заговорила та. — Лауре хочется принять ванну, надеть халат... ну... в общем...

Я встала.

— Заседелась в гостях.

— Мы вам рады, — поспешила смягчить ситуацию Яшина, — но подруга устала, сил у нее нет. Спасибо, что помогли. Кабы не вы, Лаура до сих пор бы в неведении пребывала. Никто ей из морга не позвонил, ну и люди! У Никиты документы были с собой, неужели трудно супруге сообщить? Холодные, равнодушные сердца. И вам тоже расслабиться надо, переживали за Лауру, хоть она вам совсем посторонняя. Побольше бы таких, как вы. Примите нашу глубочайшую благодарность.

— Если возникнут вопросы, я соединюсь с вами, — пообещала я, выходя на лестничную клетку.

Елена забеспокоилась:

— Вопросы? Какие? Все же ясно. Никита покончил с собой. Жаль того, кого он задавил, но я уверена, что Обжорин случайно на пешехода наехал. Что непонятного?

— У вас есть хороший адвокат? — задала я встречный вопрос.

— Нет, — опешила Яшина. — А зачем он мне?

— Не вам, Лауре, — объяснила я, — вдова Сыркина или его дети могут предъявить претензии.

— Вы полагаете? — испугалась Лена. — Но разве жена отвечает за то, что совершил муж, да еще совсем больной?

— Вот поэтому я и заговорила об адвокате, — сказала я, — вашей подруге необходимо проконсультироваться со знающим человеком.

— Это дорого, — пробормотала Лена, — Лауре похороны надо оплачивать. Сейчас что родиться, что умереть больших денег стоит. Не знаете, когда тело отдадут?

Я протянула Яшиной визитку.

— Позвоните мне завтра утром, тогда и отвечу. У нас в агентстве есть юрист, пусть Лаура приедет, он ее бесплатно проконсультирует.

— Храни вас господь, вы ангел! — запричитала Елена. — Дай, боже, Евлампии Андреевне здоровья. До свидания. Берегите себя, вы такая бледная, прямо синяя.

Дверь захлопнулась, я сделала шаг к лестнице, неожиданно оступилась и шлепнулась на колени. Сначала было больно, потом стало смешно. Ну, Лампа, у тебя сегодня и денек выдался, рухнуть на ровном месте не у каждой получится. Я просто талант, хорошо хоть джинсы не порвала. И почему я упала? Ага, понятно, на полу нет одной плитки, моя нога попала в ямку, щиколотка подвернулась...

— Она ушла? — раздался из квартиры голос Лауры.

— Слава богу, да, — ответила Елена, — никак собраться не могла, сидела, уши развесила.

— Ленуша, что мне теперь делать? — зарыдала хозяйка. — Откуда у него это? Где он достал?

— Ты ничего не знала?

— Нет! Даже не подозревала.

— Ну... Никита хотел тебя счастливой сделать. Он знал, что умрет, и позаботился о тебе.

— Почему так?

— По-моему, очень благоразумно.

— Он ни слова не сказал, что замыслил застрелиться. Я бы его отговорила!

— Если человек на самом деле решил уйти из жизни, его не остановишь.

— Я бы сумела, я бы смогла...

— Нет, дорогая, Никита так решил, надо уважать его волю.

— Зачем мне это, если его нет?

— Твой муж... Слушай, я стою у окна и не вижу, как сыщица выходит из подъезда. Она тебя на машине привезла?

— Да.

— На какой?

— Маленькая иномарка, смешная такая, синяя.

— Вон та? Глянь!

— Где?

— Слева, у бачков.

— Да.

— Почему Романова до сих пор не появилась? Черт!

Раздались шаги. Я в мгновение ока скинула туфли и босиком кинулась по лестнице вниз. Через пару секунд сверху послышался хлопок двери. Я опрометью донеслась до первого этажа, надела туфли, вынула из сумки телефон, приложила его к уху, вышла из подъезда, сделала несколько шагов, остановилась и начала энергично размахивать рукой и кивать, имитируя разговор по мобильному. Минут пять я изображала увлеченность беседой, потом села в свою букашку и резво укатила.

Глава 7

Едва я очутилась на проспекте, как телефон зазвонил по-настоящему.

— Как дела? — спросил Костин.

— Буду часа через полтора, — отрапортовала я, — дождись меня, я узнала много интересного и странного про Лауру Кривоносову.

— Я думал, с ней все, — удивился Вовка, — тело мужа нашли в морге.

— Приеду расскажу, — пообещала я, — и пусть Макс тоже останется.

— А он уже смылся, — пояснил Костин, — порулил к Кожевникову, его жена заяву настрочила о жестоких побоях.

— Ну и ну! — возмутилась я. — Михаил Павлович не хочет на супругу в суд за клевету подать? Макс уже несколько раз доказывал, что баба сама себе увечья наносит, чтобы мужа посадили.

— Любовь у него, понимаешь, — хмыкнул друг. — Чем больше женщину мы любим, тем меньше нравимся мы ей[1].

— Классик написал иначе, — захихикала я.

— Это мое личное авторское выражение, — засмеялся Костин, — оно целиком и полностью справедливо. Жду!

Я вытащила из уха наушник и начала перестраиваться в правый ряд. Дело к вечеру, но я все равно хочу купить тональный крем с румянами, надоело слушать от всех про свою бледность.

---

[1] «Чем меньше женщину мы любим, тем легче нравимся мы ей». А. С. Пушкин, «Евгений Онегин».

* * *

— Могу вам помочь? — спросила девушка-консультант, подходя ко мне.

— Да, — ответила я, — нужен тональник, самый светлый, без розового оттенка, но у вас тут незнакомые фирмы, никогда их продукцию не приобретала, боюсь покупать неопробованное.

— Страдаете аллергией? — предположила продавщица.

Я посмотрела на бейджик, прикрепленный к ее блузке.

— Вы правы, Света. Например, пудра «Ланком» прекрасно мне подходит, а от туши этой фирмы веки у меня краснеют. Губная помада «Avon» тоже подходит, хоть она и недорогая, а «Шанель» за хорошие деньги превращает мои губы в клюв утенка.

Света понизила голос:

— Можете сказать, сколько стоят тени на моих глазах?

— Конечно, нет, — удивилась я. — И кто сможет это сделать? Разве что закупщик товара, который обязан во всех тонкостях разбираться.

— Байеры тоже ошибаются, — засмеялась девушка. — К чему я это говорю? Зачем переплачивать, когда можно сэкономить. Вон там пудра за шестьдесят рублей, а на стенде слева похожая за две тысячи пятьсот. На лице вы разницы не заметите. Знаете, что вам подойдет? «Новая кожа» от «Аенвит»[1], фирма недорогая, не раскрученная, но прекрасная.

— Впервые о такой слышу, — удивилась я.

---

[1] «А е н в и т» — название придумано автором, совпадения случайны.

— В Америке она очень популярна, — завела Светлана, — наша хозяйка ее в Нью-Йорке опробовала и в восторг пришла. Полная гамма оттенков, вам нужен нулевой.

Я подошла к стенду.

— Ого! Маленький флакончик за четыре тысячи. Однако! Его хватит на несколько дней. Мне показалось, или вы ее недорогой назвали?

— «Новая кожа» революционное средство, наносите один раз в неделю и семь дней свежи как персик.

— Не смывается? — поразилась я. — Или умываться нельзя? И во что моя кожа превратится, если столько времени ее не очищать?

— Хоть в баню ходите, — заверила Света, — тональное средство состоит из наночастиц, оно проникает сквозь кожу и убирает недостатки изнутри. Получается эффект перманентного татуажа. Держится семь суток как вкопанный.

— Да? — с недоверием спросила я.

— Лиза, подойди-ка, — крикнула Света.

Из-за стеллажей вынырнула прехорошенькая блондинка.

— Чего?

— Как вам Елизавета? — спросила у меня Светлана. — Посмотрите на нее внимательно.

— Она красавица, — совершенно искренне ответила я, — хотелось бы мне иметь такой цвет лица.

— Можете его получить, — воодушевилась Лиза, — это «Аенвит». Вообще-то я на больную желтухой похожа, синяки, как у вас, на поллица. Что ни делала, кучу всего перепробовала, ни фига не работает. Час-другой прекрасно выгляжу, затем красотища сползает. Я утром будильник на полчаса раньше ставила, чтобы проснуться, пока муж еще спит, и живенько накраситься. Теперь проблем нет. Легла спать розочкой, проснулась персиком.

— Прямо не верится, что это возможно, — вздохнула я.

Света вынула из держателя флакончик.

— Сумка у вас дорогая, туфли не с помойки, маникюр и стрижка из модного салона, джинсы-куртка от люксового бренда. Купите на пробу, вас не разорят четыре штуки. У нас сегодня акция, если берете тональный крем, получаете румяна в подарок, и я дам пробничек теней. А Лиза вас накрасит, она визажист, объяснит, как «Аенвитом» пользоваться.

— Хитростей почти нет, — охотно заговорила вторая девушка, — нужен влажный спонжик, и все дела. Давите жабу. Сами зарабатываете, или повезло за богатого выскочить?

Я решила не вдаваться в подробности.

— У нас с мужем небольшая фирма.

— Ну, тогда он вас за транжирство жучить не станет, — обрадовалась Светлана, — хотя я такая же, как вы. Маме все куплю, дочке тоже, а на себя жалко. Готова вроде вас с желто-зеленой мордой ходить.

Я машинально посмотрела в круглое зеркало на стене. Мда, госпожа Романова похожа на росток картошки, который вылез из синеглазки, всю зиму пролежавшей в подполе. Я решилась:

— Беру!

Света открыла ящик.

— Нулевой... нулевой... вроде его нет...

— Вот жалость, — расстроилась я, уже настроившись на покупку.

— Можно взять первый, — с некоторым сомнением произнесла Лиза, — хотя...

— А! Нашла! — обрадовалась Светлана. — Вот же он! И почему сразу его не заметила?

— Там минус почему-то нарисован, — удивилась Лиза.

— Где? — спросила Светлана.

— Вот, на коробке, минус ноль, — уточнила Лиза.

— Ну ты даешь, — развеселилась коллега, — добрый вечер, дорогая, минус ноль не бывает. Плюс ноль, кстати, тоже. Ноль он и в Африке ноль.

— На ноль делить нельзя, — вспомнила я слова своей учительницы математики Валентины Сергеевны.

— Оплачивайте товар и возвращайтесь, — улыбнулась Лиза, — мои услуги бесплатны.

Минут через пятнадцать я посмотрела в зеркало и испытала горькое разочарование.

— Ничего не изменилось.

Лизавета сложила руки на груди.

— Быстро только кошки рождаются. Надо подождать. Макияж проявится через час, может, позднее, все зависит от свойств вашей кожи. И когда «Аенвит» наносится впервые, он дольше действует. Я вам сделала дневной макияж, очень нежный, скоро станете бутончиком, на губы немного помады нанесла, на щеки румяна и тени на веки. Вам не нужен тяжелый макияж, смоки-айс всякие противопоказаны. Езжайте спокойно куда надо, эффект непременно будет, не сомневайтесь.

Глава 8

— Некоторые странности наблюдаются, — согласился Вовка, выслушав мой рассказ.

— Не-ко-то-рые? — по складам произнесла я. — Ты меня плохо слушал? Повторяю. Обжорин, судя по рассказу Елены, был мастером на все руки. Но он отличался потрясающей безграмотностью, вот, полюбуйся, я сфотографировала открытку, которую он отправил жене. «ДАрАгая Лаура! Люблю тИбя как тАгда!» За это даже двойки много, в шести простых словах четыре ошибки. Но в его письме грамматических ляпов нет, и текст длинный, такой в стрессовом состоянии не составляют. Вот если бы Никита Владимирович нацарапал на каком-нибудь обрывке: «ПрАстите. НИ хотел его Збить, я рИшил умИреть», у меня бы сомнений в подлинности письма не возникло. Надо отдать записку графологу, позвони Сергею Петровичу, он нам никогда не отказывает.

— За деньги, которые мы ему платим, я бы не только почерковедческую экспертизу проводил, но еще и вприсядку плясал, — ухмыльнулся приятель.

— Ты сразу упадешь, — засмеялась я.

— Нет, — заспорил Костин, — в детстве я занимался танцами. В нашей школе работал кружок.

— И когда это было? — еще сильней развеселилась я. — Сто лет назад?

— Совсем недавно, — уперся Вовка, — если человек когда-то обучался танцам, он никогда уже их не забудет. Мышцы имеют память. Это как езда на велосипеде. Ты в детстве кататься любила?

— Мне мама не разрешала, — призналась я.

Костин встал.

— Лампа, ты тепличное растение, а я и на велике, и на мопеде, и на мотоцикле с коляской рулил. И пляшу до сих пор отлично. Смотри.

Я не успела ничего сказать, как Костин быстро присел, выбросил вперед ногу, хлопнул в ладоши, сложил руки на груди, потом приподнялся, потерял равновесие и рухнул на пол.

Я расхохоталась.

— Свалился! Эй, великий балерун, ты жив?

— Это не падение, — прохрипел Костин, пытаясь встать, — так и надо.

— Плюхнуться на спину? — уточнила я. — Оригинальная постановка русского народного танца.

— Ты ничего не понимаешь в хореографии, — возразил Вовка, кое-как умудрившись сесть, — это па называется «парашют».

— Да? — прищурилась я. — Напоминаю, у меня диплом консерватории. «Парашют» что-то совсем экзотическое, раз я о нем не слышала.

— Твой вуз народ называет «Балалайка», он танцам не обучает, — разозлился Костин, потирая локоть, — ты нащипывала арфу.

Я не стала перечить.

— Верно, но, сидя в оркестре и бегая пальцами по струнам, я иногда видела, как выступают балетные.

— Чем вы тут занимаетесь? — спросил Макс, входя в комнату.

— Костин решил исполнить «Камаринскую плясовую», которую прославил Михаил Иванович Глинка. Но у Вовки ноги переплелись, и номер не получился, — наябедничала я.

В комнату всунулся Роман.

— Вы тут все? Супер. По Сыркину Виталию Павловичу закавыка. И насчет кафе «Ликси» непонятка, заведения с таким названием не только на Ремонтной, но и во всей Москве нет.

— Может, вы плохо расслышали? — предположила я. — Аноним торопился, вероятно, он произнес «Лифси» или «Линси», «Випси».

Бунин опытный специалист, он может с помощью своих компьютеров раздобыть все что угодно. Одна беда, Рома обидчив, как двенадцатилетний подросток, в любой, самой безобидной фразе он способен обнаружить двойной, тройной смысл и сразу надуться.

Вот и сейчас Роман нахохлился:

— По мнению Лампы, я идиот! Ничего типа «Ликси», «Шмикси», «Випси» и другого в этом районе нет.

— Но «Скорая» приехала, — удивилась я.

— Да, потому что аноним указал точный адрес — Ремонтная, семь, — объяснил Костин.

— А в том доме бар «Крошка Му», — дополнил Бунин, — дешевое заведение, наподобие рюмочной. Сидячих мест нет. Столики на высоких ножках, в меню кофе, чай, бутерброды, шаурма, в качестве изыска винегрет с майонезом. Закрывается оно в семь, что странно.

— Клиентура, скорее всего, из служащих близлежащих автосервисов, — предположил Костин. — Аноним мог названия перепутать.

— Произнес «Ликси», глядя на «Крошку Му»? — ухмыльнулась я. — Это возможно? Роман прав, странно, что шалман прекращает работу в семь. У заведений с выпивкой вечером основной сенокос.

— Стоп, — скомандовал Макс, — а теперь с самого начала, я знаю лишь про то, что Лаура Кривоносова хотела найти своего пропавшего мужа.

Я быстро объяснила мужу суть дела.

— Неприятно, что Обжорин совершил суицид и прихватил с собой на тот свет Сыркина, — резюмировал Вульф. — Но вам тут больше заниматься нечем.

— Подожди, — остановила я Макса. — Вова, покажи предсмертное письмо Обжорина, в котором нет ни единой грамматической ошибки. А вот для сравнения фото записки, которая якобы была приложена к бандероли, полученной Лаурой.

Спустя пару минут Макс повернулся ко мне:

— Думаешь, письмо, найденное в машине, писал не Обжорин?

— Почерк похож, — влез со своим замечанием Роман, — но я не графолог.

— С этим не поспоришь, — не упустил возможности съязвить Володя. — Вопрос: может ли столь неграмотный человек в минуту сильного стресса, только что сбив насмерть человека и собираясь лишить себя жизни, составить пространное послание без единой помарки и ошибки, как с точки зрения грамматики, так и пунктуации? Я слышал, что в момент опасности у некоторых людей пробуждается невиданная физическая сила, читал о хрупкой пожилой женщине, которая одной рукой подняла бетонную плиту, чтобы вытащить из-под нее внука и спасти его после землетрясения.

— Если человек пишет МАсква, никакое душевное потрясение не научит его верно указать название столицы, — перебил его Роман. — Знаете, как дело было? Обжорин не собирался на тот свет. Лампа говорит, что он жену сильно любил.

— Да, — подтвердила я, — Елена рассказывала, как нежно Никита относился к Лауре, сам вел домашнее хозяйство, ради исполнения общей мечты — покупки большой квартиры — пошел учиться на курсы. Ему трудно давалась наука, но он старался. И умереть он решил не дома, а в парке, потому что не хотел травмировать Лауру видом своего мертвого тела.

— Теперь послушайте меня внимательно и молча! — потребовал Роман. — Никита был профессиональным спортсменом, а они не приучены сдаваться. Дело было так. Обжорин вечером куда-то поехал, с ним в машине кто-то еще находился...

— Куда-то... кто-то... — повторил Макс, — не очень конкретно.

— Этот пока неизвестный человек стал свидетелем наезда, — не обращая внимания на заявление начальника, продолжал Бунин, — позвонил в «Скорую», оставил письмо и убежал.

— Мда, — крякнул Вовка, — боевая версия. Давай вспомним, что и Елена, и Лаура утверждают, будто у Никиты Владимировича не было друзей. С кем он мог вместе ехать?

— Решил бомбилой подработать, — не сдался Бунин, — подобрал клиента, вероятно, криминального авторитета. На Ремонтной сбил Сыркина. Пассажир испугался, что полиция приедет, застрелил шофера и свалил.

Я уставилась на Романа, он всерьез это говорит? Костин тоже сверлил взглядом Бунина.

— Интересно! А перед тем как пристрелить Обжорина, преступник сначала допросил его, узнал про болезнь, о его отношениях с женой, написал пространное послание и лишь потом вытащил оружие. Много чего я повидал, но о таком не слышал.

Бунин нахмурился.

— В отчете эксперта указано: ранение Обжорина являлось смертельным, но умер он не сразу, минут десять-пятнадцать еще жил. Мужик выстрелил себе в грудь, а не в голову.

— Странно, — заметил Макс.

— Но он так поступил, — вещал Роман, — если сильно жену обожал, то мог подумать, каково бабе на развороченную башку глядеть. Ни один гример лицо в порядок не приведет, вот он и пальнул типа в сердце. Он еще некоторое время говорить мог.

— И писать без ошибок, — не выдержала я.

— Она всегда меня высмеивает, — вспылил компьютерщик. — Обжорин залез в интернет, почитал о своей болезни, выяснил правду и решил не дожидаться момента, когда превратится в кабачок. Не хотел вести растительное существование, я бы так же поступил.

Роман повернулся к Костину.

— Представь, что тебе умирать через месяц...

— Даже думать не хочу об этом, — передернулся Володя.

— Ты живешь в однушке, — не утихал Бунин, — счета в банке нет. Жена немолодая, сомнительно, что вдова удачно личную жизнь устроит, и зарплата у нее скромная. О чем будешь думать, узнав, что вот-вот в ящик сыграешь?

Костин нахмурился.

— Не знаю... Ну... как без меня семья будет жить... на какие средства...

Бунин похлопал ладонью по столу.

— О! И любому нормальному мужику такое в голову придет. Обжорин о супруге заботился, он хотел ее обеспечить и замутил какое-то дело. Чего-то затеял. Неизвестный ехал с ним в машине, он не случайный клиент, а подельник. Когда Никита сбил человека, пассажир пристрелил его и оставил письмо. Убийца не в курсе сложных отношений Обжорина с русским языком, решил, что все о'кей. А записку он Никите переписать заранее дал. Вопрос: что они задумали? Зачем письмо заранее нацарапали?

— Знали, что Никита случайно собьет Сыркина? — ухмыльнулся Костин. — Версия супер! Советую продать ее на телевидение.

— Роман, — попросила я, — дай взглянуть на отчет эксперта, я его не видела.

Бунин повернул ко мне свой ноутбук.

— Только ничего не трогай, используй исключительно глаза, без пальцев!

— Вот, — воскликнула я, — долго читать не пришлось. В заключении указано, что на руке трупа обнаружены следы пороха, рана на груди имеет все признаки выстрела в упор, положение пистолета свидетельствует о том, что его держал сам Обжорин. Вердикт специалиста: суицид.

— Экспертиза часто ошибается, — вскипел Бунин. Макс откашлялся.

— Криминалист нас до сих пор не подводил, он установил, что Обжорин сам произвел выстрел. С письмом, согласен, неувязочка. Его надо показать графологу. Но небольшая деталь: нас никто не просит заниматься этим делом. Лаура хотела найти мужа, Лампа его нашла.

— Это я обнаружил тело в морге, — разозлился Роман, — мои заслуги никто не замечает. Конечно, начальству приятнее жену хвалить.

Я сделала вид, что не слышу последнее заявление Бунина. Вот поэтому я и не хотела служить в агентстве

Вульфа. Большая часть сотрудников небось считает меня глупой блондинкой, которую супруг устроил на работу, чтобы дурочка была при деле и на глазах у мужа.

А Роман тем временем продолжал:

— Может, услышав, что я накопал про Сыркина, шеф поймет, что я лучший? Личность погибшего весьма интересна. Сыркин Виталий Павлович — призрак.

— В смысле? — не понял Костин.

— Виталий москвич, проживает в переулке Дроздова в новостройке, — зачастил Рома, — квартиру приобрел около года назад, отдал сразу всю сумму, ипотеку не брал. В это же время обзавелся хорошей машиной, не самой дорогой, но отнюдь не дешевой, и тоже без кредита.

— У парня водились деньжата, — отметил Костин.

— Похоже на то, — согласился Бунин, — но где их Сыркин получал, установить не удалось. Виталий Павлович нигде не числится, потому что он...

— ...устроился куда-то на «черный» нал, — перебила я.

— Умер пять лет назад, — договорил Роман.

Глава 9

В кабинете стало тихо, первым нарушил молчание Макс.

— Как?

Бунин повернул к себе ноутбук.

— Сыркин Виталий Павлович, пятидесяти лет, уроженец села Зябликово, проживающий в общежитии для строительных рабочих по улице Горюнова, погиб в результате наезда. Экспертиза установила, что жертва находилась в состоянии сильного алкогольного опьянения, пять и три промилле.

— Удивительно, как он умудрился на дорогу выйти, — поразился Макс, — это смертельная доза.

— Ну не для всех, — опять нашел повод поспорить Рома, — для Лампы, да. А здоровый мужик килограммов ста двадцати весом мог сохранить двигательные функции. Но нажрался он капитально! Шофер тогда скрылся, его не нашли.

— Полагаю, и не искали как следует, — вздохнул Костин, — парень из общаги, в венах вместо крови водка, дело ясное...

— А теперь он воскрес и опять сбит машиной, — пробормотала я, — зомби возвращается.

— Неплохо бы дать мне высказаться до конца, — надулся Бунин, — если, конечно, хоть одному человеку здесь интересно узнать, что я еще накопал.

— Говори, — приказал Макс.

— Пытаюсь, но твоя супруга меня перебивает, — встал в позу Роман.

Я подняла руки.

— Прости. Молчу.

Бунин выпрямился.

— Через неделю после смерти Сыркина общага выгорела дотла. Рабочие спаслись, от здания ничего не осталось. Причиной возникновения огня объявили нелады с проводкой, дом был старый и ветхий, пожарные его разобрали и забыли.

— Интересное совпадение: наезд на Сыркина — пожар, наезд на Сыркина — суицид Обжорина, — подчеркнул Костин. — Кто же на самом деле погиб на Ремонтной? Кого задавил самоубийца?

Я подняла руку.

— Макс, я тоже кое-что странное узнала. Когда я сидела у Кривоносовой дома, Лауре принесли бандероль, она вскрыла ее одна. Мы с Яшиной в тот момент находились на кухне и услышали крик: «Елена, поди сюда». Яшина кинулась на зов, а я по голосу хозяйки поняла: что-то произошло. Лена вернулась не сразу, когда она опять появилась на кухне, я спросила: «Содержимое посылки огорчило Кривоносову?» Яшина словно ждала этого вопроса, она показала мне фото, открытку и соврала: «Никита хотел сделать жене сюрприз, у них вот-вот должна быть годовщина первой встречи. Обжорин отдал снимки, сделанные во время медового месяца, в окантовку, их сейчас доставили. Лорик увидела фото и зарыдала». Но Яшина лгала. На кухне мы с Леной очутились не сразу, а после того, как Лаура заснула. Неприятную историю про сбитого Сыркина я рассказывала вдове в комнате. Кривоносова заплакала, Яшина принесла ей какие-то капли, уложила подругу на диван, и когда та задремала, мы с Леной переместились в кухню. Яшина рассказала о том, каким прекрасным мужем являлся Никита, не могла остановиться, нахваливая его за хозяйственность. Но я и сама поняла, что Обжорин был на редкость рукастым мужчиной. В маленькой однушке он сделал замечательный ремонт с применением дешевых материалов, так лишь для себя стараются. Шкаф-купе в прихожей не покупной, на стене над холодильником тикали часы, которые соорудили из сковородки, а в комнате одна стена была сплошь завешена семейными фотографиями в самодельных картонных рамочках, на второй красовались спортивные медали и дипломы хозяина дома и его награды за победы в конкурсах конструкторов автомоделей. Еще там была полка с копиями машинок, их делал Обжорин.

— Зачем такому мужику отдавать кому-то окантовывать снимки? — кивнул Макс. — У него руки из нужного места растут. Да и дорого это, а лишних денег у Никиты не было.

— И какой смысл отправлять готовый заказ с курьером, — добавила я, — можно его забрать самому. Не странно ли, что Никита, постоянно думающий, как бы сделать жизнь Лауры комфортной, решил послать ей фото сразу после самоубийства. Он не сообразил, что жена может заполучить инфаркт, когда откроет подарок. Оцените стресс: бедняжка узнала про самоубийство любимого мужа, и ей притаскивают пакет с фотографиями, напоминающими о счастливой жизни с покойным? Мог ли Обжорин совершить такой поступок? Нет, в бандероли были не снимки, а нечто, испугавшее или поразившее и Лауру, и Елену. Кривоносова, увидев ее содержимое, вновь впала в истерику, а Яшина, вспомнив, что на кухне сидит сотрудница детективного агентства, сообразила: сейчас та начнет задавать вопросы. Подруга сняла со стены несколько паспарту, прихватила открытку, которую Никита когда-то написал жене, и вернулась ко мне с готовой историей. Времени у Яшиной не было, ей пришлось действовать спонтанно, поэтому она не подумала, что я видела в комнате на стене снимки в самодельных рамках. Уходя от Кривоносовой, я подвернула ногу и упала на лестничной клетке. Входная дверь в квартире тонкая, звуки сквозь нее легко проходят, я случайно услышала разговор хозяйки и подруги, и мне стало понятно: Лаура что-то от кого-то получила и теперь пребывает в крайней растерянности.

— Куда ни плюнь, везде непонятки, — потер руки Роман, — хочется разобраться.

— Мы не полиция, работаем по заказу, — напомнил Макс.

— Надо поехать к Лауре, рассказать ей обо всех странностях и объяснить: «Вашего мужа могли убить, представив дело как суицид, неужели вы не хотите установить истину? Найти того, кто отнял у вас любимого человека?» — засуетился Бунин.

— Кривоносова решит, что агентство намерено раскрутить ее на деньги, — заметил Костин, — ищет клиента.

— Предложим ей бесплатные услуги, — не утихал Роман, — интересно же, что произошло.

Макс встал.

— Вокруг много интересного. Рома, ты прекрасный специалист, один из лучших на поле...

— Почему «один из»? — нашел очередной повод для обиды Бунин. — Я гений.

— Ты уникум, — великодушно согласился Макс, — мне тоже интересно, что за чертовщина произошла с Сыркиным и Обжориным, но нас никто не просил затевать расследование. Конец истории.

Роман молча встал и вышел.

— Не такой уж он уникальный специалист, — недобрительно заметил Вовка, — характер у мужика плохой. Чего он на Лампу нападает?

— Ревнует меня к Максу, — засмеялась я и схватила свой мобильный. — Добрый вечер, Роза Леопольдовна, как ваш имплант?

— Спасибо, наркоз отошел, мне немного больно, — объяснила Краузе, — я вернусь завтра утром. Лампа, мне звонила воспитательница Ольга Павловна, она волнуется: скоро восемь, а за Кисой никто не пришел.

Я вскочила.

— Черт! Я забыла про девочку! Как это могло случиться?

Няня начала утешать меня:

— Не ругайте себя, вы редко Кису забираете, у вас много работы. Детское учреждение круглосуточное, в принципе, ребенка можно ночевать оставить.

— Уже мчусь, — перебила я няню. — Макс! Убегаю в садик.

Муж посмотрел на часы.

— Хорошо. Ты не заболела?

— А что? — удивилась я. — Плохо выгляжу?

— Лицо стало розовым, — ответил вместо Вульфа Костин, — на глазах цвет изменился, было зеленым, а сейчас прямо малина.

— Эта ягода красная, — хмыкнул Макс. — Лампудель разозлилась на себя за то, что про Кису забыла. Наша няня сегодня зубы вставляет, будет как крокодил теперь.

Я поняла, что тональный крем фирмы «Аенвит» наконец-то подействовал, и гордо заявила:

— Сердиться на себя нельзя, себя надо хвалить и покупать себе, любимой, подарки. Просто у меня здоровый цвет лица, завидуйте молча. Вы оба похожи на недозревшие лимоны, а я свежая роза.

* * *

Дверь садика оказалась заперта, я нажала на звонок.

— Кто там? — ожил домофон.

— Евлампия Романова, пришла за ребенком, — ответила я.

Дверь открылась, я вошла в холл и увидела полную пожилую женщину в голубом халате.

— Матерь божья! — воскликнула она и убежала.

Реакция нянечки показалась мне необычной, но иногда пожилые люди странно себя ведут. Я пожала плечами, натянула бахилы, поднялась на второй этаж, заглянула в группу, увидела Кису и еще двоих детей, сидящих за маленьким столиком.

— Зайка, извини, я задержалась, мы сейчас зайдем в супермаркет и купим самое большое ведро мороженого. Или ты хочешь коробку «Лего»? — спросила я.

С радостным кличем: «Лампа!» Киса обернулась, взвизгнула и быстро нырнула под столик. Остальные ребята взглянули на меня... один мальчик ринулся за Кисой, а второй застыл с открытым ртом.

— За кем вы пришли? — спросил за спиной женский голос.

Я повернулась.

— Добрый вечер, Ольга Павловна.

— Ой оюшки! — подскочила воспитательница и повторила: — За кем вы пришли?

— За Кисой, — удивилась я, — девочку забрать хочу. Вы Розе Леопольдовне звонили, беспокоились, что забыли про ребенка.

— Ага, ага, — пробормотала женщина, — свитер у вас приметный, я узнала его только сейчас, фиолетовый с красивым рисунком, еще утром на него внимание обратила, понравился он мне.

Я удивилась разговору про одежду, но поддержала его.

— Купила пуловер в маленьком магазинчике, там много симпатичного трикотажа, могу телефон дать.

— И волосы ваши, как утром, — невпопад сказала Ольга Павловна, — и сережки те же... Киса, посмотри, это твоя мама? Выползи наружу.

— Заинька, что случилось? — забеспокоилась я.

Девочка выбралась из-под стола и медленно двинулась в мою сторону.

— Лампа? Скажи что-нибудь.

— Здравствуй, котик, — заворковала я, — нам пора домой. Фира и Муся заждались, они хотят ужинать и гулять.

Малышка приблизилась ко мне вплотную и осторожно взяла меня за руку.

— Лампа! Я тебя всегда люблю. Почему ты странная?

— Цвет лица тебя удивил? — догадалась я. — Привыкай, Кисуня, теперь я всегда такой буду.

Ольга Павловна перекрестилась.

— Спаси, господи!

Я решила не обращать внимания на воспитательницу. С детьми работать трудно, сотрудники садика немолоды, к вечеру они сильно устают. Ольга Павловна сейчас так выражает свою радость. После того, как я уведу Кису, в группе останется не трое, а двое малышей, чем меньше детей, тем легче воспитательнице.

— Колготочки ей натянуть не забудьте, — дрожащим голосом напомнила тетушка, — а то утром голенькую притащили.

— Сама оденусь, — пообещала малышка и принялась натягивать на себя вещи.

Глава 10

— Мороженое или «Лего»? — спросила я у Кисы, когда мы очутились на улице.

— Хочу домой, — шепнула та.

— Ты устала?

Малышка кивнула, я пощупала ей лоб.

— Может, ты заболела? Прости, заинька, очень глупо утром получилось, до сих пор стыдно, когда вспоминаю, в каком виде тебя в группу привела. Вроде температуры нет.

— Лампа, почему человек чернеет? — неожиданно спросила девочка, идя со мной за руку.

— От солнца, — объяснила я.

Киса притормозила.

— Тогда он коричневый. А как делаются дедушкой Римусом из книжки про кролика? Помнишь картинку?

— Дедушка Римус негр, — объяснила я, — он живет в Африке, там много солнца, поэтому природа защитила его очень темной кожей. А вот в северных широтах солнечного излучения мало, вследствие этого там люди имеют белый цвет кожи. Понимаешь?

Киса кивнула.

— А как из белого черным стать?

Я погладила ребенка по голове. Киса маленькая, но очень умная, у нее постоянно возникают вопросы, на которые взрослому человеку трудно найти ответ. Вот сегодня она заинтересовалась разными расами.

— Можно сильно-сильно зажариться в солярии, но это вредно, и вскоре опять посветлеешь.

— Навсегда в негра не превратишься?

— Нет, солнышко, — улыбнулась я. — Да и зачем? Надо жить таким, каким на свет появился.

— У мамы Ивановой очень-очень большие губы, — продолжала Киса. — Катя сказала, она хочет быть красивой, чтобы папа бросил любовницу. А у Макса есть любовница?

Я оторопела, потом быстро пришла в себя и решила прекратить глупую беседу.

— Что тебе приготовить на ужин?

— Я в садике ела.

— Неужели ты откажешься от шоколадного печенья?

Киса прижалась ко мне.

— Нет. Я люблю тебя не за печенье. Просто так.

Я поцеловала ребенка.

— И я тебя люблю. Просто так.

— Лампа, не делай губы, как у Катиной мамы.

— Никогда, разве я похожа на дуру? — ляпнула я и прикусила язык.

— Ты красивая, как принцесса, — продолжала Киса, — самая лучшая, мне другая не нужна. У нас мыло есть?

— Конечно, — опять удивилась я.

— Ядовитое?

— Обычное, хорошее, приятно пахнет.

— Негр может таким добела отмыться? Или ему ядовитое надо?

— Про какое отравленное мыло ты говоришь? — не поняла я.

Киса втянула голову в плечи, согнулась и забасила:

— Если фломастерами перемазались, бегите вниз, возьмите в туалете ядовитое мыло, оно любую черноту отскребет. Ваше групповское не пойдет, нежное больно.

Малышка выпрямилась.

— Так няня Раиса Ивановна говорит. У нас дома есть ядовитое мыло?

Я открыла подъезд.

— Вы к кому? — спросил охранник.

— Мы домой, — пропищала Киса, — вместе с Лампой.

У парня забегали глаза.

— Извините, Евлампия Андреевна, не узнал вас. Вы сегодня... такая... необычная.

Я ликовала. Не зря потратила деньги. Тональный крем «Аенвит» оказался на удивление хорош. Даже секьюрити, которого ничего, кроме футбола и рыбалки, не интересует, заметил, как я похорошела.

— Ну ваще просто, — продолжал охранник.

— Спасибо, Евгений, — кокетливо ответила я, — теперь каждый день так выглядеть буду.

— То-то ваш муж офигеет, — брякнул страж подъезда.

Открыв входную дверь, я услышала радостное повизгивание и цокот когтей по паркету. Мопсихи Фира с Мусей неслись встречать пришедших. Я села на корточки, распахнула объятия и воскликнула:

— Ура! Мама дома! Сейчас съедим вкусный паштет из банки и погуляем по крыше.

Но вместо того, чтобы, как обычно, кинуться целовать хозяйку, собаки притормозили и замерли.

— Девочки, вы меня не узнали? — засмеялась я. — Ну, скорей, идите сюда.

Муся присела, Фира сгорбилась, потом обе взвизгнули и заползли под консоль. Худенькая Муся спряталась там полностью, у толстой Фиры снаружи осталась попа с загнутым вверх хвостом.

— Что случилось? — не поняла я.

Хвост Фиры завилял.

— Они описались и обкакались, — доложила Киса, — так всегда делают, когда пугаются.

— Чего им бояться, — рассердилась я, — безобразницы! Не могли подождать, пока я их на крышу отведу. Фу! Стыдоба! Взрослые совсем, а ведут себя хуже щенков.

— Не ругай их, — попросила Киса.

За спиной раздалось характерное попискивание, кто-то открыл электронный замок.

— Вот и я, — пропела Краузе, — решила в клинике не ночевать. Все равно зуб болит, какая разница где ему ныть?

— Роза Леопольдовна, — закричала малышка, — дай скорей ядовитое мыло, Лампе нужно.

Я обернулась и увидела Краузе. На носу няни, несмотря на вечерний час, сидели очки от солнца с очень темными стеклами.

— А-а-а-а! — неожиданно заорала Роза. — Боже всемилостивый! Где она?

Трясущимися руками няня схватила со столика брелок тревожной кнопки и нажала на него. Очки слетели с ее лица. Я увидела, что у Розы Леопольдовны нет глаз, на их месте ровная кожа, и завопила:

— А-а-а-а!

Киса упала на живот и засунула голову под консоль, теперь оттуда торчала попа Фиры и две детские ноги в розовых тапочках.

Входная дверь отворилась и стукнулась о стену, на потолке закачался красивый фонарь из разноцветного стекла, который мы с Максом привезли из Италии. Светильник понравился мужу до такой степени, что

Вульф держал его на коленях во время рейса из Милана в Москву и ни разу не поставил коробку на пол.

В холл ворвались два парня в шлемах-масках с автоматами в руках.

Я попятилась к вешалке.

Игорь Львович, подписывая с Максом договор купли-продажи квартиры, сказал: «Насчет безопасности не волнуйтесь. Дом находится под охраной группы «Гамма-молния». Только надавите на кнопку, и появится помощь, моргнуть не успеете, как вашим обидчикам головы оторвут».

Помнится, я Максимову не поверила. Людям с оружием придется откуда-то ехать, в Москве пробки, я буду моргать этак час, пока приедет подмога. Но сейчас ОМОН возник словно из воздуха! Как такое возможно?

— Лежать всем! — заорал грубый бас.

Мы с Розой Леопольдовной одновременно рухнули на пол и оказались нос к носу.

— Боже, — зашептала я, — где ваши глаза?

— У меня все на месте, — чуть слышно ответила няня, — прекрасно вижу вас. Это блефаропластика, на веках пластыри телесного цвета, в них дырки, видите?

Я вгляделась в жуткую жуть и перевела дух.

— Фуу!

— А с вами что? — забеспокоилась Роза Леопольдовна.

— Ничего. Почему вы спрашиваете?

— В зеркало давно смотрели?

— Днем.

— Гляньте сейчас.

Я попыталась встать.

— Лежать! — гаркнул мужчина, охранявший входную дверь.

— Молодой человек, я хозяйка квартиры, — представилась я лежа, — не знаю, почему наша няня вас вызвала, она только из больницы приехала. После наркоза у людей бывает психоз.

— Посторонних нет, — доложил охранник, выходя из гостиной, — все чисто.

Дверной замок запищал, в холле, радостно улыбаясь, появился Макс, но уже через секунду веселое выражение испарилось с лица супруга, в его руке сам собой очутился пистолет.

— Код два, — заорал тот, что стоял в коридоре, — мужик, на колени.

Я кинулась к Вульфу.

— Спокойно. Это секьюрити, их Краузе вызвала. Ребята, это хозяин дома.

— Да, да, да, — залепетала Роза Леопольдовна, — я испугалась, кнопочку надавила.

Макс опустил оружие.

— Вы кто? — спросил он у меня.

— Хватит шутить, — попросила я, — твоя жена.

— Она умоется ядовитым мылом, — пропищала Киса. — Лампа не хочет стать, как мама Кати. Макс, у тебя есть любовница?

Секьюрити заржали.

Муж уставился на меня.

— Что с тобой?

— Сегодня все с ума посходили, — рассердилась я, — задают одинаковый вопрос. Неужели я так мерзко раньше выглядела? Стоило воспользоваться косметикой, как у окружающих глаза на лоб полезли.

— Немедленно посмотри на себя, — приказал Макс.

Я пожала плечами и повернулась к шкафу.

— Ну, если тебе это доставит удовольствие, спорить не стану.

Я толкнула дверцу. Два месяца назад Киса, бегая по дому, поскользнулась, упала и стукнула ногой по большому, от пола до потолка зеркалу, прикрепленному к стене холла. То ли оно было дефектным, то ли малышка угодила туфелькой в самое слабое место конструкции, но зеркало лопнуло и осыпалось дождем на паркет. Я перепугалась, долго осматривала Кису, искала на ней порезы. После того случая мы с Максом приняли решение: отныне зеркало спрячется в шкафу.

Створка распахнулась, я с визгом отскочила в сторону и воскликнула:

— Там кто-то чужой!

— Где? — спокойно отреагировал муж.

— В гардеробе, — задергалась я, — негр! С абсолютно черным лицом! В боевом раскрасе. Страшнее никого в жизни не видела.

— Да ну? — прищурился Вульф. — Давай попробуем с ним познакомиться. Не бойся, в доме охрана, мы отобьем тебя у чудовища.

Я осторожно засунула нос в отделение с вешалками.

— Никого, да? — спросил Макс, взяв меня за плечи и разворачивая лицом к зеркалу. — А теперь?

— А-а-а, — заорала я, — вот же он! Ну и страшилище! Щеки красные, губы кровавые, веки зелено-фиолетовые. Неужели ни один из вас его не видит?

— Мы пойдем, — кашлянул один секьюрити, — счет за ложный вызов управляющий принесет.

Краузе, успевшая надеть на нос очки, сказала:

— Нам трудно оценить себя, практически невозможно. Каждый человек полагает, что он прекрасен.

Киса взяла меня за руку.

— Лампа, там ты, это твое отражение.

Я отшатнулась от шкафа.

— Отражение? Чье?

— Ваше, — тихо сказала няня.

— Мое?

— Да! — подтвердила Роза Леопольдовна.

Я осторожно посмотрела в зеркало.

— Чьи там волосики? — просюсюкала Краузе.

— Мои, — прошептала я.

— А кофточка с брючками, — продолжала няня.

— Мои, — выдохнула я.

— Помашите ручкой, — попросила Роза Леопольдовна.

Я машинально повиновалась.

— Кто нам привет передает? — пела Краузе.

Я потрясла головой.

Вот только не надо сейчас хихикать и говорить: «Лампа, ну как можно принять собственное отражение за агрессивно раскрашенного вождя африканского племени, который зачем-то засел в твоем гардеробе? Романова, ты совсем сошла с ума? Неужели не сообразила, что смотришь в зеркало?» Нет, я была шокирована видом незнакомца. Ну согласитесь, как-то не ожидаешь, что вместо своей бледной мордочки увидишь черное лицо, раскрашенное, как на карнавал. Можете считать меня идиоткой, но я на самом деле чуть не рухнула в обморок от страха.

Я потрогала холодное стекло рукой и засуетилась.

— Господи! Где сумка?

Макс подал мне ридикюль, я начала судорожно рыться в нем.

— Умоешься ядовитым мылом, и все пройдет, — пообещала Киса. — Макс, Лампа это сделала из-за твоей любовницы. Она хотела стать красивой.

Вульф сел на маленький диванчик.

— Кисуля, у меня нет любовниц. Ты знаешь, кто это такая?

— Нет, — ответила девочка, — объясни.

— Как-нибудь потом, — пообещал муж. — Лампудель, что происходит? Купила на распродаже по дешевке черный гуталин и решила использовать его вместо пудры?

— Подожди, мне нужна визитка консультанта фирмы «Аенвит», — простонала я, — она обещала совсем другой эффект от использования крема.

Няня громко чихнула, очки от солнца спланировали с ее носа на пол.

Вульф икнул.

— Роза Леопольдовна, где ваши глаза?

— Они есть, только ма-а-аленькие, — объяснила Киса, — меньше, чем у кошки Вуди.

— Я не знаком с кисой, — протянул муж, — но надеюсь, что она не производит столь мощного впечатления на окружающих, как наша няня. Хотя если у вас проблемы с желудком, то они легко решатся при одном взгляде на Розу и Лампу. Девочки, что вы с собой сделали?

— Блефаропластику, — жалобно призналась Краузе, — убрала мешки под глазами, подтянула верхние веки. Мне обещали, что через три часа я уеду домой без синяков, никто не узнает про операцию, поэтому я соврала про имплант. Но оказалось, что надо зону вокруг глаз заклеить, пластырь телесного цвета и совсем незаметен. Сама вздрогнула, когда увидела, что у меня на лице.

Макс посмотрел на меня.

— Я наложила макияж от фирмы «Аенвит», — в свою очередь, покаялась я, — мне обещали розовый цвет лица.

— И зачем вам все это? — укоризненно спросил Макс.

— Хотим быть красивыми, — честно ответили мы с Краузе.

Глава 11

Три дня я сидела дома, пытаясь снова превратиться в белокожую девушку. Консультант «Аенвит» категорически отрицала, что их продукция может превратить женщину европейского типа в негритянку.

— Нет, нет, ваша кожа должна стать похожей на сочный персик, не рассказывайте сказки. Имейте в виду, мы не отвечаем за то, что случилось после ухода покупательницы. А то некоторые фиг знает чем еще намажутся, потом на нас баллон катят. «Аенвит» роскошное средство, оно держится неделю, потом сойдет.

— Может, его можно раньше смыть? — простонала я.

— Тональный крем стоит намертво неделю, — гордо заявила продавщица, — в этом его фишка. Но если вам не понравился результат (хотя вы первая, кто жалуется), можно приобрести корректор. Приезжайте, я объясню, как им пользоваться, мы изменим оттенок пигмента.

— Ну уж нет, — отрезала я, — лучше подожду, когда кожа естественным путем побелеет.

На четвертые сутки к вечеру я из эфиопки превратилась в мулатку, а сегодня утром наконец-то без содрогания посмотрела в зеркало. Конечно, моя внешность осталась экзотической: голубые глаза, белая шея, светлые прямые волосы и лицо цвета молочного шоколада, на котором пылает свекольный румянец. Но, согласитесь, это уже прогресс, чернота ушла, я воспряла духом и сказала себе: «Ничего, подумаешь, совсем не вредно провести недельку дома. Зато я разобрала хаос в шкафу в кухне и продолжу заниматься хозяйством». На волне энтузиазма я отправилась в чулан и принялась рыться в вещах, которые после переезда в новую квартиру так и лежали в коробках.

— Лампа, ты умница, — бормотала я, открывая очередную упаковку, — надо избавиться от хлама, если год не вспоминала про эти ящики, значит, там хлам! Господи, сколько у нас ненужного барахла! Откуда взялись пластмассовые кремнанки ядовито-зеленого цвета? Никогда их не приобретала. Они отвратительны, лучше выкинуть эту красотищу. Хотя жаль, вдруг пригодятся. В конце концов, их можно кому-то подарить.

Я отложила страхолюдство, вытащила из коробки накидку на кресло и опять поразилась. Не помню, чтобы у нас с мужем было нечто из светло-бежевого искусственного бархата с надписью «Привет из Кыргыды». Где находится Кыргыда? Это город? Или, может, гора? Вероятно, кто-то залез на вершину, а в качестве приза ему выдали эту тряпку, и победитель преподнес ее нам. Нет, это точно не пригодится. Хотя... зачем выкидывать вещь? Из нее можно сшить подстилку для собак, или подарить кому-то не самому близкому... Я отложила привет из Кыргыды к кремнанкам и вновь залезла в ящик. Куртка! Защитного цвета! С капюшоном, крупными пуговицами, шестью накладными карманами, размер примерно пятьдесят восемь — шестьдесят. Каким образом она к нам попала? Я могу в ней жить, как в палатке, даже Максу, хоть он в последнее время поправился, она велика. Нет, прикид нельзя использовать, от него нужно избавиться, он только место занимает! Хотя... Если мы когда-нибудь переедем жить за город, нам понадобится на участке сторож, ему вполне подойдет сия амуниция. Пусть полежит, если свернуть ее потуже, много места она не займет, зато потом не придется тратить деньги на форму для охранника. Не сочтите меня жадной, просто не люблю транжирить деньги. И куртенку можно кому-то подарить, например, страстному охотнику.

Через два часа я оглядела гору вещей и констатировала: раньше хлам был аккуратно упакован, теперь он кучей громоздится на полу. Выбросить его жаль, он может когда-нибудь пригодиться, это кладезь подарков для посторонних людей. Непонятно, правда, когда удастся использовать шар от боулинга, помятый с одного бока, и кому можно преподнести торбу из клеенки с надписью «Танк «Аванар» ваш выбор. Танк «Аванар» ваше будущее». Где, черт возьми, мы взяли сумку, рекламирующую боевую машину?

Резкий звонок мобильного оторвал меня от увлекательного занятия.

— Что поделываешь? — поинтересовался Костин.

— Тебе, случайно, не нужна прекрасная сумка? — вкрадчиво спросила я. — С виду как кожаная, на ней красивые слова про танк «Аванар» написаны, настоящий мужской вариант.

— От скуки решила приторговывать кошелками? — засмеялся Костин. — Сошла с ума, сидя дома?

— Хотела тебе подарить, — обиделась я, — отдать даром.

— Не, спасибки, оставь себе, — отказался Костин, — заканчивай ерундой маяться, приезжай в офис.

— У меня отпуск на неделю, — напомнила я.

— Лаура Кривоносова покончила с собой, — мрачно сказал Вовка. — Это жена Обжорина, который...

— Помню ее, — остановила я друга, — бедняжка не смогла справиться с горем.

— В переговорной сидит Елена Яшина, она собирается нас нанять, — продолжил Костин, — но согласна беседовать только с тобой.

— Уже мчусь со всех ног, — пообещала я и, забыв про горы разбросанных вещей, ринулась в ванную.

* * *

— Ты похожа на дочь Чиполлино и графинь Вишни[1], — хихикнул Вовка, увидев меня у лифта. — Лицо желтое, щеки темно-красные.

— Где Елена? — остановила я веселящегося Костина.

— В маленькой переговорной, — уточнил тот.

Я понеслась по коридору, толкнула дверь и очутилась в кабинете.

— Вы приехали! — обрадовалась Яшина. — Мне сказали, что Романова в отпуске. На море летали? Здорово загорели.

Я села к столу.

— Что вас к нам привело?

Яшина открыла сумку, вынула оттуда конверт и положила его на стол.

— Лауру убили. Из-за этого, думаю. Полиция уверена, что Кривоносова покончила с собой, следователь сказал: «У нее муж совершил суицид, вдова не выдержала и за ним последовала. Сами говорили: у них

---

[1] Чиполлино и графини Вишни главные герои книги итальянского детского писателя Джанни Родари «Приключения Чиполлино». (*Прим. автора.*)

неземная любовь горела». И выгнал меня, не стал про письмо слушать. Жаль, что остался один конверт, он случайно уцелел, я его ненароком домой с журналами прихватила. И белка не на месте сидела, и машинки Никиты были вперемешку. Я пыталась полицейскому объяснить, а он: «Идите домой, суицид это».

— Давайте все по порядку, — попросила я. — Что за послание?

Елена потупилась.

— Помните, когда вы у Кривоносовой на кухне сидели, курьер принес бандероль?

— Да, — кивнула я, — в ней якобы находились открытка и фотографии, которые Обжорин окантовал и решил преподнести супруге на очередную годовщину их знакомства.

— Ммм, — пробормотала Яшина, — якобы... вы... э...

Я решила помочь ей.

— Лена, я сразу догадалась, что вы говорите неправду. Снимки вы взяли в комнате и почтовую карточку там же нашли?

Собеседница смутилась.

— Лаура хранила все подарки от Никиты, даже самые незначительные. Извините, я солгала. Не люблю говорить неправду, но так растерялась... не знала, что делать... Лаура зарыдала... вы на кухне... вот и пришлось придумать. Глупо получилось. Сыщики внимательные, вы небось фотки на стене запомнили.

— Что было в пакете? — остановила ее я.

Яшина протянула конверт.

— Вот.

Я заглянула внутрь.

— Здесь ничего нет!

— Ключ украли! — всхлипнула Лена. — И письмо.

— Пожалуйста, расскажите, что знаете, — попросила я, — пока я ничего не понимаю. Почему вы занервничали, когда Лаура вскрыла послание? От кого оно было? Что в нем лежало?

Яшина сцепила пальцы рук в замок и начала излагать.

То, что бандероль отправил Никита Владимирович, она поняла сразу, хотя обратного адреса не было, вернее, на обертке было написано: «ГлавпочЬтамт. До вАстребования, Иванову Ивану Ивановичу». Лена узнала почерк Обжорина, он часто оставлял жене записочки, Яшина их иногда видела, Никита любил делать сюрпризы. Придет жена домой, откроет хлебницу, а там лежит открытка с изображением очаровательной кошечки, на ней написано: «Люблю тИбя» или «Ты лутЧе всех». Лаура всегда радовалась, обнаружив милый презент, она никогда не выбрасывала послания мужа, хранила их в коробке.

Противный курьер отказался отдать бандероль Елене, Лаура сама взяла пакет. Яшина сообразила, что Никита прислал супруге очередную почтовую карточку, пара на самом деле встретилась в сентябре и всегда отмечала день знакомства. В голове Леночки сложилась логическая цепочка: «Никита задумал покончить с собой, но решил в последний раз преполнести жене сувенир, поэтому и заказал курьерскую доставку. Обычно в качестве подарка Обжорин покупал жене коробку конфет и водружал ее на столе в кухне, а сверху клал послание с признанием в любви. Правда, памятная дата наступала чуть позднее. Кит, наверное, решил поздравить жену раньше. Почему он не подумал, что подарок, полученный сразу после его суицида, не обрадует Лауру, а, наоборот, ввергнет ее в пучину отчаяния?

Но эти вопросы тогда Лене в голову не пришли, она разозлилась на Обжорина и поспешила за Лаурой в комнату. Неужели Никита был настолько глуп? Он не подумал, что жена утонет в рыданиях, увидев презент от покойника?

Лаура молча разорвала упаковку, вынула белый конверт, вскрыла его, внутри лежал ключ с биркой.

— Что это? — растерянно спросила Кривоносова у подруги.

— Там, наверное, еще есть письмо, — подсказала Яшина.

Вдова заглянула в конверт, выудила листок, пробежала по нему глазами и залилась слезами. Подруга, забыв обо всех приличиях, схватила записку и живо прочитала, наизусть она ее не запомнила, но смысл был таков: Никита понимает, что умирает, он не боится смерти, его беспокоит то, как жена будет без него жить. Никита переживает, что Лаура останется одна в крошечной квартирке, без денежного запаса, больше всего на свете он хочет обеспечить жене комфортные условия, он весь извелся, думая, где раздобыть хоть немного средств, и вдруг ему повезло. Нашелся человек, который нанял Обжорина для выполнения некой работы. Какой? Об этом Лауре знать не стоит, главное, что за нее заплатят сто пятьдесят тысяч долларов наличкой, и никто об этом никогда не узнает. Заказчик в курсе состояния здоровья Никиты, поэтому он и предложил ему выгодное дельце, Обжорин сделает, что нужно, и покончит с собой. Он давно замыслил суицид, уйти из жизни собрался, находясь в здравом уме и твердой памяти. Он не хочет, чтобы Лаура заботилась о безумце, не желает стать обузой для супруги. Сто пятьдесят тысяч американских рублей будут положены в банковскую ячейку за час до того, как он выполнит задание, Обжорин и заказчик отправят ей ключ вместе с письмом, где указано название банка, курьерской доставкой. Никита уходит на тот свет спокойным, даже счастливым, он смог раздобыть денег для любимой.

Глава 12

Елена закрыла рукой глаза.

— Понимаете, почему я не могла сказать вам правду о содержании посылки?

— Теперь да, — кивнула я.

Яшина передернулась.

— Когда вы ушли, Лаура принялась задавать вопросы, но у меня на них не было ответов. Она все твердила: «Какая работа? Что надо сделать за такие безумные деньги? Столько за всю жизнь не получить!» Я тоже была шокирована, мысли путались. Мы с подругой выпили успокаивающий чай. Она сразу задремала, сказался сильный стресс, а я никак не могла уснуть. Квартира у Лауры сами видели какая, они с Никитой на ночь раскладывали софу, но я не могу ни с кем рядом спать, поэтому устроилась на кухне, скрючилась на крохотном диванчике. Я и так и эдак пыталась на нем угнездиться, потом плюнула, опять заварила себе травяной напиток. И тут меня как бабахнет по голове! Никита в письме сообщил: ключ они с заказчиком отошлют за час до выполнения работы, а потом он застрелится. А что он совершил незадолго до смерти?

— Сбил мужчину, — ответила я.

Яшина легла грудью на стол и прошептала:

— Понимаете, что мне в голову пришло?

— Догадываюсь, — кивнула я, — наезд был той самой работой, за которую заплатили сто пятьдесят тысяч валютой.

Лена резко выпрямилась.

— Дрема с меня сразу слетела, я до шести утра места себе не находила, потом Лауру разбудила и сказала: «Извини, мне в школу пора, после занятий приду» и удрала. Надо было остаться, уроков у меня не было, но я испугалась, начнет подруга плакать, станет те же вопросы задавать: «Что за работа? Кто столько платит?» А я не удержусь и выпалю: «Кит человека убил, кровавые доллары тебе оставил». Разве можно Лауре о своих догадках говорить? В районе одиннадцати утра я ей позвонила, спросила, как дела? Лаура показалась мне спокойной, посетовала, что тело мужа пока не отдают, оно на экспертизе, но к пятнице обещают закончить. Я хотела к ней приехать, но Лаура возразила:

— Спасибо, не стоит. Ты же постоянно у меня не поселишься, рано или поздно своими делами займешься. Лучше я буду привыкать к одиночеству. И спать здесь негде. К тому же сейчас меня на работу вызвали, две медсестры с гриппом свалились. Очень главврач извинялась: «У вас горе, а у нас форсмажор, некому Игорю Лавреньевичу ассистировать, может, я попрошу вас и на ночь задержаться». Я ее успокоила: «Мне лучше на службе будет, отвлекусь от грустных мыслей». Я вся издергалась, не знаю, как себя вести. В банк ехать одна боюсь. Давай завтра вместе туда сходим, пожалуйста, не бросай меня. Если Никита и впрямь деньги оставил, что мне с ними делать? Сердце подсказывает: не за честное дело он их получил. Ну, и как мне поступить?

А что я ей могла ответить? Сама в шоке пребывала, поэтому решила чуть тему беседы сменить. Спросила:

— Ты ключ хорошо спрятала?

— Положила в тумбочку в верхний ящик, — сообщила подруга.

Я испугалась.

— Вдруг его украдут. Отмычкой любой запор открыть можно.

Лаурочка заспорила:

— Кто знает о деньгах? Никита, я и ты. Мужа нет, я ни с кем тайной делиться не собираюсь, а ты умеешь язык держать за зубами. Дом у меня в непрестижном месте, трущоба натуральная, ни один вор к нищим не полезет. Но даже если наркоман сдуру дверь сломает, он с вешалки норковую шапку утащит, пошарит в комнате, возьмет мои деньги на хозяйство. Зачем ему ключ? На нем только бирка с номером, ни названия банка, ни адреса нет. Я раньше думала, что на ячейках электронные запоры стоят с кодом. Во всех сериалах показывают, как люди на кнопки нажимают, чтобы сейф открыть. Присланный же Никитой ключ похож на тот, которым на почте абонентские ящики отпирают или шкафчики на работе, куда сотрудники одежду вешают перед тем, как форму надеть.

Но меня прямо затрясло.

— Ты ведь еще дома, я не на мобильный звоню. Возьми ключ с собой! Пожалуйста, мне так спокойней будет, на шею повесь, спрячь под одеждой.

Лора согласилась.

— Ладно, чтобы ты не переживала, так и сделаю.

Больше мы не разговаривали, я ей в десять вечера позвонила домой, потом на сотовый, включился автоответчик. Но это меня не встревожило. Клиника работает круглосуточно, там есть и амбулаторное, и стационарное отделения. Люди, которым, например, круговую подтяжку сделали, нос изменили, импланты в грудь вставили, могут и по паре недель на койке валяться. Лаура старшая медсестра в хирургии, если кто-то из среднего персонала заболел, она могла на ночь остаться. Она частенько сутками работала, ей деньги требовались. То, что по сотовому Лаура оказалась недоступна, меня тоже не удивило. В хирургии персонал трубки отключать обязан, такое там правило, у сотрудников пейджеры.

На следующий день я ей стала названивать, но она трубку не брала, ни по мобильнику не отзывалась, ни по домашнему. Вот тогда я занервничала, на рецепшен обратилась, чтобы Лауру не упрекали за разговоры с приятельницей по служебному номеру, наврала администратору: «Забыла в процедурном кабинете детектив Смоляковой. Укол мне медсестра Кривоносова ставила, хочу узнать, не сохранила ли она роман? Соедините, пожалуйста, меня с хирургией». Девушка ответила: «Обязательно спрошу у Лауры про книгу, но только завтра. Сегодня у Кривоносовой выходной». Я еле-еле досидела до конца занятий и домой к себе понеслась, каждые пять минут ее номер набирала, но без толку. У меня есть запасной ключ от ее однушки, Лорик его сто лет назад мне дала, еще до свадьбы с Никитой, когда в Египет поехала, бесплатная путевка ей досталась, главврач клиники как лучшую сотрудницу премировал. Лаура опасалась, вдруг, пока она отсутствует, труба лопнет, соседей затопит. А когда вернулась, ключ назад не забрала. Я домой смоталась, взяла ключ, приехала к Лорочке, подошла к ее квартире, хотела замок открыть, а створка-то... не заперта! В день смерти Кита у них на двери язычок начал западать, чтобы дверь захлопнулась, приходилось изо всей силы ее о косяк шарахнуть. Наверное, Лорик на смене устала и забыла про неполадку, как обычно, аккуратно дверь прикрыла и в комнату прошла. А дверь-то на самом деле не заперлась.

Елена затрясла головой и заплакала. Я быстро налила в стакан воды и подала ей.

— Она на диване лежала, — прошептала Яшина, — на неразобранном, в пижаме... не живая... я сразу поняла... Вызвала полицию... они часа через три явились... такие сердитые... один вошел и говорит: «Е-мое! Делать им больше нечего, как в мою смену помирать». Лорика увезли, мне велели домой ехать, пообещали для беседы вызвать, записали мои телефоны: и домашний, и в школу, и мобильный. Я ждала, ждала, но из отделения меня не беспокоили. Потом из морга звякнули, сказали: «Вы тело Лауры Кривоносовой заберете? Хоронить ее собираетесь?» Я почему-то испугалась, потом сообразила: когда подружку уносили, санитары мои данные, как родственницы, записали. Близких у Лорочки нет, значит, мне ее хоронить. А из телефона говорят: «Одежду привезите, с похоронным бюро договоритесь, потом порыдаете, сейчас покойницей займитесь». У меня колени затряслись, объясняю служащей: «Ее платья все в квартире, а дверь полиция опечатала». Женщина, с которой я разговаривала, спокойно так сказала: «Не гвоздями дверь забили, не горелкой заварили, бумажонку наклеили. Чего вы боитесь? Не кусается она. Подцепите осторожно краешек, отлепите, войдите, возьмите одежду и назад ленту пришлепните».

— Отличный совет, — вырвалось у меня.

Елена сгорбилась.

— Что делать? Служащая объяснила: если я не похороню Лорочку, придется платить за хранение тела. Я, мол, могу отказаться от организации похорон, тогда

Лауру утилизируют за госсчет. Так и сказала «утилизируют». И могилки у нее не будет.

Я молча слушала Яшину. Не знаю почему работница морга так беседовала с Еленой. Тело Кривоносовой забрала полиция, и оно могло храниться столько, сколько нужно эксперту. А в обычном холодильнике при больнице покойника бесплатно обязаны держать не менее двух недель. Но откуда Яшиной все это знать?

— Так страшно было входить в ее однушку, — поежилась Лена. — Жутко! Еще недавно Лаура и Никита счастливо жили, и все! Все! Нет их. Я чуть с ума не сошла, замерла на пороге комнаты, надо к шкафу подойти, а ноги не идут, гляжу по сторонам...

Елена опять навалилась грудью на стол.

— И тут до меня доходит! Здесь кто-то шарил! Посторонний. Рылся в вещах.

— Почему вы так решили? — осведомилась я.

Яшина зашептала:

— Белка... носом к стене... Она ранее сидела лицом к окну.

— Кто? — не поняла я.

Елена откинулась на спинку кресла.

— Никита подарил жене плюшевую белочку в розовом платье. Лаура игрушку назвала Матильдой, всегда держала ее на полке, которая над изголовьем дивана прибита, сажала ее так, чтобы зверушка смотрела в окно. А тут она носом к стене повернута. И машинки все вперемешку — модели на другой полке.

Яшина сделала глоток воды из стакана.

— Никита любил их собирать. По нескольку месяцев над очередной поделкой корпел.

— Видела, как они искусно склеены, — сказала я, — кропотливая работа.

— У Кита в комнате нечто вроде верстака было, — улыбнулась Елена, — доска к подоконнику крепилась, он ее выдвигал и там работал. Клеем вонючим пользовался, но Лаура не возражала. Один раз, вскоре после их женитьбы, я к ним заглянула, «аромат» носом втянула и не выдержала: «Фу! Прямо химзавод». Лорик меня окоротила: «Нормально пахнет. Никитос мастерит «Порше», модель сложная, одни колеса из тридцати деталек. Муж уникальный мастер, у него редкий талант». Я поняла, что хобби Обжорина критиковать запрещено, и больше запахом не возмущалась. Мини-машинки хозяин расставлял, маленькие в первом ряду, большие сзади.

Глава 13

— Я обратила внимание на идеальный порядок в квартире Лауры, — согласилась я, — увидела полку с автомобилями и подумала: «Хозяин аккуратист, с таким трудно жить, передвинешь его игрушки, скандал разразится».

— Вы не правы, — возразила Елена, — Кит сам уборкой занимался, купил антистатическую метелку, обмахивал ею поделки, очень их берег. В конце сентября ОЛСАМ всегда проводит выставку, на нее народ со всей России прикатывает. В последний день работы выбирают лучшую модель. Никита много лет был непобедимым чемпионом. Он еще до брака с Лаурой там лучшим являлся, а после свадьбы из него такое вдохновение поперло! Кривоносова всегда с Китом на конкурсы ходила, и я один раз с ними отправилась, но не поняла, чего там интересного? Толпа мужчин и, что уж совсем странно, женщин, все носятся со своими моделями, переживают, хотят получить награду. Ладно бы, что-то приличное за лучшие работы давали, например, бытовую технику или автомобиль настоящий. Так нет! Вручают пластмассовые медальки! Никита их на стене слева от телика держал. Так представляете! Одна из его наград тоже пропала! Ерунда из пластика! Кому она нужна?!

— Что такое ОЛСАМ? — спросила я.

— Общество любителей собирать автомодели, — расшифровала Яшина. — Как увидела я, что на полке все Никитины джипы-мерседесы перетасованы, сразу поняла: в квартиру точно посторонний входил, он белку трогал и модели переставил.

— Или полицейские решили посмотреть коллекцию, — пожала я плечами.

— Ну, может быть, — легко согласилась Яшина. — А новая модель куда подевалась? Скоро очередная выставка открывается, Никита только о ней и говорил. Он для экспозиции что-то уникальное приготовил, показал мне работу, хвастался: «Увидят ее все и умрут!» Что-то рассказывал про машину, которую копировал, да мне оно неинтересно, поэтому я не слушала. Но внешний вид модельки хорошо помню, она под старину, длинная, красная, колеса круглые такие, железные, блестящие...

— Диски, — подсказала я.

— Во-во, — закивала учительница, — я не разбираюсь совсем в автомобилях, водить не умею, общественным транспортом пользуюсь. На дисках Никита летучих мышей отчеканил, покрасил их черным перламутровым лаком для ногтей. Это я ему случайно подсказала. Обжорин модель долго делал, почти год. Один раз я к ним забежала, села чай пить, он меня за руку схватил, чуть пальцы не оторвал, затрясся, как сумасшедший: «Лена, что у тебя с ногтями?» Мне смешно стало. «Кит, Лаура лаком не пользуется, она медсестра, а я люблю ногти лаком покрывать. Сейчас в моде металлизированный перламутр, черный. Я на экстремальный вариант решилась. Тебе нравится?» А он вдруг меня целовать бросился. «Ленок! Спасибо! Знаю теперь, чем нетопырей покрасить. Подскажи, где черный лак купить?» Он модель за пару дней до смерти...

Яшина охнула и замолчала.

— Вы что-то вспомнили? — насторожилась я.

Лена вынула из сумки носовой платок.

— Я дура! Надо было раньше сообразить: Никита недоброе задумал. Я к ним незадолго до смерти Кита заглянула, тот стал готовой моделью хвастаться, потом машинку на свой верстачок поставил и к Лорику обратился: «Это лучшая моя работа. Если не доживу до выставки, отнеси ее Валентину Павловичу, попроси, чтобы «Принцесса шейха» в соревновании участвовала. Это моя последняя, предсмертная просьба». Никита вообще-то при мне ни разу бесед о скорой кончине не заводил, никогда о своей болезни не упоминал, и вдруг такое заявление. Мы с Лаурой его отругали, сказали: «Еще в ста соревнованиях ты впереди всех окажешься». Он уже в тот день знал, что застрелится. Почему ни я, ни Лора о его планах не догадались?

— А сейчас того красного автомобиля нет? — уточнила я.

— Нет, — вздохнула Яшина. — И ключ с письмом пропали. Искала их, но не нашла, Лаура обещала ключик себе на шею повесить, но на теле ее его не нашлось. Кто-то у Лауры поворошил в доме.

— Вы знали, что у Обжорина есть пистолет? — спросила я.

— Об оружии ни Кит, ни Лаура никогда не упоминали.

— Кто такой Валентин Павлович?

— Вот о нем Кит говорил, — оживилась Яшина, — это председатель ОЛСАМ. Пожалуйста, найдите того, кто убил Лорочку, полицейские ничего делать не хотят, написали, что Кривоносова отравилась из-за гибели мужа, не смогла одна жить.

— И почему им пришла в голову мысль об яде? — поинтересовалась я.

— На тумбочке у дивана лежала коробка из-под лекарства «Дорминочь», — объяснила собеседница, — белая такая, с двумя красными полосами, там еще голова нарисована, изо рта облачко выплывает, на нем «Z-Z-Z» написано по латыни, вроде как храп это, рядом два пустых блистера лежало, стоял пустой стакан. На нем была жвачка прилеплена.

— Понятно, — пробормотала я. — Лаура регулярно пила это лекарство?

— В том-то и дело, что нет, — сказала Яшина, — она хоть и медсестра, к медикаментам осторожно относилась. Для крепкого сна заваривала в термосе травы. И жвачку у нее я никогда не видела, тем более такую. Фу! Похожа на ту, которой один раз Ваня Гутров меня угостил, называется «Треш», это в переводе с английского — «мусор». Цвет очень на «Треш» похож, серозеленый, отвратительный, вкус мерзейший, там и соль, и перец, и анис, и вообще не пойми что. Я сразу ее выплюнула, а Гутров обрадовался, у современных детей своеобразное чувство юмора.

Мне вспомнился недавний разговор со Светой, она, жалуясь на тяжелую жизнь со своим принцем, говорила про «Треш», вот ей жвачка очень даже нравится.

— Странно все это, — тараторила Яшина. — Ну не могла Лаура к стакану жвачку приклеить. Не могла! И вот еще что! В комнате резко пахло духами, противными, вонючими, называются «Диабло». У нас в школе ими директриса пользуется, обольется с головы до ног, все задыхаются, но сказать начальнице, что от ее парфюма людей крючит, никто не решается.

— Когда я общалась с Кривоносовой, не ощутила аромата, — отметила я.

Елена хлопнула ладонью по столу.

— Так Лорка никогда не душилась! Дезодорант всегда без запаха брала. И «Диабло» очень дорогие духи, они ей не по карману, флакон маленький, а отдать за него восемь тысяч надо. Да еще воняют пакостно, въедливо. Такие только нашей шефине годятся, у нее муж богатый турок, восточным людям тяжелые запахи очень нравятся. У Кривоносовой в квартире кто-то был, дверь не запер, жвачку к стакану приклеил, машинки переставил, белку лицом к стене посадил, модель унес, да еще после себя приторный запах оставил. У меня все это в голове сложилось, я в полицию побежала, нашла следователя, который смертью Лауры занимался, все ему рассказала. А он в ответ: «Кривоносова с собой покончила, не придумывайте глупостей. И кто вам разрешил в опечатанную квартиру лезть? Это преступление. Вам делать нечего? Могу привлечь вас к ответственности за то, что печать сорвали».

Яшина откинулась на спинку стула.

— Я и убежала, Лауру вчера похоронила, упокоила по-человечески и к вам пришла. Евлампия, у меня есть деньги, я собираю на покупку дачи, заплачу агентству сколько попросите, только найдите того, кто Лорочку убил. У меня никого, кроме нее, нет, я считала ее сестрой, не хочу, чтобы мерзавец безнаказанным остался. Не принимала она «Дорминочь», зеленую пакостную жвачку в рот не брала, не душилась.

* * *

Через час после ухода Яшиной мы с Костиным устроились в небольшом кафе напротив агентства и стали обсуждать дело Кривоносовой.

— Смертельно больной муж сначала убивает Сыркина, а потом совершает самоубийство. Цена вопроса сто пятьдесят тысяч долларов. Сумма слишком велика, — удивился Вовка, — простого человека убирают за более скромные деньги.

— Кто такой Виталий Павлович, нам с тобой неизвестно, — остановила я друга, — сбитый мужчина жил по паспорту Сыркина. Помнишь Олега Бурундукова?

Володя взял пирожок с мясом.

— Серийный маньяк, убивший много женщин и сбежавший из автозака во время транспортировки в суд. Отец одной из жертв, узнав, что преступник на свободе, нанял армию сыщиков, потратил несколько сот тысяч евро, чтобы найти мерзавца и казнить его. У погибшей были очень обеспеченные родственники.

— Может, Сыркин, как Бурундуков был, — пожала я плечами, — кое-кто готов продать последнее, остаться на улице, чтобы отомстить за смерть любимого человека.

Костин насыпал в кофе сахар.

— Когда установим настоящую личность Сыркина, поймем, кто его ненавидел. Яшина случайно не запомнила, от какой фирмы работает курьер, принесший бандероль?

Я взяла френч-пресс с облепиховым чаем.

— Нет. Вроде на нем была темно-синяя куртка с логотипом. Или красная с буквами. Может, коричневая с картинкой. Это я сейчас Елену цитирую.

Вовка вытащил из сумки айпад.

— Почему меня слова клиентки не удивляют?

Я сделала глоток чая.

— Давай пока забудем про слишком большой гонорар исполнителя. Есть другие, не менее интересные вопросы. Кто нанял Никиту Владимировича? Вот почему выбор пал на него, я понимаю. Он думал о суициде, и ему предложили заработать на своем самоубийстве. Хороший расчет, и организовано неплохо, все похоже на простое ДТП. Заказчик предполагал, что полиция не станет глубоко копать, прочитает письмо, выяснит у жены про смертельную болезнь Обжорина и умоет руки. Все ясно. Самоубийца спешил в парк, заготовил послание, сильно нервничал и сбил человека.

— Вышла неувязочка с орфографией, — отметил Костин. — Можно сделать вывод, что заказчик знал Обжорина поверхностно. Близкие люди в курсе его патологической безграмотности, но этих самых близких крайне мало.

Я перевернула пустую чашку Костина.

— Сейчас погадаю тебе на кофейной гуще. Но продолжу задавать вопросы. Кто украл ключ от ячейки?

— Тот, кто знал, что в ней доллары, — ожидаемо ответил Вовка. — Например, сам заказчик. Кстати, этим можно объяснить огромную сумму гонорара. N хотел, чтобы Обжорин непременно задавил Сыркина и предложил Никите такие деньги, от которых тот не мог отказаться. Совершенно спокойно назвал сумму, знал, что Никита умрет, а организатор спектакля заберет ключ у Лауры. Гениально и просто. И Сыркин отправился на тот свет, и зеленые бумажки назад вернулись. Русский народ про такую историю сложил поговорку: и рыбку съесть, и косточкой не подавиться.

Я подняла чашку и стала рассматривать темно-коричневое пятно на блюдечке.

— Думаешь, что N приехал вечером в гости к Лауре и подсыпал ей сильное снотворное? Когда хозяйка заснула, преступник снял с ее шеи ключ, забрал письмо и ушел. Еще он зачем-то прихватил модель машины, которую сделал для предстоящего конкурса Обжорин. Кражу крохотного автомобильчика я еще могу объяснить: в каждом мужчине живет мальчишка, убийца просто не устоял перед замечательной самоделкой. И по той же причине он рассматривал другие копии автомобилей, а потом ставил их куда ни попадя, не все так аккуратны, как Обжорин. Но появляются новые вопросы. Никиту подбила на преступление женщина? «Диабло» не мужской парфюм, с трудом представляю парня, который захочет им воспользоваться. Лаура не употребляла никакой жвачки. Кто прикрепил к стакану «Треш»? Если организатор наезда это сделал, то он дурак. И, похоже, никогда не смотрит телевизор. По всем каналам сейчас крутят криминальные сериалы, даже младенцы уже про улики и анализ ДНК слышали. О! Надо велеть Роману посмотреть материалы полиции, возможно, были проведены нужные исследования...

— Лампа, — помахал рукой Костин, — вернись на землю. О каких анализах ты щебечешь? Никто простым

ДТП, ну разве что с маленьким нюансом в виде суицида водителя, заморачиваться не стал. Еще вопросы есть?

— Нет, — вздохнула я, — по автомобилю Обжорина, полагаю, с лупой не ползали, волосы, волокна не собирали. Поговорили с Лаурой и тихо слили дело в архив. Мысль о том, что в «девятке» сидел свидетель, полицейским в голову не пришла. И с расследованием смерти Кривоносовой не утруждались.

Володя открыл айпад.

— Бунин уже прислал мне материалы по суициду Кривоносовой. Полицейские быстренько опросили соседей. Вера Калягина, жившая дверь в дверь с покойной, сообщила дознавателю: «Лаура и Никита в доме ни с кем не дружили, но всегда вежливо здоровались. Он не пил, она не отказывала, если кто просил укол сделать, давление к ней мерить ходили, приятная женщина, и мужа нашла такого же. Но после трагедии она ко мне неожиданно заглянула, рассказала о смерти Никиты, заплакала: не знаю, как я без Кита жить буду!»

— И сотрудник решил, что это веское доказательство желания Лауры покончить с собой! — вскипела я.

Костин взял у официантки новую чашку кофе.

— Ни у Лауры, ни у мужа родственников нет, покойные были не богаты, не знамениты, обычные маленькие человечки. Зачем полицейским суетиться? И без того дел полно. Есть хорошие полицейские, есть грязные полицейские, а есть равнодушные полицейские. Ну и что тебе подсказывает кофейная гуща?

— Много хлопот, — пробормотала я. — Слушай, только сейчас в голову пришло! Обжорина похоронили?

— Не знаю, — удивился Костин, — но это легко выяснить.

— Спроси прямо сейчас, — потребовала я.

Володя взял телефон и минут через пять ответил на мой вопрос:

— Нет. Тело пока в морге, сотрудники пытались дозвониться до жены, но...

— Она умерла вскоре после смерти мужа, — договорила я. — Вова, даже если отбросить все наши вопросы, забыть про духи, жвачку, машинки, белку, «Дорминочь», остается одно, что точно свидетельствует: Лауру убили. Кривоносова души не чаяла в муже. Могла она уйти на тот свет, не простившись достойно с покойным супругом? Оставить его в морге не похороненным? Даже если вдова задумала добровольно уйти из жизни, она бы выпила снотворное после того, как отвезла Никиту на кладбище и установила ему памятник.

Глава 14

— Мда, — крякнул Костин, — хотя, может, у нее приступ отчаяния случился?

Я вылила в свою чашку остатки чая.

— Давай плясать от печки. Заказчик знал, что Никита болен. Где он это выяснил? Кривоносова — медсестра в клинике, она могла попросить коллег найти хорошего доктора. Правда, по словам Елены, Лаура и Никита никому про проблемы с его здоровьем не говорили, но врач, который лечил Обжорина, мог нарушить врачебную тайну. Это одна ниточка к заказчику. Вторая, возможно, потянется от украденной модели машины. И мы с тобой, когда вспоминали про жвачку, духи и прочее, забыли про медаль. Между прочим, Елена упомянула, что со стены пропала одна награда за победу в конкурсе на лучшую модель. Яшина все удивлялась: «Кому она нужна? Пластмассовая! Дешевая!» А мне сейчас вспомнился случай из школьных дней. Одну нашу одноклассницу обокрали, утащили у нее из портфеля копеечную игрушку, которую девочке вручили за победу в школьном конкурсе сочинений. То ли мишка, то ли зайка стоил дешево, приобрели его в простом магазине, там подобных «плюшек» гора лежала. Школьница, лишившаяся награды, рыдала, классная руководительница заперла кабинет, велела детям открыть портфели. И пропажа нашлась там, где никто не ожидал, в сумке отличницы Наташи Котовой, идеальной девочки, которую всем постоянно ставили в пример. Педагог была ошеломлена не менее детей, она спросила: «Наташенька, почему ты забрала чужую награду? Родители тебе любую игрушку купят, стоит лишь попросить». Отличница закричала: «Это была моя награда! Я всегда побеждаю! Только я! Почему ее отдали ей? Я вернула себе положенное. Не смейте отнимать!» Некоторые люди не могут примириться с потерей звания чемпиона. Никита Владимирович ходил в общество ОЛСАМ еще до знакомства с Лаурой, возможно, у него там есть друг, о котором не знала жена, или приятельница, бывшая любовница. Обжорин о своей прежней связи Лауре рассказывать не стал. А дамочка решила навестить бывшего любовника, позвонила в дверь, Лаура ее впустила, угостила чаем, и та ей от злости снотворное подсыпала. Это один вариант. Есть второй. Возможно, кто-то из собирателей моделей считал Никиту недостойным победителем и забрал медаль вместе с копией машины, которую чемпион собрался показать на грядущей выставке. Сценарий тот же. Пришел неожиданно в гости, сел пить чай со вдовой, подсыпал ей в стакан «Дорминочь». О кончине Никиты Владимировича сообщила бульварная пресса, журналисты описали ДТП, суицид водителя, поэтому кто-то из старых приятелей и активизировался. Лично я склоняюсь к какой-то из этих версий. Маловероятно, что в преступлении замешаны коллеги Кривоносовой или Обжорина. Яшина утверждает, что у Лауры никаких подруг, кроме нее, никогда не водилось. А Обжорин в школе с преподавателями не общался, он нелюдимый был.

— Притянуто за уши, однако возможно, — согласился Костин, — я бы не стал полагаться на слова Яшиной, не подозреваю ее во вранье, скорей всего, она считает себя единственным близким человеком Лауры, но женщины странный народ. Когда-то я тесно общался с симпатичной Ниночкой, у той была закадычная подружка, которая мне до икоты надоела, всегда с нами таскалась. Я не выдержал и поставил ультиматум: «Или я, или она!» Нина сразу воскликнула: «Милый, больше ты ее никогда не увидишь». Я обрадовался, но зря, на следующее свидание Нина явилась с незнакомой брюнеткой и заулыбалась. «Знакомься, Вова, это Света, мы с ней с первого класса вместе». Я удивился: «Думал, твоя лучшая подруга навязчивая блондинка, без которой наши встречи не проходят». Нина сделала страшные глаза, а черноволосая красавица воскликнула: «Вот ты какая подлая», — и убежала. И что выяснилось? С брюнеткой Нина сидела десять лет за одной партой, а с блондинкой познакомилась в институте, обе девушки друг друга терпеть не могли, потому каждая выдвинула Нине ультиматум: «Дружишь только со мной». Ниночка соврала и той, и другой, что соперница изгнана, но на деле ничего не изменилось.

Просто она не приглашала их к себе в гости одновременно. Лаура могла не рассказывать Елене о дружбе с какой-то коллегой. Отправляйся в клинику, но не рассказывай о расследовании, прикинься клиенткой, у тебя замечательный повод для обращения к врачу есть, цвет личика у тебя пока странный. Побеседуй с доктором, пошатайся по лечебнице. Это дело целиком и полностью твое. Я им заниматься не стану, хотя помогать не отказываюсь. Пока ты дома сидела, у нас появилась новая клиентка, она ищет свекровь, которая ее на свадьбе прокляла.

— Зачем? — хихикнула я. — Если мать мужа не маячит регулярно на горизонте, это счастье.

— У женщины полоса неудач, — пояснил Вова. — Она сходила к экстрасенсу, тот почуял порчу, приказал поехать к свекрови и упросить ту заклятие снять. А ни невестка, ни ее муж понятия не имеют, куда мамаша подевалась, они на нее обиделись, пару лет не звонили, сейчас кинулись искать, и упс. Нет ее нигде.

* * *

На рецепшен в клинике «Юность» сидела женщина лет сорока с бейджиком «Каролина».

— Я намазала лицо тональным кремом «Аенвит», а он не смывается, — честно объяснила я, — вернее, сходит, но очень медленно, пару дней назад я выглядела негритянкой, теперь стала мулаткой. Моя приятельница у вас подтяжку делала, ей очень понравилась доктор Лаура Кривоносова. Может она меня срочно проконсультировать? Отпуск заканчивается, мне на работу выходить пора, коллеги вопросами замучают.

— Лаура не врач, а медсестра, — улыбнулась Каролина, — она профессионал, но права вести прием не имеет.

— А с кем она работает в паре? Может, подруга имела в виду того доктора? — спросила я.

— Кривоносова в хирургии, — объяснила собеседница, — к сожалению, у нас ко всем специалистам предварительная запись. Сейчас все доктора заняты, можно в среду попасть ко Льву Андреевичу, он...

— Дорогая, я свободен, — произнес пожилой мужчина, сидевший в кресле чуть поодаль от рецепшен, — готов принять очаровательную даму. Пойдемте, милая! С вашим пустячком мы элементарно справимся.

В глазах администратора промелькнуло беспокойство.

— Григорий Петрович... э... э... вам... э... э... э...

Дедушка ласково улыбнулся.

— Любезная, к нам пришла красавица, ей нужна консультация, все в запарке, я в простое. Зачем очаровательной особе ждать несколько дней? На ее счастье я оказался не занят. Пойдемте, душенька.

— Спасибо, — обрадовалась я.

— Должна вас предупредить, — заворковала Каролина, — Григорий Петрович профессор, прием у него дороже, чем у обычного врача.

— На себя, любимую, мне денег не жалко, — ответила я.

— Правильно, — похвалил меня старик, — вы молодец, так и надо. Обычно я от пациенток слышу: «Лучше подешевле, не хочу, чтобы муж ругал за лишние траты». Нам налево по коридору.

Мы прошли мимо двух дверей, на одной висела табличка «Гомеопат», на другой «Психолог», и дошли до нужного кабинета.

— Вперед, без страха и сомнения! — улыбнулся врач. — Сюда, мой ангел, устраивайтесь. Как вас зовут?

— Евлампия Романова, — представилась я.

— Чудесно! — пришел в восторг доктор. — А я Григорий Петрович. Для прекрасных дам просто Гриша. Нуте-с, чем вы недовольны? Цветом лица?

Профессор включил большую лампу, я зажмурилась от яркого света.

— Ага, эге, угу, мда, — забормотал доктор, — ангел наш! Вы хотите отбелить кожу? Но зачем это вам? Нет, я могу сделать процедуру под названием «Сиянис», но как побороть генетику? В вас явно кипит кровь жителей африканского континента, примите это, не пытайтесь стать как все, потеряете индивидуальность.

Дверь кабинета приоткрылась, внутрь впорхнула женщина в розовом халате.

— Здрассти вам! Картина «Не ждали», — рассердился доктор. — Мадам, где вас носило?

— Бегала в раздевалку, — пояснила медсестра, — велели шкаф Кривоносовой разобрать.

— Зачем? — удивился врач. — С какой стати рыться в чужих вещах?

Медсестра кашлянула.

— Ну... вы же знаете... на летучке сообщили...

— Анна, я не посещаю собраний, это принципиальная позиция, выработанная под гнетом коммунистов, — заявил старичок, — никаких сходок не приветствую. Где Лаура?

Аня улыбнулась.

— Простудилась. Заболела. Слегла.

— Так бы и говорила, — укорил профессор. — А что тебе в ее гардеробе понадобилось?

— Григорий Петрович, у вас пациентка, — напомнила медсестра.

— Ах да! — спохватился эскулап. — Добрый день, милейшая, как вас зовут?

— Евлампия Романова, — заново представилась я.

— И в чем проблема у такой красавицы? — пропел дедуля.

— В цвете кожи, — повторила я, — хочу снова стать белой.

— Ангел мой, зачем? Ваша внешность уникальна и идеальна, не стоит вмешиваться в замысел природы, — завел доктор наук, — ступайте с богом...

На столе зазвенел телефон.

— Прошу нижайше прощения, вынужден ответить. Алло, Каролина? Тэкс! Это противоречит моим принципам. Имейте в виду, любезная, меня учили великие, на всю жизнь запомнил их слова: «Главное, не навреди!» Майя Григорьевна? Лично? Ну тогда, конечно. Хорошо.

Григорий Петрович положил трубку на стол.

— Аня, — крикнули из коридора, — ты вещи Кривоносовой сложила?

Медсестра быстро вышла из кабинета.

— Добрый день, ангел мой, — заулыбался профессор. — Как вас зовут?

— Евлампия Романова, — покорно повторила я.

— Редкое имя, но где-то я его уже слышал, — протянул дедок.

— Проще запомнить уменьшительное имя, — подсказала я, — запишите где-нибудь на бумажке — Лампа.

— Всегда так поступаю, — обрадовался старичок, — имена никогда в голове не удерживались. В студенческие годы на меня Пирогов злился, стучал линейкой по голове и твердил: «Оловянный лоб! Изволь имя-отчество педагога зазубрить! Татарин ты, а не будущий доктор! Кабы не успехи в хирургии, гнать тебя надо было взашей». Великий человек!

— Николай Иванович Пирогов? — изумилась я. — Тот самый? Русский хирург?

— Вы его знали? — обрадовался профессор. — Может, и у Ивана Михайловича Сеченова в гостиной сиживали? Глыба! Матерый человечище.

Я поняла, что пора сматываться, и встала.

— Спасибо огромное, рада была с вами познакомиться.

— Куда вы? — всполошился Григорий Петрович. — Думаете, я умом тронулся? Душенька, я отлично помню, что советов вам не давал. У меня лишь на имена памяти нет, в остальном нынешним щелкоперам, ботоксоведам и лазероводителям я фору дам. Только и умеют, что аппараты включать. Как вас зовут, красавица?

Глава 15

— Евлампия, — вздохнула я, думая, как лучше удрать от милого, но впавшего в маразм дедули, — Романова.

— Царская фамилия, — восхитился профессор.

И тут в кабинет влетел парень в хирургической пижаме со словами:

— Анна! Немедленно выпиши рецепт Масляковой.

— Кто позволил прерывать прием? — вознегодовал старичок.

— Я думал, вы один, — забыв извиниться, сказал юноша.

— Как видите, разлюбезный друг, я занимаюсь пациенткой... э... э... напомните ваше имя?

— Евлампия Романова, — исполнила я уже надоевшую арию.

— А теперь, уважаемый коллега, хочется послушать ваше мнение в отношении данного случая, — улыбнулся Григорий Петрович. — Дама не простая, состоит в родстве с правящим монархом, ранее наблюдалась у Пирогова и Сеченова. В отношении такой особы надобен консилиум. Нуте-с!

Я собралась сказать, что мне не сто лет, я не современница великих врачей, родилась в то время, когда от них остались лишь портреты в энциклопедиях, но не успела. Парень подошел ко мне, схватил за щеку и затараторил:

— Имеем бульдожьи брыли, грыжи под глазами, избыток верхних век, опущение бровей, ослабление тургора, рот вдовы и шею черепашки.

Я уставилась на хирурга, а тот пел соловьем:

— С шеей поступим просто: сорок пять сеансов обжига лазером, плюс инъекции филера. С тургором справимся посредством буколитического массажа, брови подвздернем степлером. А вот брыльки, глазки и ротик — это скальпель. Но в принципе ерунда, разрезик тут, там, здесь, шовчики спрячем в ямках, полирнем личико — и будете конфета-бутон. За недельку управимся. Для закрепления эффекта нижнюю губу слегка подкорректируем. Сейчас такой рот уже не носят. И я бы посоветовал убрать комки Буше, вернее, переместить их в район скул.

— Комки Буше, — ошалело повторила я. — Они где находятся?

— В щеках, неужели не знаете? — удивился врач. — Не предполагал, что в столице еще есть люди, не имеющие понятия о комках Буше. Никогда не тороплю пациенток, подумайте и приходите, я из вас сделаю веселую ромашку. О'кей? Так где Аня, Григорий Петрович?

— Это кто? — заморгал старичок.

— Ваша сестра, — уточнил бодрый хирург.

— Не говорите ерунды, друг мой, я всю жизнь один наследник у папеньки с маменькой, — торжественно заявил профессор.

Хирург развернулся и убежал.

— Нет, вы видели! — возмутился дедок. — Ни мне здравствуйте, ни вам до свидания. Кто он такой?

— Хирург, — вздохнула я и пощупала свои щеки.

Интересно, где эти комки Буше расположены и чем они неприятны? До сих пор я полагала, что вполне симпатична, но сейчас моя уверенность зашаталась. Шея черепашки! Вмиг вспомнилось, как выглядит рептилия, и мне стало совсем плохо.

— Как его зовут? — продолжал недоумевать профессор. — И вы кто?

— Евлампия Романова, — обреченно представилась я.

— Душенька, вы, наверное, расстроились, — зачирикал Григорий Петрович. — Совершенно не стоит. Посетивший сей кабинет ферт нес несусветную чушь. Да, у вас наблюдаются некоторые проблемы, но они скромные. Неполадок с пигментацией! Но это естественно, когда человек перешагнул на восьмой десяток.

Я икнула.

— Не впадайте в панику, — нежно сказал Григорий Петрович. — Зачем вам скальпель? Тяжелый восстановительный период, рубцы и прочий восторг. И ваш возраст, нет, нет, вы чудесно смотритесь на девятом десятке, но наркоза вам не надо, не надо! Операцию я рекомендую всем только по жизненным показаниям. Можно чудесно обойтись без ножа.

— Правда? — обрадовалась я.

— Естественно, дорогая... э... э...

— Евлампия, — услужливо подсказала я.

— Чудесное имя! — впал в восторг профессор. — У Пирогова была кошка Евлампия. Или у Сеченова? Хотя, возможно, она жила у Маркса...

Я потихоньку встала.

— Вижу, вы спешите, — засуетился Григорий Петрович, наклонился и вынул из ящика небольшой коричневый пузырек. — Прошу, откушайте.

— Что там? — предусмотрительно осведомилась я.

— Лично мной разработанный осветлитель кожи, — хитро улыбнулся дедуля, — угощаетесь — и конец истории.

— В смысле, совсем конец? — насторожилась я. — Меня это не устраивает, я планирую еще пожить. В конце концов желто-коричневый цвет лица счастью не мешает.

Григорий Петрович всплеснул руками.

— Любезная моя, э... как вас зовут?

Я почувствовала себя безумным попугаем.

— Лампа.

— Замечательное имя, — потер руки хозяин кабинета. — Дорогая Евлампия, вы, похоже, считаете меня безумцем?

— Нет, нет, — возразила я.

— Нет, нет, нет! Покинете мой кабинет только после процедуры. Открывайте и пейте.

Делать нечего. Я отвернула крышку и понюхала содержимое. Нос не уловил ни малейшего запаха.

— Какой состав микстуры? — спросила я.

Врач потер ладони.

— Это мое изобретение, обычная вода, аш два о!

Мне очень хотелось побыстрее покинуть кабинет, давно стало понятно: от хорошо воспитанного, оптимистично настроенного старика я ничего о Лауре Кривоносовой не узнаю, поэтому перебила его:

— Просто вода? Без примесей? Не настой трав, не растворенное в жидкости лекарство?

— Водичка, — пропел Григорий Петрович, — самая обыкновенная, но...

Я быстро опорожнила пузырек и улыбнулась. Все, теперь дедок отвяжется, я могу отправиться на поиски медсестры Ани, которая разбирала шкафчик Лауры.

— ...но взятая с крышки гроба кота Епифания, — договорил дедушка.

— Откуда? — вздрогнула я.

— О! Милая! Вы ничего не знаете об Епифании? — поразился доктор. — Надо же! Удивительно. Полагал, что об уникальном животном известно каждому. В тысяча семьсот сорок третьем году граф Беркутов привез из Китая для своей фаворитки, крепостной крестьянки Анисьи, кота Епи Фи Ни. Понятное дело, в России его переименовали в Епифана. Жена вельможи, противная карга, ревновала мужа к любовнице. Чтобы лишить девочку красоты, она подлила в ее мыло ядовитую жидкость. Убивать девку она не собиралась, замыслила ее изуродовать. Анисья помылась и стала похожа на больную проказой, девушку выгнали из имения, она ушла, вместе с ней покинул избу и кот Епифан. Но через несколько месяцев крепостная девка, еще более прекрасная, чем раньше, постучала в спальню Беркутова. Граф был сражен наповал красотой Анисьи и вернул ей статус фаворитки, а дворня принялась расспрашивать любовницу. Выяснилось, что девушка каждый день умывалась водой, которую приносил из колодца кот.

Я потрясла головой и попятилась к двери, а Григорий Петрович вещал дальше:

— Епифан прожил много лет, его похоронили в стеклянном гробу, на крышке его скапливается жидкость, я ее собираю и делаю это средство...

Моя спина уперлась в створку, я толкнула ее пятой точкой, вывалилась в коридор и поспешила подальше от кабинета, ощущая, что в желудке творится нечто нехорошее. Вдобавок почему-то сильно защипало в горле, я села на стоящий рядом диванчик и опустила голову.

Глава 16

— Вам плохо? — спросил знакомый голос.

Я подняла голову и увидела Аню.

— Что случилось? — заботливо спросила та.

— Григорий Петрович дал мне... — прошептала я и начала икать.

Медсестра быстро огляделась по сторонам, приложила палец к губам и поманила меня рукой. Я кое-как встала и последовала за ней, а она подошла к двери с табличкой «Посторонним не входить», приоткрыла ее и сделала приглашающий жест. Я нырнула внутрь и очутилась в небольшой комнатушке, посередине которой стояла покрытая одноразовой простынкой кушетка.

— Не волнуйтесь, — улыбнулась Аня, — кота Епифана не существовало. Полагаю, Григорий Петрович берет свою замечательную воду из крана в туалете. Вы, наверное, поняли, что доктор... того... чуток странный.

— Сколько ему лет? — поддержала я интересный разговор.

— На этот вопрос никто ответа не даст, — хихикнула медсестра, — выглядит он на триста, вот-вот развалится.

— Почему доктора, у которого явные проблемы с головой, держат на службе? — недоумевала я.

Аня прислонилась спиной к подоконнику.

— Он отец Майи Григорьевны, нашего психотерапевта, а заодно и владелицы клиники. Бесполезно ей объяснять, что отец плавно въехал в маразм. Григорий Петрович в нашей клинике недавно появился, где-то полгода тому назад. Он дерматолог, наверное, был раньше хорошим специалистом, потому что пациентам пару раз дельные советы давал, вылечил одну клиентку от экземы. Никто с ее проблемой справиться не мог, бедняга в куче клиник побывала, а дедуля ей копеечную мазь выписал, и все прошло. Вроде Григорий Петрович за границей работал, там его инсульт разбил...

Аня тяжело вздохнула.

— Ну и куда его деть? Майя Григорьевна отца любит, а тот работать хочет. Профессор к нам каждый день приходит. Дочь его домой отправит, а он через полчаса опять здесь. Пришлось Майе ему кабинет оборудовать, он там теперь сидит, клиентов ждет. Понятное дело, никого к нему не посылают, бедолага заскучает, выйдет к рецепшен и маячит там. Иногда ему удается отловить человека, который ни к кому не был записан, ну вот как вас сегодня. И что администраторам делать, когда Гриша пациента в свой кабинет приглашает? Не говорить же клиенту: «Не ходите к врачу, у него крыша съехала». Остается лишь пугать людей, что прием у профессора дорогой. Но не всех это останавливает, как вас, например. Да, отец хозяйки пару раз нормальные советы женщинам давал, но остальных-то каплями кота Епифана потчует. Вы к нему второй раз придете?

— Маловероятно, — улыбнулась я, — хотя профессор милый.

— То-то и оно, — покачала головой Аня, — я б такого заперла, на улицу не выпускала, еще, не дай боже, дурная слава об «Юности» пойдет, начнут болтать, что здесь психи служат. Но Майя Григорьевна отца обожает, а он очень настырный, каждый день является. Месяцев шесть профессор у нас «консультирует», человек двадцать за это время от него сбежало. Я не перестаю удивляться долготерпению хозяйки. Конечно, отца надо почитать, но бизнесом-то нельзя рисковать.

Я молча слушала Анну, не понимая, почему та столь откровенно беседует с незнакомой посетительницей.

— Вы, похоже, неплохо зарабатываете? — вдруг спросила медсестра. — Или вас муж обеспечивает?

— Супруг владеет фирмой, я у него работаю, — пояснила я.

— Значит, умеете копейку считать, — обрадовалась Анна, — у меня для вас есть предложение, очень выгодное. Смотрите, процедурка «Открытый взгляд» в клинике стоит десять тысяч, а я за нее возьму три. Или коллагеновая маска. На рецепшен за нее оставите восемь кусков, а мне заплатите в четыре раза меньше. И, раз уж мы с вами подружились, открою правду: здесь не все врачи умелые, и не каждый может все манипуляции проводить. Возьмем все тот же «Открытый взгляд», работа ювелирная. Делает ее Виктория Павловна, и у нее не ах получается, с мелкой моторикой у Рогасовой беда, пальцы дрожат. На десятой наклейке она меня зовет и просит: «Анечка, доделай». А я все могу. И вам, и мне выгодно будет, насчет материалов не сомневайтесь, они экстра-класса. Ну что, попробуем? Станете красавицей.

Мне стало любопытно.

— Что такое «Открытый взгляд»?

Анна открыла стеклянный шкафчик и вытащила пакет.

— С возрастом женщина теряет сорок процентов ресниц и бровей. Поэтому глаза делаются визуально меньше, кажутся блеклыми, невыразительными. Кое-кто пытается решить проблему перманентным тату-ажем, но это просто жуть, выглядит отвратительно. Другие постоянно бегают к косметологу краситься. И что? Первые три дня на лице красота, потом, упс, все смылось. Я же предлагаю нечто потрясающее. За полчаса с помощью особого состава прикреплю к векам и бровям маленькие волоски. Изучите мое лицо, замечаете какие-нибудь странности?

Я прищурилась.

— Нет, выглядите прекрасно, на зависть многим, но вам чуть за тридцать, в этом возрасте еще нет глобальных проблем.

Анна заметно обрадовалась.

— Брови и ресницы у меня после процедуры «Открытый взгляд», в зоне лба и глаз ботокс, носогубные складки заполнены гелем, уголки рта подняты специальными уколами, пигментные пятна убраны кислотным пилингом. Между прочим, мне сорок пять. Хотите паспорт покажу?

Я забыла, зачем пришла в клинику.

— Не может быть!

Аня рассмеялась, подошла к письменному столу, вынула из ящика бордовую книжечку и раскрыла ее.

— Вот.

— С ума сойти, — пробормотала я, — выглядите намного моложе.

— Если доверитесь мне, станете еще лучше, — пообещала Анна, — стареть надо красиво. Лично я против пластики, она в основном уродует, и взгляд не натянешь. Насмотрелась я тут на бабенок, которые гладкие морды себе сделали, просто каток, а не лицо, нигде ни морщинки, а глаза у них, как у тухлой рыбы. Лучше чуть-чуть, осторожненько подправить тут, там, сям... Евлампия, вас же не разорят три тысячи? И полчаса на себя потратить сейчас сможете. Давайте сделаю «Открытый взгляд». Ложитесь на кушеточку. Уйдете красоткой. Заодно наложу масочку «Сияние», она уберет желто-коричневый оттенок кожи. Для получения здорового цвета лица надо пройти десять сеансов, но вы уже с первого заметите резкое побеление. За все вместе четыре тысячи. Между прочим, за такой комплекс в нашей клинике оставите восемнадцать, и в других заведениях не меньше. Уж простите, но вы сейчас кажетесь неухоженной, выглядите лет на шестьдесят пять. Всего тридцать минут — и станете молодой женщиной. Не подумайте, что я нуждаюсь в клиентах, отбоя у меня от желающих нет, просто вы мне понравились, и время совершенно случайно есть. Ну? Попробуем?

И я устроилась на кушетке.

* * *

Анна не обманула, никакой боли я не почувствовала, лежала с закрытыми глазами, ощущая легкие прикосновения к векам и бровям. Минут через пять я пришла в себя и решила начать нужный разговор:

— Лаура мне ничего про эти процедуры не рассказывала. Я ее соседка, мы иногда по вечерам вместе чай пили. Это Кривоносова посоветовала сюда зайти.

Аня на мгновение прекратила работу.

— А-а-а! Значит, ее тоже в процентную программу включили! А мне участия не предложили.

— Что такое процентная программа? — поинтересовалась я.

— Приводишь в лечебницу клиента и получаешь за это отчисление от оплаченных им услуг, — пояснила Аня. — У нас все доктора так работают, а сестрам фига, даже если они сюда армию людей притащат. Значит, наша гордая царевна оказалась среди избранных. Понятно, почему она перед Майей Григорьевной в последнее время ковром стелилась. Так перед хозяйкой пресмыкалась, просто противно. Кривоносовой за новых пациентов приплачивали. А вы близко дружили? Каролина тут всем треплет, что Лаура из-за мужа отравилась, тот любовницу завел, вот у жены и сорвало резьбу. Видела я этого Аполлона, приходил он сюда. На мой взгляд, ужас бродячий. Стою я на рецепшен, вижу мужика в черных ботинках и белых носках, он к Майе Григорьевне в кабинет попер. Я у Лауры, которая там же околачивалась, поинтересовалась: «Не знаешь, кто сейчас к Фединой притопал? Не похож на солидного клиента. Зачем наша хозяйка его самолично принять решила? Неужели у такого хмыря деньги водятся? Урод уродом, одет убого». Кривоносова губы поджала, буркнула: «Я не слежу за начальством», — и ушла.

Я удивилась, чего она так отреагировала? И тут Каролина заржала: «Ну ты и выступила, Аня. Это муж Кривоносовой, он фитнес-инструктор, пришел к Майе, та хочет заняться йогой. Федина опять похудеть решила».

Наша начальница постоянно пытается постройнеть, на диетах сидит, да плохо получается. Ну теперь ясненько. Майя до денег жадная, она не хотела тренеру за консультацию платить, предложила Лауре процент. Больше я красавчика не встречала, в клинику он всего разок заходил.

Аня понизила голос:

— Хозяйка вдова, муж у нее умер, она «Юность» открыла, когда наследство получила. Везет некоторым женщинам, умеют они богатых мужиков находить, мне вот не подфартило, одни никчемушные попадались.

Анна продолжала трещать, а я лежала тихо и радовалась, что сумела незаметно включить в кармане диктофон. За десять минут, не прерывая своей работы, медсестра ухитрилась наболтать много интересного.

Майя Григорьевна окончила медвуз как невропатолог, но потом решила получить второе высшее образование, выучилась на психолога, и сейчас ведет с пациентами клиники красоты задушевные беседы. Федина жесткий руководитель, и врачей, и средний медперсонал увольняет за мелкие просчеты. Клиент всегда прав — этот принцип в клинике соблюдают свято. Зачем лечебнице психотерапевт? Майя Григорьевне хочется работать с людьми, поэтому в «Юности» существует правило: перед любой операцией клиент беседует с психологом. В буклете, который бесплатно раздают на рецепшен, говорится, что клиника оснащена самым современным оборудованием, в ней работают лучшие врачи, которые хотят сохранить красоту вашего лица. Но иногда женщины в погоне за красивой внешностью теряют свою индивидуальность и подсаживаются на скальпель, готовы улучшать себя бесконечно. В «Юности» не штампуют одинаковые лица с надутыми губами. Специалисты стараются отговорить пациентов от бесконечного повторения операций, просят пройти собеседование у психолога, который поможет им разобраться в душевных проблемах, заставляющих кое-кого постоянно ложиться под нож. Может быть, после консультации с доктором Фединой кто-то откажется от круговой подтяжки, ограничится аппаратными малотравматичными процедурами, избежит глубокого наркоза. Для коллектива главное не получение прибыли, а сохранение здоровья и привлекательности человека.

Аня засмеялась.

— Федина на самом деле отговаривает клиентов ложиться на стол.

— Вот видите, — не удержалась я, — не зря она с людьми работает. Хозяйка теряет деньги, для нее важно здоровье пациентов, она бескорыстный человек.

Аня начала протирать мое лицо влажной салфеткой.

— Почему вы решили, что Майя лишается прибыли?

— Сами объяснили, что она не отправляет к хирургу на стол тех, кто не нуждается в операции, — напомнила я.

Медсестра хмыкнула:

— Все, кто не имеет отношения к миру пластической хирургии, так думают. Но дело обстоит иначе. Возьмем блефаропластику, это коррекция верхних век плюс удаление грыж внизу, у нас она стоит сто пятьдесят тысяч.

— Ого, — вырвалось у меня.

— На первый взгляд дорого?

— Очень, — ответила я.

— Но это навсегда, — заверила Аня, — эффект до конца жизни. А Майя Григорьевна, если услышит от вас про блефаропластику, запоет: «Это опасно, все-таки наркоз. Лучше процедурки». Федина может человека на что угодно уговорить. Наши болтают, что Майя раньше торговала БАДами, на добавках поднялась. Между нами говоря, таблетки из сушеных мышиных усов или козьего дерьма никому не помогают. Но хозяйка умеет к человеку подход найти, поэтому банки влет уходили. Отговорит Майя вас на стол ложиться, станете в «Юность» на лазер ходить. Один визит двадцать кусков, надо десять раз появиться, чтобы эффект возник. И скока в кассу отдадите за курс?

— Двести тысяч, — быстро подсчитала я.

— Уже дороже, — обрадовалась Аня, — потом, чтобы убрать круги под глазами, надо сделать плазмолифтинг, по пятнашке десять сеансов как минимум. Сложим цифры...

— Триста пятьдесят, — пробормотала я.

— Плюс противоотечные уколы, маски, особый крем для век, он эксклюзивно в «Юности» продается, — затараторила медсестра. — Общий счет выйдет за полмиллиона. Ну а теперь оцените расклад. Блефаропластика за сто пятьдесят и навсегда. А без операции вы потратите прорву деньжищ, отдавать их придется раз в год, эффект не стойкий. Вот и считай, что дешевле. О клиенте Федина беспокоится или о своем кармане? А наша правдорубка Лаура все эти приколы знала и помалкивала, боялась, что ее денег лишат! Ой, больше не стану правду про Кривоносову вещать. О покойных, даже о самоубийцах, надо только хорошее говорить. Садитесь, пожалуйста.

Глава 17

Я села.

— Кто вам рассказал, что Кривоносова лишила себя жизни?

Аня взяла лежащую на столе газету.

— Прессу не читаете? Там про вашу соседку написано.

Я схватила «Желтуху» и сразу увидела аршинный заголовок: «Жена самоубийцы, задавившего насмерть человека, отравилась». Ниже шел текст: «Мы уже писали, что Никита Обжорин, решивший застрелиться в парке, по дороге к месту суицида насмерть сбил мужчину. Случившееся так потрясло Обжорина, что он покончил с собой прямо у трупа несчастного пешехода. А через день счеты с жизнью свела Лаура Кривоносова, супруга водителя, ставшего убийцей. Наш источник в полиции сообщил, что она не пережила кончины любимого мужа и решила принять яд. Обжорин и Кривоносова жили вдвоем, детей у них не было».

Аня увидела, что я отложила бульварный листок, и зачастила:

— О как! Прямо страсти настоящие! Мне даже бабу жаль стало, хотя Лаурка меня не любила, считала, что Казакова на ее место целится. Ума не имела, чтобы подумать: зачем оно мне? На операциях не стою, не умею ассистировать, я специалист по процедурам. Нука, посмотрите.

Анна подала мне круглое зеркало, я пришла в восторг.

— Вы гений! Кожа побелела. И какие ресницы! Густые, черные, загибаются кверху. Брови соболиные.

— Довольны? — заулыбалась Казакова.

— До невероятности, — от всей души призналась я, — теперь глаза красить не надо, они и так яркие.

— Ну и хорошо, — обрадовалась Аня, — вот моя визитка, звоните, когда захотите, расскажу о разных масочках. Только постарайтесь предупредить меня заранее о визите. Народа много, вдруг у меня времени не окажется. Мои личные, любимые клиенты сюда прикатывают после закрытия, входят через дверь для персонала, там камер нет. Днем я со своими работаю очень редко, сегодня просто окно возникло, и Майи нет.

Я, решившая побеседовать под благовидным предлогом с владелицей клиники, расстроилась.

— Федина отсутствует? А когда она появится? Хочу с ней о блефаропластике поговорить. На какой день к ней записаться можно?

Аня прищурилась.

— Вам Каролина скажет, что у Фединой пока прием закрыт. Она на конференции в Париже. Но я своим любимым клиентам никогда не вру. Майя коронки на передних зубах сломала, решила с чаем шоколадный батончик съесть, кусанула конфету, а в ней, прикиньте, здоровенный гвоздь!

— Ужас! — ахнула я.

— И не говорите, — махнула рукой Анна, — два штифта у Фединой выпали, коронки в пыль. Жуть прямо. Дело было в первой половине дня до обеда. Хозяйка сорвалась к стоматологу. Это случилось в последнюю смену Кривоносовой, в тот же день Лаура вечером домой ушла, и мы ее больше не видели, в ночь она отправилась. Майе Григорьевне импланты поставили, она лишь через двое суток в клинике появилась, болели, видно, десны после операции, сейчас пьет антибиотики и у дантиста прямо поселились, что-то не очень хорошо с имплантами получилось. Вот так поела батончик! Бедняга, столько мучений теперь с зубами! Ну, мы с вами закончили.

Я расплатилась с Казаковой, вышла в коридор и столкнулась с Григорием Петровичем, тот неожиданно узнал бывшую клиентку:

— Душенька! Моя водичка из гроба кота Епаифана уникальное омолаживающее средство. Вы удивительно похорошели. Глаза — фонари. Как вас зовут, ангел?

— Лампа, — представилась я в очередной раз.

Профессор всплеснул руками.

— Ну конечно! Лампа! У меня записано!

Дед вытащил из кармана халата блокнот и поднес его к носу.

— Лампа! На сегодняшнее число записана! И что надо с ней сделать? Купить? Но какую? Торшер, бра, люстру? Что за лампа потребовалась и кому? Мне? Уж сколько твердил себе: записывай детально. Ан нет!

— Григорий Петрович, — закричал женский голос.

Старичок вздрогнул и уронил блокнот.

— Евлампия, — прогремело за спиной, я обернулась и увидела Каролину, которая спросила: — Хотите оплатить визит к доктору?

— Собираюсь домой, — улыбнулась я, — иду на кассу.

— Не надо ей кошелек опустошать, — возразил Григорий Петрович, — я ничего не делал, мы просто поболтали.

— И капелек Епифана ей не предлагали? — уточнила Каролина. — Всех угощаете, а Евлампию обделили?

— Дорогая, как вас зовут? Имя оригинальное, но постоянно из памяти выпадает. Пошли скорей за микстурой, — оживился старичок, хватая меня за плечо.

— Лампа, — произнесла я, вырываясь из неожиданно крепких пальцев маразматика, — спасибо, вы уже меня попотчевали жидкостью с кошачьей могилы, вон какие ресницы заколосились, и брови в придачу.

— И правда! — изумилась Каролина. — Неужели епифанская дрянь работает? Ой, я хотела сказать...

— Она уже заплатила, — громко заявила Анна, подходя к нам, — я сама клиентку на кассу отводила.

— Это моя обязанность, — вспыхнула Каролина.

— Значит, надо сидеть на месте, а не в буфет бегать, — отрезала Казакова. — Пойдемте, Евлампия, к выходу.

Когда мы очутились в холле, я спросила у Анны:

— Лаура с кем-то дружила в клинике? Может, нам собраться, сходить всем в кафе, помянуть Кривоносову?

Казакова взялась за ручку двери.

— Ступайте спокойно по своим делам. Лаура неконтактная была, ни с кем из сотрудников общаться не хотела. Сядем вместе в комнате отдыха чай пить, она никогда не присоединится, более того, пойдет и Майе Григорьевне настучит, что персонал развлекается. Кривоносова хозяйке о всех чужих прегрешениях доносила, коллегам замечания делать не стеснялась. Мне один раз заявила:

— Ты неправильно повязку наложила, у пациентки появится синяк.

Я психанула:

— Нашлась самая умная, я не первый день работаю. Иди доложи Фединой, она тебе конфетку даст.

Лаура губы выпятила.

— Не сомневайся, Майя Григорьевна уже в курсе.

Но, видно, мои слова ее задели, потому что через пару часов она подошла и речугу толкнула.

— Знаю, Анна, ты меня терпеть не можешь, считаешь кляузницей. Да, я ставлю Федину в известность о нарушениях, совершаемых персоналом. Во-первых, это входит в мои обязанности, во-вторых, я радею за клинику. Вот ты утром перетянула Никитиной лоб. А вдруг вшитые нити сместятся? Зря ты меня доносчицей считаешь.

Я обозлилась.

— А кто же ты после этого?

Она ответила:

— Борец за правду. Ненавижу неаккуратных, беспечных, непрофессиональных людишек. Поэтому меня и сторонятся. Всегда такой была, еще со школы одноклассникам объясняла: «Нельзя списывать». И в училище сразу педагогу докладывала, если студентка контрольную у кого-то перекатывала. Что будет нерадивая девушка делать, когда на работу выйдет и один на один с больным останется?

Анна нажала на ручку двери.

— По большому счету она права была, я сама новых медсестер ругаю. Но зачем сразу хозяйке клиники докладывать? Пропесочь человека сама, если не поможет, скажи доктору, не несись к Майе. Кривоносова принципиальностью прикрывалась, а на самом деле хотела перед хозяйкой выслужиться. Никто ее здесь не любил, дружить с ней не желал и о смерти Кривоносовой в клинике не плачут. А вы, прежде чем поминки по Лауре за свой счет устраивать, поинтересуйтесь в домоуправлении. Может, она на вас жаловалась? Мусор вы на лестничной клетке оставляете, или собака чья ей на коврик написала. Кляузница она была. О покойных плохо не говорят, но хорошего я о Кривоносовой вспомнить не могу.

Глава 18

Офис общества любителей собирать модели автомобилей располагался в спальном районе Москвы в обычной трехкомнатной квартире, на первом этаже жилого дома.

— Вас на самом деле зовут Евлампия? — осведомился пожилой мужчина, впуская меня внутрь.

— Давайте остановимся на уменьшительном варианте Лампа, — предложила я. — А вы Валентин Павлович?

— Вахрушев, — дополнил хозяин, — кандидат технических наук, владелец сети авторемонтных мастерских, основатель общества «ОЛСАМ», устроитель ежегодных выставок, издатель журнала «Модель». Что же мы стоим в коридоре? Заходите в офис.

Я сделала несколько шагов, очутилась в просторном помещении и восхитилась:

— Столько моделей! Это ваши работы?

— Да, да, — закивал хозяин, — непременное условие членства в нашей организации — создание моделей и постановка личного клейма на изделии. Могу дать лупу, и вы увидите на днище каждой модели фирменный знак Вахрушева. В детстве я увлекся моделированием и не бросил это занятие, став взрослым. Я создал «ОЛСАМ», провожу ежегодные выставки, в них участвуют даже иностранные граждане. Кроме того, издаю журнал, киоски его не распространяют, но по подписке издание хорошо расходится, правда, оно интересно только членам нашего общества. Когда вы позвонили в дверь, я как раз сел писать некролог про Обжорина. Ваш начальник со мной ранее беседовал, сказал, что приедет детектив, она ищет виновного в смерти

Никиты. Но в «Желтухе» написали, что водитель, сбив пешехода, застрелился. Пресса, как всегда, соврала?

Я ушла от ответа.

— Я слышала, что Обжорин постоянно побеждал на ваших конкурсах?

Валентин Павлович сел в кресло.

— Прошу, устраивайтесь поудобнее. До того, как Никита Владимирович получил членский билет, лучшим в мире создателем моделей считался я. В последнее время произвести уменьшенную копию автомобиля стало до смешного просто. Иди в магазин, покупай коробку, там готовые детали, их лишь соединить требуется. Да и то у некоторых криво получается. А раньше нужно было самому сделать все, я научился даже стекло выдувать, на станках работать, лично каждую ерундовину мастерил. А краска?! Ее днем с огнем в СССР не сыскать было, приходилось идти на невероятные ухищрения. Помнится, работал над моделью, а у той сиденья из темно-зеленой кожи. Где взять материал? И что школьник Вахрушев придумал? Отрезал у сапог матери кусок голенища, покрасил кожу зеленкой, вышло превосходно. До сих пор спина чешется, когда тот случай вспоминаю, ох, и досталось мне от отца по полной программе за находчивость.

Валентин Павлович тихо рассмеялся.

— А сейчас! Принесут на конкурс кое-как сляпанную копию из готового набора и ждут восторга. Никита же работал, как я, по старинке, с фантазией. Поэтому всегда был первым, я отдал ему свой лавровый венок, просто перестал участвовать в состязаниях, надо дать дорогу молодым.

— У Обжорина были друзья среди коллег по хобби? — задала я вопрос дня.

Собеседник ответил:

— Нет, Никита человек необщительный, даже я о нем ничего не знал. Разве что общие сведения из анкеты, ну, знаете, адрес, возраст... Правление общества состоит из пяти человек, мы собираемся раз в месяц, обсуждаем всякие организационные вопросы. После одного такого заседания Обжорин мне сказал: «Я женился, поправьте в учетной карточке данные». Это был единственный случай, когда он заговорил о личной жизни. С супругой Никиты я не знаком, но понял, что они жили счастливо. Кит пополнел, стал приходить на совещания в чистых глаженых рубашках... Еще раз подчеркну, он ничего не рассказывал ни о себе, ни о спутнице жизни, предпочитал помалкивать. Язык у него развязывался, когда следовало описать, над чем он работает. На конкурс положено представить не только собранную модель, но и доклад о ней. Ну, допустим, вы сделали «БМВ-Х5». Значит, прикладываете папочку, в ней фото настоящей машины, рассказ об ее создании, рестайлинге. Но с «БМВ-Х5» у вас нет шансов на победу, слишком известный вариант. Вот, если, например, скопируете кабриолет, созданный в единственном экземпляре, это заявка на медаль. Никита был мастер! Уникальные колеса представлял. В прошлом году все ахнули, когда увидели, что он обнаружил одну из машин актрисы Веры Холодной, и ведь смог доказать, что авто принадлежало звезде немого кино, просидел массу времени в архивах и предоставил копии всех документов. А на будущую выставку, она вот-вот откроется, он приготовил нечто феерическое. Месяц назад мы обсуждали предстоящий конкурс, решали разные вопросы, связанные с ним, и вдруг Обжорин объявил: «Я такое покажу! Все умрут!» Он никогда раньше не хвастался, а тут его прорвало. Я понял, что Никита Владимирович отыскал раритет, опять золотую медаль получит, и решил пошутить: «Предлагаю ввести две высшие награды. Одну всегда будем вручать Никите, а вторую тому, кто ему в затылок дышит». Но мои слова присутствующие восприняли всерьез, а Обжорин неожиданно отреагировал агрессивно: «Я лучше всех. И что? Если появится человек, который меня переплюнет, отдам ему корону. Но пока вблизи талантов я не вижу». Другой член правления, Юрий Прохоров, вскочил и схватил Никиту за грудки: «Вы с Вахрушевым судий подкупаете! Потому они первое место тебе, криворукому, дают. Почему мои модели всегда на втором месте оказываются?» Тут уж я вознегодовал: «Юра, остынь! Я сам участвовал в конкурсах и побеждал в них регулярно. Если, по твоему мнению, даю взятки арбитрам, почему я сам больше не выставляюсь? Логично себе победу купить. Зачем мне Никиту возвеличивать?» У Прохорова глаза забегали, потом он заорал: «Вы оба педерасты! Я догадался! Я понял!!!» Хлопнул дверью и убежал. Некрасивая история.

— Неприятная, — согласилась я. — Юрий постоянно проигрывал Никите? Прохоров ни разу не получил золотой медали?

Валентин Павлович почесал щеку.

— У нас пьедестал годами почти не менялся. На верхней ступени неизменно был Обжорин, чуть ниже Прохоров, а вот бронзу разные люди получали. Юрий мечтал Никиту с трона сбросить, но, клянусь честью, никаких шахер-махеров у нас нет. Никита объективно лучше Юры был, но тому это трудно принять. Прохоров и раньше к чемпиону придирался, пытался огрехи в его работе найти. Но чтобы вот так орать! Это случи-

Григорий Петрович заквохтал.

— Увы, я всегда забываю имена. Ничего с этим поделать не могу. Я уж не молод, а старость не радость. Долгое время работал за границей, вернулся в Россию и, представляете, не узнал родную дочь. Майечка тоже врач, она этой клиникой владеет. Девочка меня обняла: «Папа, папа, как я рада, что ты снова в Москве, будешь у меня работать, вот твой кабинет». А я на нее смотрю... чужая совсем, сердце мое молчит при виде нее, и вот, гляньте...

Старичок вытащил из ящика стола снимки.

— Слева я, справа Майечка. Сейчас она толстая, волосы темные, постоянно во рту...

Я перестала слушать профессора, просто кивала в такт его словам. Вероятно, у него был инсульт, поэтому он не смог узнать дочку, женщины могут здорово измениться: похудеть, потолстеть. А уж про цвет волос вообще молчу.

— ...отвратительного цвета и запаха, — ворвался в уши голос деда. — Все. Я перестал думать о личном. Сейчас вас вылечу. Пузырек открывайте и пейте на здоровье.

Я смотрела на стоящий на столе небольшой флакончик.

— И чего мы испугались? — удивился врач. — Это мое изобретение, принимать его нужно исключительно в моем присутствии. Эффект не мгновенный, но ошеломительно действенный, пропадут беспокоившие вас проблемы. Все. Станете благостной. Вам мое лекарство необходимо. Не отпущу вас, пока ее не употребите!

При последних словах Григорий Петрович на удивление резво вскочил, бросился к двери и загородил ее собой.

лось впервые. Я не знал, как реагировать на поведение Юрия. Понятно, что его постоянный успех Обжорина до истерики довел, но он же не баба с базара! Интеллигентный человек, преподаватель. Психологическую подоплеку скандала я понял мигом, но хамить себе и другим позволить не мог. И как поступить? Отстранить Прохорова от участия в конкурсе? Вообще говоря, следовало бы, да жалко его стало. Вчера Юра позвонил, извинился: «На работе у меня форс-мажор, с женой поругался, дочка за неподходящего парня замуж собралась, вот я и слетел с катушек, некрасиво себя повел. Прошу прощения, готов перед остальными членами правления покаяться. Судьи у нас честные. И в этом году я получу Гран-при. Такое сделал! Заявку завтра принесу». По нашим правилам надо заранее прислать фото модели, и тогда правление даст участнику номер стенда и его место.

— И когда Прохоров собирался приехать? — оживилась я.

Хозяин взглянул на часы.

— Точно время мы не оговаривали, он знает, что я с двух часов всегда в офисе.

— Сделайте одолжение, позвоните Юрию, — попросила я, — скажите, что у вас сидит корреспондент газеты «Комсомольская правда», хочет взять интервью у лучшего создателя моделей. Пусть Прохоров привезет машинку, которую он собрал, но не фото, а оригинал, и материал о ней.

— Ладно, — после паузы согласился Вахрушев. — А зачем?

— Поймете, когда Юрий появится, — пообещала я. — Он далеко живет-работает?

— Квартира Прохорова в доме через дорогу, — обрадовал меня Валентин, — на службу Юра ходит два раза в неделю, вероятно, сейчас он в мастерской.

— Отлично, — обрадовалась я, — надеюсь, он услышит про репортера из самой тиражной газеты России и примчится.

Мой расчет оказался верен. Почти сразу после разговора председателя общества с серебряным призером в дверь позвонили, и я увидела мужчину, смахивающего на подростка. Юрий оказался ростом меньше меня и тщедушным. Наверное, для солидности он отпустил бороду, но она не сделала Прохорова визуально старше, он выглядел мальчиком лет четырнадцати, который шутки ради приклеил к подбородку мочалку.

Минут пять у нас ушло на церемонию знакомства и общие фразы о хобби Юрия. Наконец я решила, что хватит реверансов, и схватила быка за рога:

— Слышала, вы готовитесь удивить всех на предстоящем конкурсе своей уникальной работой? Покажите, пожалуйста, свою модель. Интервью с вами пойдет сразу после объявления победителя, тайну я не раскрою, хочется проиллюстрировать материал.

Юрий осторожно открыл принесенную с собой коробку.

— Любуйтесь! «Принцесса шейха!»

— Что? — подпрыгнул Валентин Павлович.

— Да! Ты не ослышался! — гордо заявил Прохоров.

— Невероятно, — прошептал Вахрушев, — я не верил в существование этой машины.

— Это уникум? — спросила я. — Не очень разбираюсь в автомобилях.

Прохоров откашлялся и тоном человека, привыкшего читать лекции, завел:

— В двадцатые годы прошлого века один богатый араб заказал машину по собственному дизайну, назвал ее «Принцесса шейха». До нас дошли лишь обрывки рассказов о ней. Считалось, что ни фото, ни рисунков, ни даже описания прекрасного автомобиля не сохранилось. Но я проделал титаническую работу и нашел документы.

Прохоров открыл красную папку и стал вынимать оттуда листы.

— Вот шейх в машине, вот автомобиль около гаража.

— На колесах летучие мыши, — восхитился Валентин. — Да, Юра, жаль, что Никита умер, он бы с радостью отдал тебе пальму первенства.

— Я лучший, — без ложной скромности заявил преподаватель. — Сейчас расскажу, как создавал это чудо.

Прохоров начал вещать, Вахрушев охал и ахал, а я, краем уха слушая Юрия, листала содержимое принесенной им папки, внимательно рассматривала каждую страницу и, изучив материалы, посмотрела на мужчин.

— И правда плохо, что Никита Владимирович не может ничего сказать. За него это сделаю я. Юрий, вы проникли в квартиру Обжорина, убили его жену, украли ключ от банковской ячейки и заодно прихватили модель вместе с документами. Вы находились в машине Обжорина, когда он сбил Сыркина. По заключению эксперта, Никита Владимирович выстрелил себе в грудь и скончался не мгновенно, а прожил еще минут десять-пятнадцать, мог говорить. Вы анонимно позвонили в «Скорую» и сбежали. Поступили правильно, вызвав врачей, но вот вопрос: почему вы не дождались их приезда? По какой причине смылись?

— Юра! — попятился хозяин офиса. — Юра!!!

— Ложь! — взвизгнул преподаватель. — Неправда от «А» до «Я». На каждой модели стоит клеймо создателя! Возьмите лупу и посмотрите. Там везде вензель «Ю. П.».

— Господин Прохоров, — спокойно продолжала я, — копия авто отправится на экспертизу, и мигом выяснится правда: кто-то зачистил знак Обжорина и на его месте поставил свой. Кроме того, есть другие доказательства вашего преступления.

— Какие? — заревел Юрий. — Это злой навет! Кто вас нанял? А-а-а-а! Понятно, Федор Рожкин! Он всегда мечтал первым стать. Вы не репортер!

Я вынула служебное удостоверение.

— Последнее заявление справедливо. А о вашем вранье мы сейчас подробно побеседуем.

Глава 19

Прохоров повернулся и хотел выбежать в коридор, но путь ему преградил Вахрушев.

— Юра, сядь. Я не верю в твою виновность, ты не убийца.

— Конечно, нет! — заорал Прохоров.

— Тогда побеседуй с Евлампией, — посоветовал хозяин офиса.

— Будьте добры, напишите, пожалуйста, пару слов, — попросила я Юрия. — Валентин Павлович, дайте гостю бумагу и ручку. Итак, небольшой диктант: «пожалуйста», «щетка», «рычаг». Думаю, хватит.

— Абсурд, тупость, бред, — возмущался Прохоров, выводя слова, — глупость!

— Спасибо, — поблагодарила я и положила клочок бумаги около красной папки. — Обратите внимание на интересный факт. Юрий... э... э...

— Сергеевич, — подсказал хозяин офиса.

— Юрий Сергеевич, — продолжала я, — вы человек с высшим образованием, пишете грамотно, и претензий к орфографии у меня нет. «Пожалуйста», «щетка», «рычаг» выведены без ошибок. А теперь заглянем в бумаги Обжорина, там тоже нормальный текст, но вот тут на одной из последних страниц карандашом написано: «Никита, дальше я еще не поправила. Не переписывай» и оставшаяся пара листов пестрит грубейшими орфографическими ошибками. «Пожалуста», «СЧетка», «рычаК», — там так написано. Вы понятия не имели, что Обжорин патологически безграмотен, материалы для конкурса мужу правила Лаура. Так было и в тот раз, только...

Я на секунду замолчала. В голове неожиданно возникли один новый и один старый, уже задаваемый вопрос. А кто помогал Никите раньше, когда он еще не женился на Кривоносовой? И почему Кит решил так спешно свести счеты с жизнью? Отчего он не дождался своего триумфа на конкурсе? До него оставалось совсем чуть-чуть. Медаль от общества много значила для Никиты Владимировича, он старательно готовился к конкурсу и решил уйти на тот свет, не насладившись триумфом? Что-то тут не так.

— Только что? — спросил Вахрушев.

Я продолжила:

— Лаура, как всегда, отредактировала доклад, но она не успела прочесть последние несколько страниц, о чем и предупредила мужа. А Прохоров, украв папку, поленился просмотреть весь доклад, ему хватило первой части, в которой изложено, как Никита нашел сведения об уникальном автомобиле, то, как он технически делал модель. Юрия не заинтересовали марка клея и сведения, где, что и за сколько куплено для работы.

— Это правда, — неожиданно произнес Валентин Павлович, — я никому раньше не рассказывал, но сейчас сообщу: когда Никита вступил в общество и первый раз принес свою писанину, он попросил: «Прочитайте, пожалуйста, не умею складно текст составлять и грамотность хромает, в школе я плохо учился, все силы на спорт бросил». Я был восхищен представленной им моделью, поэтому решил помочь с докладом, прочел текст. Катастрофа! С того дня у нас с Никитой повелось так: за неделю до подачи заявки на конкурс он приносил сюда текст, я его правил, а он набирал на компьютере. Когда Обжорин женился, роль редактора взяла на себя его жена.

— Думаю, в ноутбуке покойного сохранилось оригинальное сочинение Никиты, — подхватила я. — Елена Яшина рассказала мне, что, когда Обжорин завершал творение, он его распечатывал и отдавал Лауре, та правила текст по старинке ручкой, она была не в ладах с техникой, и у нее от компьютера начинала болеть голова. Супруга вручала Никите работу над ошибками, и он все аккуратнейшим образом исправлял и снова распечатывал уже для подачи на конкурс. Вот беда для Прохорова! В докладе, который перед нами лежит, последние странички Лаура не тронула, Никита же положил туда чистовик, присоединив к нему пару черновиков с пометкой супруги.

— Подлец! — вскипел Вахрушев. — Обокрал покойного.

— Он еще унес ключ от ячейки, — добавила я, — а чтобы снять его с шеи Лауры, отравил вдову.

— Нет-нет-нет, — затряс головой Юрий, — все не так! Вернее так, но не так! Да, я был в квартире Обжорина. Признаюсь. Но никого и пальцем не тронул! Честное слово! Ей-богу. Сейчас все расскажу!

— Начинайте, — приказала я, — садитесь и излагайте все в подробностях.

Но Прохоров не устроился в кресле, он начал ходить по комнате от окна к двери и, запинаясь, говорить, как обстояло дело.

Когда рано утром Прохоров прочитал в газете «Желтуха», что Обжорин задавил человека, а потом покончил с собой, первой его мыслью было: я победитель конкурса. Юрий знал, что единственные, кто, кроме него, делают замечательные модели, это Обжорин и Валентин Павлович, но последний давно не выставляется. Всем вокруг Вахрушев говорит: «Я столько медалей получил, что все стены ими завесил. Пора и молодым дорогу дать, пусть новые на мое место приходят».

Но Юра заметил, что у Валентина иногда начинают мелко-мелко дрожать пальцы, основатель общества постарел, ему теперь трудно сделать копию экстра-класса, а скатываться в конец турнирной таблицы председатель правления не желает, он предпочел уйти чемпионом. Преградой на пути к золотой медали для Юры оставался Никита, и вот его нет. В первые минуты Прохоров просто ликовал, но затем его стало мучить любопытство. О каком уникуме вел речь Никита Владимирович на последнем совещании? Наверное, он откопал нечто невероятное, если рискнул похвастаться в присутствии членов правления, которые были его соперниками. Любопытство жгло Прохорова, и он решил поехать домой к покойному. Найти адрес не составило труда, у Юрия есть база с адресами москвичей, он вбил фамилию «Обжорин» и, не успев моргнуть, получил название улицы, номер дома и квартиры. Прохоров знал, что главный соперник женат, поэтому купил по дороге розы и решил, что скажет вдове:

«Уважаемая госпожа Обжорина, правление общества «ОЛСАМ» выражает вам соболезнование. Разрешите сфотографировать последнюю модель Никиты Владимировича? Мы поместим снимок в журнале «Модель», будем благодарны, если вы передадите нам для публикации материалы, рассказывающие о машине».

Неужели вдова откажет?

Страшно довольный собой, Юрий поднялся на нужный этаж, позвонил в дверь, но никто не спешил ему открывать. Прохоров расстроился, зачем-то подергал ручку, и створка открылась. Юра втиснулся в крохотную прихожую, прикрыл дверь и крикнул:

— Здравствуйте, не пугайтесь, я член правления общества любителей автомоделей. У вас замок не заперт.

В ответ не раздалось ни звука, в квартире стояла полнейшая тишина. Юра заглянул на кухню. Никого. Затем он вошел в комнату и на диване увидел женщину.

— Добрый день, — громко произнес Прохоров, но хозяйка даже не вздрогнула, она лежала лицом к стене и не шевелилась.

На секунду Юрий растерялся, но потом сообразил: наверное, вдова не спала всю ночь, под утро приняла снотворное, и сейчас ее выстрелом из пушки не разбудишь. Прохоров решил воспользоваться создавшимся положением. Он сразу, едва переступив порог, увидел доску, прикрепленную к подоконнику, а на ней модель машины. Прохоров двинулся вперед и натолкнулся на тумбочку, стоявшую впритык к софе, послышался тихий звон. Юрий испугался, он решил, что хозяйка сейчас проснется, повернется, откроет глаза, закричит, увидев незнакомца, поэтому он выставил вперед букет из трех жалких розочек и приготовился произнести заготовленный текст. Но тетка, закрытая до подбородка шерстяным одеялом, даже не пошевелилась. Юрий выдохнул, заметил на тумбочке пустой стакан, из которого торчала металлическая чайная ложка, понял, что это она звенела, перевел дух, приблизился к импровизированному столу. У него затряслись руки, когда он разглядел то, что создал Никита, модель была настолько прекрасной, что Прохоров замер, не решаясь взять ее. И тут из прихожей раздался голос:

— Ау? Есть кто дома? Хозяюшка, дверь запереть забыли. Шел мимо, вижу, приоткрыта. Эгей!

Юра вмиг покрылся потом. Похоже, в квартиру Обжорина заглянул кто-то из соседей, и что он предпримет, обнаружив возле спящей хозяйки незнакомого мужика? Прохоров затрясся, схватил модель, папку и влез в большой шифоньер. Двери гардероба закрылись неплотно, в узкую щель между ними через мгновение преподаватель увидел фигуру в черном. Незнакомец стоял спиной к Прохорову, сначала он молчал, потом произнес красивым басом:

— Эй, Лаура!

Вдова не откликнулась, мужик наклонился и присвистнул:

— Опа!

Затем гость стал открывать ящики тумбочки, двигать модели, выставленные на полке над изголовьем кровати, снял сидевшую там же плюшевую белку, помял ее в руках, вернул на место и стал оглядываться.

Только тогда Юра увидел лицо незнакомца, сообразил, что тот непременно засунет нос в шкаф, и перепугался так, что весь взмок. Но мужик снова повернулся к дивану и наклонился над теткой. Что он делал, Прохоров не видел, перед его глазами маячила лишь спина человека в черной одежде. В гардеробе было душно, преподавателя стало тошнить, перед глазами запрыгали черные мухи. Чтобы не упасть в обморок, он принялся щипать себя за запястье. Юрию казалось, что время застыло, мужик в черном стоит в одной позе уже два часа! Ну сколько можно находиться в согнутом положении? В тот момент, когда сидевшему в шкафу вору вконец стало дурно, незнакомец выпрямился, пропел что-то вроде «Тра-ля-ля-ля!» и быстро ушел. Юра распахнул дверцы и выскользнул из укрытия.

Прячась в шифоньер, Прохоров не посмотрел на диван, все его внимание было сосредоточено на мини-машинке и докладе, но сейчас, прижимая к себе вожделенную добычу, Юра оказался лицом к софе и увидел, что хозяйка повернулась на спину и лежит с открытыми глазами. Вора вновь обдало жаром.

— Добрый день, — залепетал он, — я пришел от общества любителей... хочу... написать...

Дальнейшие слова застряли в горле, у Юрия подогнулись колени, он понял, что женщина не моргает, не шевелится, не испугалась при виде незваного гостя. Господи, да она умерла!!! Как он очутился на улице, Прохоров не помнил, просто вдруг непонятным образом оказался в метро, к груди он прижимал модель, под мышкой держал папку.

Глава 20

— Боже! — выдохнул Валентин Павлович. — Юрий! Как ты мог! Обокрал мертвеца! Это... это... это... просто слов нет.

— Не знал, что она скончалась, — начал оправдываться вор, — решил, что вдова крепко спит.

— И заявил «Принцессу шейха» на конкурс, — взвился Вахрушев, — ты... ты... грабитель могил!

— Во придумал, — разгневался Прохоров. — Разве я захоронение раскапывал?

— Мерзавец! — закричал Валентин. — Мы тебя навсегда исключим из своих рядов.

— Стоп! — велела я. — Юрий, отвечайте на мои вопросы. Вы ничего не брали, кроме модели и папки?

— Нет! — с жаром воскликнул негодяй.

— А медаль, — прищурилась я, — пластмассовую со стенки не снимали?

Юрий стиснул кулаки.

— Да!!! Прихватил награду. Но она моя!!! Моя!!! В прошлом году Никите нечестно первое место присудили. Это не кража, а восстановление справедливости. Моя медаль! Моя!!! Я вернул ее себе! Это Обжорин ворюга, он чужую победу себе присвоил.

— Подонок, — процедил Вахрушев.

— С наградой понятно, но вы еще и ключик взяли, — добавила я.

— Какой?

— Маленький, он висел у Лауры на шее.

— На шее? — повторил преподаватель. — Да я бы умер, доведись мне дотронуться до трупа. Боюсь мертвецов до одури, на похороны матери не пошел, знал, что упаду в обморок. Снять ключ с трупа? Брр. Никогда! Стойте! Это сделал тот!

— Кто? — не поняла я.

Юрий забегал между окном и столом.

— Мужик в черном. Он определенно что-то маленькое искал, заглянул в шкатулку, которая на полке стояла, а в ней ничего больше спичечного коробка не поместится. Игрушку мял плюшевую, наверное, думал в живот ей что-то зашили, а потом наклонился над спящей женщиной. Ооо! Он ее жизни лишил.

Прохоров рухнул на стул.

— Только сейчас дошло. Мало того, что я находился в одной комнате с мертвецом, так еще в ней присутствовал убийца. Он мог и меня... воды, дайте пить, скорее...

Валентин Павлович скорчил гримасу, но взял с подоконника бутылку минералки и со стуком поставил ее на стол.

— Пробку отвинтите, — прошептал Юрий, — руки не слушаются.

Хозяин офиса сделал вид, что не слышит просьбу, я схватила бутыль, открыла ее и подала трясущемуся преподавателю. Нет, он не похож на хладнокровного киллера, Прохоров по-настоящему шокирован и испуган, надо быть гениальным артистом, чтобы придать такое выражение глазам, изобразить дрожь в пальцах, а уж тик век не сможет имитировать даже самый великий лицедей, это мышечная реакция, не подвластная воле человека.

— Он мог меня убить, — в ужасе твердил Юрий, — мог... убить... меня... открыть шкаф, увидеть и задушить... как ее... меня... меня...

— Успокойся, — поморщился Валентин, — ты жив. Хватит верещать.

— Поп убийца, — шептал Прохоров, — вон как... поп...

Я сделала стойку.

— Почему вы решили, что это был священнослужитель?

Юрий судорожных вдохнул.

— Он все время ко мне спиной был, а потом раз, и повернулся. На лице густая борода лопатой, на шее здоровенный крест на цепи, сам весь в черном, в таком широком, как платье.

— В рясе? — уточнила я.

— Не помню, — пробормотал Прохоров.

— Постарайтесь как можно более точно описать священника, — попросила я.

— Весь в черном, бородища здоровенная, на шее крест, — повторил вор, — висел золотой... такой... У меня в голове туман. Отстаньте. Я только что пережил шок. Меня могли убить. Понимаете?

Я встала и подошла к Вахрушеву.

— Валентин Павлович, если Юрий соберется с силами и подробно опишет внешность человека, это поможет поймать того, кто лишил жизни Лауру. Вы же хотите, чтобы преступник оказался за решеткой?

Хозяин офиса дернул плечом.

— Естественно. Но при чем здесь я?

— Пообещайте Юрию, что никто никогда не узнает о том, как он украл модель Обжорина, — заворковала я. — Вы представите на выставке копию машины «Принцесса шейха», расскажете, что ее сделал Никита Владимирович, напишете в журнале некролог и дадите Обжорину посмертно первое место. А Юрий получит то, что решат судьи: серебряную, бронзовую награду или вообще ничего.

— Прохоров вор, врун и подлец, — прорычал председатель общества.

— Он может помочь следствию, — не сдавалась я, — давайте похороним историю с кражей «Принцессы шейха» в этой комнате. Ради Лауры. Ради Никиты. Не скончайся Обжорин, он бы тоже попросил вас закрыть глаза на подлый поступок вечно серебряного призера.

— Ладно, — без особой охоты согласился Валентин Павлович, — но только если он в самом деле поможет.

— Постараюсь вспомнить, — зачастил Прохоров, — мне уже легче стало, могу дышать свободно.

— Рад за тебя, — огрызнулся хозяин.

— Валентин Павлович, — пропела я, — не очень нагло с моей стороны попросить у вас чашечку чая?

— Вам заварю с удовольствием, а ему не налью, — отрезал Вахрушев, — хватит того, что я дал слово о грабеже молчать.

Сердито сопя, он удалился из комнаты. Я посмотрела на Юрия.

— Можете описать одежду убийцы?

— Да, — закивал тот, — сверху черная, длинная, просторная рубаха и такие же черные брюки.

— Отлично, — похвалила я его, — у вас хорошо получается. А какое у него лицо?

— Борода здоровенная.

— Седая?

— Пегая, местами темная, кусками светлая, волосы до плеч... вроде...

— Глаза, нос, рот какие?

— Не скажу, — растерялся преподаватель, — обычные, я только бороду запомнил и крест огромный, на цепи здоровенной.

— Если увидите незнакомца, узнаете? — наседала я.

— Постараюсь, — сказал Прохоров.

Я встала.

— Давайте поедем в наш офис, попробуем составить фоторобот.

— Ладно, — согласился Юрий, — а Валентин точно никому ничего не расскажет?

— В отличие от тебя я никогда не был мерзавцем, — подал голос из коридора тот. — Евлампия, вот ваш чай.

— Спасибо, — поблагодарила я, — извините, заставила вас хлопотать зря, мы уходим.

— Не смею задерживать, — сухо сказал председатель общества любителей автомоделей. — После того, как кое-кто покинет офис, я проветрю помещение, смердит тут!

* * *

— Почему вы решили, что священнослужитель задушил Лауру? — спросила я, когда мы с Юрием сели в мою машину.

Он вздрогнул.

— Он сначала над ней наклонился, некоторое время стоял, согнувшись, выпрямился и смылся. Когда я вошел в комнату, вдова лежала лицом к спинке дивана. Мертвый человек ведь не может шевелиться. Значит, несчастную тот в черном повернул. Верхние пуговицы ее пижамы оказались расстегнуты... Ну вот... зачем ему их расстегивать? Чтобы легче задушить. Это же понятно.

Я молча стала перестраиваться в левый ряд. Кривоносова отравилась снотворным. Незнакомец влез в квартиру Лауры, чтобы украсть ключ от ячейки. Сначала он порылся в столе, на полке с машинками, заглянул в маленькую шкатулку, помял плюшевую белку и был разочарован. Но потом сообразил: хозяйка могла повесить ключ себе на шею. Однако таинственный посетитель не робкого десятка и в отличие от Юрия, сообразившего, что хозяйка мертва, только когда он собрался уходить, этот сразу, едва войдя в комнату, смекнул: Лаура скончалась. Незваный гость изменил положение тела, расстегнул пару пуговиц ее пижамы, увидел ключ и от радости пропел: «Тра-ля-ля-ля». Но от кого сей субъект узнал про ячейку? Как выяснил, что в ней находится немалая сумма? А он точно был в курсе, в каком банке хранятся деньги, иначе зачем ему искать ключ?

— Ой! — дернулся Юрий. — Вы проскочили на красный свет.

— На желтый, — поправила я. — Помните, что было на тумбочке у дивана?

— Нет, — простонал мой спутник.

— Натолкнулись на нее и услышали звон, — напомнила я.

— Точно, — кивнул Прохоров, — там стоял стакан, в нем была чайная ложка, она о стекло стукнулась.

— Отлично, — обрадовалась я. — Стакан был чистый?

— Пустой. Может, раньше в нем простая вода находилась? — предположил Прохоров.

— А снаружи? — не отставала я. — Жвачку не заметили? Использованную, цвета хаки, прикрепленную к внешней стороне стакана?

— Фу, какая гадость, — передернулся Юрий, — ненавижу людей, которые приклеивают резинку к тарелкам-бокалам. Отвратительная привычка простонародья. У Обжорина в квартире была чистота, я сам аккуратен, поэтому обратил внимание на порядок.

Я бы на жвачке, приклеенной к стакану, точно взгляд задержал. Но на нем ничего подобного не было.

Я повернула налево.

— Чем пахло в квартире?

— Воздухом, — ответил Прохоров, — чистым, никаких ароматов, типа освежителя.

— Может, духами веяло?

— Слава богу, нет, — отрезал собеседник, — ненавижу, когда глупые, малообразованные бабы обливаются парфюмом и спускаются в метро. Уродки! Они считают, что, став вонючими, привлекут мужчину? Фу-у-у!

— И все? Может, еще что-то вспомните, — спросила я.

— Тумбочка стандартная, — забубнил Юрий, — с лампой маленькой, часы-будильник, стакан, ложка.

— Упаковка из-под лекарства была? — не успокаивалась я.

— Какого?

— Снотворное «Дорминочь».

— В белой коробке с красными полосами? Между ними изображено лицо, изо рта вылетает облачко. В нем буквы ZZZ? — спросил Прохоров. — Вроде как храп изображается.

— Да, — обрадовалась я. — Оно там присутствовало?

— Нет, — возразил Юрий, — лекарства точно не было. Я сам его пью, хороший препарат, на утро нет усталости, сонливости. Но «Дорминочь» в последнее время пропал в аптеках, какие-то сложности с поставками, он не российского производства. Я его безуспешно целый месяц ищу. Непременно бы заметил упаковку, но ее не было.

Глава 21

— Лампуша! Какие у тебя красивые глаза! — запрыгала Киса, когда я, придя домой, наклонилась, чтобы поцеловать девочку. — Реснички черные, длинные. И бровки, как у кошки Элен.

— Лампа каждый вечер пьет молоко, поэтому хорошо выглядит, — решила использовать восторг Кисы в педагогических целях Роза Леопольдовна, — и сырники ест. Иди, деточка, мой ручки и садись за стол, поужинаешь как следует и станешь красавицей.

Киса убежала.

Я повесила куртку на крючок.

— Надеюсь, что я похожа на Элен только ресницами. Знаю, девочка обожает книгу «Коты волшебного леса», но на иллюстрации киска выглядит жутковато, она толстая, лысая, с кривыми лапами.

— Зато глава семьи, — совершенно серьезно возразила Краузе, — ее все любят и слушаются. Киса права, у вас сегодня глаза удивительно выразительные! Нанесли новый макияж? Всегда так ходите.

Я посмотрела в зеркало и неожиданно чрезвычайно понравилась себе. Я родилась у любящих родителей, которые постарались дать мне хорошее образование. Я посещала музыкальную школу, и моя мама, певица, слышавшая даже одну фальшивую ноту в оркестре, всегда восторгалась, мягко говоря, отнюдь не вдохновенной игрой дочери на арфе. Когда я поступила в консерваторию, мама решила, что я намного талантливее Вероники Дуловой и Ксении Эрдели[1], вместе взятых. И очень обижалась на педагогов, ведь те не

---

[1] Вероника Дулова (1909—2000) — великая арфистка, педагог. Ксения Эрдели (1878—1971) — великая арфистка, педагог.

соглашались с ее мнением. А еще она по десять раз на дню восклицала:

— Фросенька![1] У каждой девушки есть изюминка. У одной красивые глаза, у другой шикарные волосы, у третьей статная фигура, а у тебя добрый покладистый характер.

С течением времени я поняла, что даже средней арфисткой я никогда не стану, а красотой меня при рождении Бог не одарил. Патологически любящая меня мамуля твердила исключительно про мои душевные качества и никогда не упоминала о привлекательной внешности своего ребенка. Я не особенно люблю смотреть на себя в зеркало, знаю, что у меня маленькие глаза, длинный нос, узкий подбородок, нет красивого бюста и ноги не двухметровые. Хотя, согласитесь, с ногами такой длины ходить, сидеть и вообще жить трудно. Но сейчас собственное отражение вызвало у меня восторг. Это я? Глаза, опушенные длинными черными загнутыми ресницами, стали огромными, красиво очерченные брови подчеркивали высокий лоб. Медсестра Анна оказалась права, я стала очень симпатичной, процедура «Открытый взгляд» совершила чудо.

Вечер тек своим чередом, мы поужинали, выпили чаю, я почитала Кисе на ночь сказку, приняла душ и заползла под одеяло. На соседней половине кровати уже мирно посапывал Макс. Я выключила лампу на тумбочке, повернулась на правый бок и услышала кряхтенье мопсих. Фира и Муся карабкались на супружеское ложе.

— Эй, сделайте одолжение, — зашипела я, — не пыхтите, а то разбудите хозяина.

---

[1] При рождении Евлампии дали имя Ефросинья. Почему она его поменяла, рассказано в книге Дарьи Донцовой «Маникюр для покойника».

Собаки плюхнулись на край кровати, я закрыла глаза, легла на живот, привычно уткнулась лицом в подушку и начала думать о завтрашнем дне. Очень хочется поговорить с незнакомцем, которого Прохоров принял за священника. Некоторые люди склонны делать поспешные выводы, похоже, вечный серебряный призер из их числа. Юрий увидел человека с бородой, одетого во все черное, с крестом на шее, и тут же решил, что перед ним священнослужитель. На самом деле это мог быть самый обычный мужчина, который не бреется, любит носить черные рубашки и брюки, а крест считает модным украшением. Прохоров просидел в нашем офисе несколько часов, и в конце концов ему удалось составить портрет незнакомца. Роман начал прогонять изображение по базе. Бунин настроен оптимистично, он уверен, что рано или поздно ноутбук выдаст ему имя, фамилию, отчество и адрес таинственной личности. Но я знаю, что в компьютерной базе не хранятся снимки всех людей, живущих на свете, вполне вероятно, что на экране в конце концов появится окно «Совпадений нет». Нужно искать, кто влез в квартиру покойной Лауры, другим путем. Каким?

Неожиданно закололо правое веко, я потерла глаз. Кто знал, что Кривоносова стала обладательницей крупной суммы? Яшина. Лаура вскрыла бандероль, позвала Елену и показала ей письмо Никиты. Других подруг у медсестры не было, родственников тоже. Но Лена не вызывает подозрений. Предположим, она наняла бородача утащить ключ. Но зачем тогда прибегать в агентство, просить найти убийцу Кривоносовой? Для отвода глаз? Да, иногда преступник активно помогает полиции, изображает крайнюю обеспокоенность тем, как медленно идут поиски убийцы, требует рассказывать ему о всех шагах следствия. Таким образом он пытается выяснить, что узнали сыщики, и подчеркивает свою полнейшую непричастность к преступлению. Но мы не государственная служба, а частное агентство, Яшина распотрошила свою заначку, чтобы нанять детективов. Полиция объявила смерть Лауры самоубийством и умыла руки. Яшиной, если она виновна, следовало сидеть тихо, и никто бы не стал искать убийцу Кривоносовой. Нет, Лена ни при чем. И кто остается? Кто еще был в курсе того, что сотрудница клиники пластической хирургии получила сто пятьдесят тысяч долларов? Тот, кто их отправил, заказчик убийства Виталия Сыркина.

Теперь закололо левое веко, я снова переменила позу и потерла глаза. Помнится, я очень удивилась, услышав, какую сумму Обжорин получил за наезд на Виталия, все недоумевала, ну почему Никите Владимировичу так много заплатили? Но потом появилась версия ответа.

В правую бровь воткнулось что-то острое, я ойкнула и перевернула подушку. Ведь не хотела покупать спальные принадлежности из пуха, а Макс настоял, и теперь тонкий кончик гусиного пера пробил наперник и доставляет мне неудобства. Я поерзала. По какой причине Обжорину вручили крупную сумму? Тот, кто организовывал смерть Сыркина, хорошо знал, что исполнитель покончит с собой, Лаура останется одна в квартире, если напоить ее большой дозой снотворного, вдова не проснется, а ее смерть объявят суицидом. Заказчик войдет в однушку, возьмет ключ от ячейки и заберет назад свои деньги. Возможно, «священник» тот, кто хотел лишить жизни Сыркина.

В левое веко воткнулась иголочка, я тихо взвизгнула и снова перевернула подушку. Лауру угостили чем-то, куда подсыпали лекарство, Кривоносова съела пирожное или выпила чай, понятия не имея о том, что вскоре заснет навсегда. Значит...

В лоб впилась колючка, я пошарила рукой по тумбочке, все ясно, у меня началась аллергия. Где мой крем от золотухи? Я нащупала тюбик, не включая света, отвернула колпачок, выдавила немного содержимого и нанесла его на брови и веки. На дворе сентябрь, мятлик, вызывающий у меня желание чесаться и чихать, давно отцвел, но всякое случается. Придя сегодня домой, я обнаружила в столовой красивый букет из незнакомых экзотических растений. «Цветы прислал владелец оранжереи в благодарность за то, что вы нашли его сестру, — пояснила Роза Леопольдовна, — красота неописуемая». Возможно, именно от роскошной икебаны у меня и закололо лицо. Ну ничего, сейчас все пройдет, мазь всегда помогает.

Я легла на спину, не хочется испачкать наволочку, недавно купила новое постельное белье. Итак, на чем я остановилась? Преступнику требовалось, чтобы Лаура заснула дома, поэтому он решил использовал средство не быстрого действия. «Дорминочь» отлично подошло, я его никогда не принимаю, а вот Вовка иногда мучается бессонницей. Когда «Дорминочь» неожиданно исчезло из продажи, Костин стал жаловаться:

— Отличный препарат, почему его больше не закупают? Идеально мне подходил, голова наутро совсем не болела. Единственный недостаток лекарства в том, что его надо глотать минуть за сорок, а то и за час до сна, не быстро оно действует.

Забыв про намазанную на мордочку мазь, я опять уткнулась лицом в подушку. Лаура не ходит в кафе, подружек, кроме Елены, не имеет, фастфуд не покупает, в гостях ни у кого, кроме Яшиной, не бывает, где ей можно подсыпать снотворное? На работе. Накануне кончины Кривоносова сказала Яшиной, что пойдет на службу, коллеги заболели, работать некому, и ей морально легче находиться в клинике, чем в квартире, думать о смерти мужа невыносимо. В клинике пластической хирургии делают операции, после которых пациентов несколько дней держат в стационаре. Голову на отсечение даю, кое-кому из клиентов врачи прописывают «Дорминочь». В аптеках лекарство исчезло из продажи, но в клинике красоты небось есть запас. Что делает средний медицинский персонал по вечерам, когда основная масса врачей уходит домой, а дежурный Гиппократ усаживается в своем кабинете у телика? Пьет чай с разными вкусностями, которые дарят благодарные пациенты. Моя лучшая подруга Катя хирург, и от нее я знаю, что в ее отделении в холодильнике всегда есть торт, а то и два-три бисквита с кремом.

— Хоть бы кто колбаски, сыру, фруктов притащил, — сетует Катюша, — от сладкого меня уже тошнит.

Лаура не дружила с коллегами, она была борцом за справедливость, всегда докладывала начальству об ошибках, допущенных другими медсестрами. Но угоститься сладким Кривоносова легко могла, тортик-то дарят всем, значит, и ей тоже. Я зевнула. Снотворное подсыпал кто-то из коллег Лауры, заказчик работает в клинике красоты, это не клиент. Почему я так решила? Преступник знал о болезни Обжорина. А я теперь в курсе, что владелица клиники «Юность» по образованию невропатолог. Кривоносова попросила ее проконсультировать мужа, Федина не отказала, и даже сама отвезла его куда-то на обследование. Кто-то из персонала клиники мог узнать, что Никита смертельно болен. Эх, жаль, мне неизвестно, где лечился Обжорин, ему же выписывали какие-то лекарства. Зайдя в кабинет и оставшись с глазу на глаз с врачом, пациент уверен, что его откровения никто не услышит, а доктор обязан соблюдать тайну. Но, к сожалению, подчас эскулап болтлив, в комнату, где вы откровенно рассказываете о своем самочувствии, без конца входят медсестры, они неплотно закрывают дверь, беседа пациента с врачом частично слышна в коридоре... Ну почему мы, увидев полицейского, думаем, что он спасет нас от бандитов, разговаривая с учительницей ребенка, полагаем, что она любит детей и непременно научит их всему хорошему, а придя к терапевту, верим в его профессионализм и порядочность? Дорогие мои, на свете встречаются сотрудники МВД, которые хуже закоренелых негодяев, злобные, глупые, корыстолюбивые педагоги, ненавидящие детей, и доктора, не способные отличить геморрой от гайморита и гастрита. Не стоит безоговорочно доверять человеку только потому, что он носит форменную одежду, белый халат или сидит в классе. Завтра нужно ехать в «Юность», чует мое сердце, именно там зарыта собака, кто-то из персонала является заказчиком убийства Сыркина. Эх, жаль, что у Майи Фединой беда с зубами и в клинике ее временно нет. Надо найти ее мобильный номер и договориться с ней о встрече.

Глава 22

Утром меня разбудил громкий стук. Я села в кровати, увидела стоящего лицом к окну Макса и спросила:

— Ты уже встал? Едешь в офис?

— Разбудил тебя, — огорчился муж, обернулся и воскликнул: — Е-мое, что у тебя с лицом? Ужас прямо!

Мне стало обидно.

— Да, я не делаюсь моложе. Но ты, наверное, понимал, что жена не останется вечно юной. Если я проснулась с опухшей мордочкой, это не повод обзываться.

Макс кашлянул.

— Прости, случайно вырвалось, от неожиданности. Ты вчера умывалась? В ванную заходила? В зеркало смотрела?

Я встала с кровати.

— Конечно, нет. Душ я принимаю, когда грязь с тела начинает отваливаться кусками при чихании, зубную щетку, крем для лица, шампунь, дезодорант никогда не покупаю. И неужели ты за годы нашего брака так и не заметил, что я всегда укладываюсь спать в ботинках?

— Лампудель, — загудел супруг, — ты красавица, но...

— Дальше можешь не продолжать, — надулась я, — как только произносишь «но», все становится ясно. Договорю за тебя сама: «Но сегодня ты выглядишь старой, помятой калошей, при виде которой меня с утра пробирает дрожь. Причем трясет меня не от страсти, а от ужаса».

— Я тебе такое не говорил, — возразил Вульф.

— Но подумал!

— Лампуша, откуда тебе известны мои мысли?

— Они на твоем лбу написаны, — отбрила я и, не желая продолжать разговор, двинулась в свою ванную.

Вот оно как! Считаешь себя молодой, а потом родной супруг вопит от страха, увидев тебя утром без макияжа.

В отвратительном настроении я нажала на выключатель, сделала пару шагов к раковине, глянула в зеркало и взвизгнула:

— Мама!!!

— Ламповецкий, не падай в обморок, — произнес Макс, появляясь на пороге, — с тобой все в порядке.

— Ты так считаешь? — дрожащим голосом осведомилась я, разглядывая свое лицо, покрытое темно-зелеными пятнами. — Похоже, я чем-то заболела, вероятно, заразным. Надо срочно ехать к врачу. Но к какому? К дерматологу? Или к аллергологу? Хотя ни разу не слышала, что золотуха проявляется вокруг глаз и бровей в виде зеленых кругов. Макс! Отойди подальше, вдруг я подцепила инфекцию?

Муж захихикал.

— Ты вчера мазала лицо кремом?

— Конечно, — прошептала я, — вон он, в баночке, это давно испытанное средство, никогда меня не подводило.

Вульф показал тюбик, который держал в руке.

— Этим пользовалась?

— Нет, — удивилась я, — впервые это вижу.

— Взял на тумбочке, которая стоит с твоей стороны кровати, — уточнил муж.

Я потрогала лицо.

— Ночью мне вдруг стало покалывать веки и брови, я решила, что началась аллергия, и применила специальную мазь. Но она в белой упаковке, а ты принес ядовито-зеленую.

— Роза Леопольдовна! — крикнул Вульф.

За спиной Макса возникла няня.

— Что случилось? О! Вы нашли краску! Киса вчера очень расстроилась, нигде не могла ее отыскать... Боже! Лампа! Ваше лицо!

Я села на пуфик.

— Киса вчера посеяла акварель?

— Нет, специальное средство для росписи чашек, — затараторила Краузе. — Пожалуйста, не говорите ей, что знаете, это секрет. Малышка готовит вам подарок на Новый год.

— Сейчас только сентябрь, — удивилась я.

— Надо загодя побеспокоиться, не в последнюю минуту же хвататься, — наставительно произнесла няня.

Я молча слушала Краузе и через пару минут сообразила, что произошло. Киса раскрашивала посуду, потом ей понадобилось зачем-то зайти в нашу спальню, она пришла с тюбиком, положила его на мою тумбочку, забыла, где оставила краску... А я ночью, не включив свет, решила воспользоваться кремом от аллергии. Дальше продолжать?

— Чем убирается пигмент? — спросила я Розу Леопольдовну.

— Ничем, — обрадовала она меня, — понимаете, это краситель для посуды, а ее часто моют с мылом, трут губкой. Фирма гарантирует стойкость покрытия на три года. Раньше подобным составом раскрашивали тарелку-блюдо, потом наносили прозрачную глазурь и запекали в печи. Нынче прогресс шагнул вперед. Заморачиваться не надо, просто наносите краску на кружку, оставляете ее минут на пять просохнуть, и все!

— И все! — повторила я, уставясь в зеркало. — Мне что, теперь ходить в образе индейского вождя, решившего поразить противника своим боевым видом, в течение нескольких лет?

— Наверное, с лица ее как-то можно убрать, — без особой уверенности протянула няня, — вы же не фарфор.

— Здравое замечание, — хохотнул муж и поднес к уху зазвонивший телефон. — Где? Когда? Уже еду. Прости, Лампудель, срочно надо ехать. Ты умывайся и продолжай заниматься делом Обжорина—Кривоносовой. Все. Целую. Не вешай нос. Не бывает вечных покрытий. Лет через десять-пятнадцать любая стена облезает.

Я не нашлась, что сказать уходящему Максу. Разгуливать с зеленым лицом даже один день не хочется.

— Мы пойдем в садик? — спросила Киса из коридора. — Жарко в куртке.

— Ой-ой, деточка, прости, — засуетилась Краузе, — уже бежим. Лампа, не переживайте, вы чудесно выглядите, глаза на темно-зеленом фоне стали просто фонарями. Вам идет! Ей-богу!

— У вас сохранилась инструкция, приложенная к краске? — мрачно осведомилась я.

— Конечно, — заверила Краузе, — сейчас принесу.

Получив от няни листок, я подождала, пока хлопнет входная дверь, вышла на кухню, заварила себе чай и начала изучать текст. «Дорогой покупатель! Вы приобрели лучший в мире материал для творчества «Скоромаляр». Забудьте о неудобных красках, требующих запекания и лакировки. Мы предоставляем вам революционный продукт, которого до сих пор не было на рынке. Вам надо просто открыть упаковку, сделать кистью необходимый рисунок, подождать три минуты, и все готово.

«Скоромаляр» устойчив к воде любой температуры от минус 235 до плюс 1075 градусов».

Я на секунду отвлеклась от чтения. Школьница Романова абсолютно ничего не понимала в точных и естественных науках, но сейчас в памяти ожили слова учителя химии Виктора Лаврентьевича Трякина:

— Садись, Ефросинья, два. Только ты могла написать в контрольной, что вода была холоднее минус двадцати градусов. Запомни, Романова, аш два о замерзает при нуле и превращается в лед.

Правая бровь зачесалась, я потерла ее ладонью.

Лампа, не отвлекайся, ищи в инструкции способ избавления от краски. Что там у нас дальше?

«Скоромаляр» не смывается ацетоном, кислотой, маслом, не отскребается ножом, наждачной бумагой, песком. Он вечен. Внимание! Всегда надевайте приложенные к упаковке защитные перчатки. Категорически избегайте попадания краски на кожу. Если все же на ваше тело или на одежду попало некоторое количество «Скоромаляра», удалить его можно с помощью СВЧ-печки. Поверните регулятор на минимальную мощность, положите внутрь испачканный предмет, закройте дверцу, поставьте таймер на пять минут. Потом аккуратно счистите пятно кончиком ножа. Повторите процедуру, если она с первого раза не будет эффективной».

Я обрадовалась. В инструкции нет логики, вначале сообщается, что краска вечная, а в конце — что от нее можно избавиться с помощью самой обычной бытовой техники. Но ведь главное, что этот ужас можно отскрести! Я подошла к нашей СВЧ-печке, нажала на кнопки, и поняла, что агрегат висит слишком высоко, голову в него засунуть невозможно. Но разве это проблема?

Я схватила табуретку, поставила ее ближе к печке и снова испытала разочарование: теперь я выше, чем надо. Но если чуть-чуть присесть, то голова прекрасно влезает в печку. Я нажала на пуск, на всякий случай зажмурилась... и ничего. Неужели прибор сломался? Ну что за невезение! Я опять ткнула в кнопку, но стеклянная подставка не крутилась. Глубоко разочарованная, я спрыгнула на пол и вдруг сообразила: СВЧ не станет работать с открытой дверцей, а захлопнуть ее никак нельзя. Почему? Отличный вопрос! Голова-то прикреплена к шее, вот если ее оторвать, тогда все получится, но я пока не готова к обезглавливанию.

На столе затрещал телефон, я взглянула на экран, высветившийся мобильный номер был мне неизвестен, а вот голос, раздавшийся из трубки, показался знакомым:

— Здравствуйте, Лампа, вы сегодня планируете посетить офис?

— Простите, с кем я беседую? — предусмотрительно поинтересовалась я.

— Беспокоит вас Коля Епифанцев.

— А-а-а-а! Очень рада вас слышать, — замурлыкала я, пытаясь сообразить, кто это такой. — У вас проблема? Хотите приехать к нам?

— Коля Епифанцев, — повторил мужчина, — стажер техотдела. Три месяца назад меня взяли в помощники к Роману.

— Николай! — воскликнула я. — Что случилось?

— Очень нужен ваш совет, — перешел на шепот Епифанцев, — возник конфликт личных и служебных интересов. Не знаю, как правильно поступить.

— Я не разбираюсь в компьютерах, — остановила я парня, — лучше вам обратиться к Бунину.

— Он меня терпеть не может, постоянно ругает, считает дураком, — пожаловался Епифанцев, — и проблема не техническая, а морально-этическая. Она связана с делом Обжорина—Кривоносовой.

— Подъеду примерно через час, — пообещала я, — точнее из-за пробок не скажу.

— Давайте встретимся в торговом центре около агентства, в кафе на третьем этаже, — тоном заговорщика предложил стажер, — в кабинете Бунин поговорить не даст.

Глава 23

— Глаза болят? — заботливо осведомился Коля, когда я села за столик. — На дворе дождь хлещет, а вы в темных очках.

— Аллергия замучила, — лихо соврала я, поправляя огромную, закрывающую пол-лица круглую оправу, которую модные журналы называют «стрекоза».

Слава богу, что нашла очки, которые скрыли все темно-зеленые пятна. Но судя по реакции парня, теперь окружающие будут интересоваться, по какой причине я водрузила их на нос в пасмурный день. У меня уже заготовлен ответ про золотуху, лучше уж жаловаться на красные опухшие веки, чем видеть, как люди в ужасе шарахаются от «индейского вождя».

— Не повезло вам, — посочувствовал Коля.

— Давайте приступим к делу, — велела я. — Что за проблема у вас возникла?

Николай потупился.

— Вы дали Роману фоторобот мужика.

— Верно, — кивнула я.

— Бунин его по базам прогнал, но совпадений не было.

— Жаль, — расстроилась я.

Епифанцев отвернулся к окну.

— Ну... я знаю... встречал этого дядьку... он не поп...

Я не поверила своим ушам.

— Можете назвать имя этого человека?

Коля опять уткнулся взором в стол.

— Не совсем... псевдоним... место работы.

— Выкладывай! — потребовала я, переходя на «ты». — Не тяни.

Епифанцев сложил руки на груди.

— Я не штатный сотрудник, пока на испытательном сроке. Если вы поговорите с Вульфом...

— Решил заняться шантажом? — не дала я договорить стажеру. — Надумал выдвинуть условие: ты получаешь ставку и сообщаешь необходимые сведения? Николай, если Макс узнает о твоем поведении, он разозлится и...

— Вы меня не так поняли, — испугался парень, — я расскажу Костину, что знаю, Владимир сразу спросит: «Откуда тебе известно про кафе «Ликси»?» И что мне делать дальше? Правду сказать я не могу, это тайна.

— Кафе «Ликси»? — подпрыгнула я. — Оно таки есть на Ремонтной?

— Вот видите, — чуть ли не со слезами в голосе отреагировал собеседник, — уже начали задавать вопросы. Честный ответ похоронит мою мечту, закопает ее в могилу. Конфликт интересов налицо. Если я утаю сведения от следствия, поступлю непрофессионально. Сообщу, что знаю, и Вульф меня с треском выгонит. А я мечтаю работать у него в агентстве, знаете, как я старался хоть уборщиком в ваш техотдел попасть?

— По какой причине Макс должен избавиться от тебя? — насела я на Колю.

— Из-за моей плохой репутации, — признался тот, — я наделал в молодости глупостей.

Мне стало смешно.

— Зато сейчас в глубокой старости, в свои двадцать пять, тебе есть что вспомнить. Что ты натворил?

— Некрасиво поступил, — вздохнул Епифанцев, — хотел заработать, стипендия маленькая была, у матери брать деньги не хотел.

— И где ты нашел источник дохода? — не отставала я.

Николай молчал.

— Наркотики, воровство, мошенничество, участие в банде, проституция, — перечислила я. — Что из этого джентльменского набора ты выбрал? Тебя не задерживали, менеджер по персоналу тщательно проверяет анкеты претендентов на должность. Тех, кто имел проблемы с полицией, отметают сразу.

— Ой нет, — испугался парень, — я... я... я...

— Что? Говори уже!

— Танцевал стриптиз в «Ликси», — выпалил Коля, — но никогда догола не раздевался, всегда оставался в стрингах.

Я попыталась сохранить серьезный вид.

— Ладно, замолвлю за тебя словечко перед Вульфом. Стриптиз не самое серьезное прегрешение. Надеюсь, сейчас ты им больше не занимаешься?

— Иногда танцую для своей девушки, — смутился Коля, — ну... вечером.

— Замечательно, — похвалила я Епифанцева, — надеюсь, ей нравится, а теперь, когда я знаю твой секрет, немедленно выкладывай все про мужчину, чей фоторобот проверяет Роман.

— Это Шнапси, — сказал Николай, — настоящее имя его я не знаю, только творческий псевдоним. Он артист, снимается в сериалах, не в главных ролях, а в эпизодах. Еще играет в театре, забыл, как он точно называется, вроде «Современная абстракция», они там ставят дурацкие пьесы. Шнапси один раз ребятам из стриптиза билеты предложил, наши отказались, а я купил, подумал: «Ликси» с этой абстракцией на одной улице, мы шоу после закрытия «Крошки Му» начинаем поздно вечером, в театре спектакль заканчивается рано, успею до своего выхода переодеться. И пошел на игру Шнапси посмотреть.

Николай скорчил рожу.

— Перед нами он постоянно выделывался: войдет в гримерку и сразу права качать: «Эй, красавчики, заткнитесь, мне надо в образ войти. Вы голыми задницами крутите, а я по системе Станиславского работаю, мне необходимо сосредоточиться. Или замолчите, или валите в коридор, мне ваш ржач и треп о бабах-машинах мешает». Такую звезду зажигал! Я его один раз спросил: «Шнапси, чем ты лучше нас? Тоже раздеваешься перед публикой». Он меня чуть не разорвал на тряпки. «Идиот! Ты штаны просто так скидываешь и перед озабоченными бабами скачешь. А я пытаюсь похотливое стадо к искусству приобщить, у меня эстетически-хореографический номер в сопровождении музыки. На заднике всегда картины лучших художников проецируют. Не смей со мной равняться, ты идиот, а я артист с большой буквы, закончил театральный институт. «Ликси» исключительно благодаря мне на плаву держится, бабы из-за меня сюда рвутся, а не ради того, чтобы на твою задницу посмотреть». Ну я и пошел к нему на спектакль в театр. Ой, не могу!

Коля рассмеялся.

— Великий артист! Станиславский! Звезда современной сцены! Гениальный Шнапси! Он нам пел: «Знаете, почему я псевдоним взял? У меня сотни тысяч поклонниц, которые мечтают выяснить, где я живу, чтобы подстеречь звезду и кинуться ко мне с объятиями». Это он так в «Ликси» всем говорил. Сел я в зале, мест там мало, сорок, не больше, из них и треть не занята. Показывали инфернальную лабуду, я чуть со скуки не помер. Три человека ходят по сцене. Один берет стул, ставит его справа и говорит: «О!» Второй хватает стол, подтаскивает к левой кулисе и орет: «У!» Третий припер ковер, раскатал его посередине, лег и завопил: «А! А! А!» И так больше часа. Станиславский небось в могиле поседел. Я бы минут через десять после начала ушел, но все ждал, когда Шнапси появится. Он вышел в самом конце. Мне сразу понятно стало, что мужик эту сцену в клубе повторяет. Сначала выходит с бородой, весь в черном, с крестом на пузе, сгорбленный, ногами шаркает — типичный дед. Кряхтит, за поясницу держится, а потом... раз! Сел на шпагат, черную робу скинул и давай тело и растяжку демонстрировать. Правда, в театре он трусы оставил, а в «Ликси» их в самом конце скидывал, поворачивался лицом к публике, и опля, свет гас. Вот бороду и крест он никогда не снимал, даже когда голым оставался. Зачем ему крест — не знаю, по мне, это богохульство, но в «Ликси» верующие не ходят. А с бородой ясно, она полморды закрывает, небось не хотел, чтобы его кто-то из зала сфоткал и в Сеть кинул. Может, у него мать есть, перед ней стыдно будет. В заведении запрещено камерой пользоваться, да всегда найдется тот, кому плевать на табличку с перечеркнутым фотоаппаратом. Разница между театром и «Ликси» в одном состоит. В клубешнике Шнапси под конец номера похабную частушку пел, сам себе на гитаре аккомпанировал. А в «Новой абстракции» он за пианино сел, «Собачий вальс» сбацал и провыл: «Жизнь бессмысленна-а-а-а!!» Все. Занавес. Наши оборжались, когда я им рассказал. Но бабам Шнапси нравится, вид у него... загадочный! Борода, крест, вечно в черном... Типа романтический герой, всегда на себя скорбный вид напускает, всем посетительницам жалуется: «Мое сердце разбито, расколото вдребезги...» Ну и прочую дребедень вещает. Женщины в очереди давятся, чтобы Шнапси утешить. Вот чего они в нем находят? Ну, тело красивое, «банки» на руках, на животе «кубики», растяжка хорошая, на шпагат легко садился и...

— Стоп, — скомандовала я, — теперь просто отвечай на мои вопросы. Точное название театра, где Шнапси работает, не помнишь?

— Нет. Вроде «Современная абстракция».

— Может, «Новая абстракция»?

— Точно! — обрадовался Коля.

— Адрес назови!

— Ремонтная улица, почти посередине, то ли двенадцатый дом, то ли десятый, можно в Интернете уточнить.

— Где находится клуб «Ликси»?

— Там же, на Ремонтной, почти впритык к театру.

— Заведения с такой вывеской на улице нет, — возразила я.

Коля переставил солонку, перечницу, сахарницу, он явно нервничал, поэтому не мог сидеть спокойно.

— Там есть кафе «Крошка Му» с бутербродами, в него никто не ходит, но точку не закрывают, потому что после десяти вечера она превращается в «Ликси», ночной клуб исключительно для своих. Просто войти с улицы в него нельзя, нужно иметь приглашение, или чтобы тебя привел постоянный член клуба. Там работают подпольные игровые автоматы, показывают мужской стриптиз, на втором этаже есть несколько комнат, они запираются... Ну, вы понимаете, — застрекотал стажер.

Я кивнула.

— Ясно, «Крошка Му» служит прикрытием для «Ликси», помеси борделя и игорного дома. Клиентура, полагаю, постоянная.

— В основном это хорошо обеспеченные женщины за сорок, — объяснил Николай. — Я часто видел в зале одни и те же лица, правда, и новенькие появлялись. Я теток в спальнях не обслуживал, только танцевал, а вот Шнапси туда ходил. Вы объясните Вульфу, что я ради раскрытия дела наплевал на свою репутацию, честно признался, чем в студенческие года занимался, а сейчас раскаиваюсь и сожалею о глупом поступке. Мне, честное слово, стыдно, молодой очень был, денег хотелось, а в «Ликси» хорошо зарабатывал, бабы полные плавки купюр набивали, нравился я им.

Глава 24

— Шнапси? — поразился Роман, услышав от меня имя. — Ржунимагу!

— Когда закончишь смеяться, поищи эту личность в Интернете, — попросила я, — уверена, у него есть сайт, аккаунты в соцсетях, где-то должна всплыть сия кличка. Он, думаю, ищет клиенток — любительниц красивых мужчин.

— Решила научить профессионала уму-разуму? — мигом надулся Бунин. — Как ты на этого Шнапси вышла?

— У девушек свои секреты, — улыбнулась я и собралась идти в лабораторию к эксперту Лене Глаголевой.

— Погоди, — остановил меня Роман, — пришел отчет Сергея Петровича, он считает, что предсмертное послание написано Обжориным. По мнению ученого, Никита Владимирович составлял текст не в машине, только что сбив человека, и не в момент острого стресса. Графолог уверяет: по почерку можно понять, в каком душевном состоянии находился автор записки. Так вот, Обжорин был спокоен. Сергей Петрович полагает, что письмо заготовлено заранее и Обжорин его переписывал с черновика.

— Так я и думала! — воскликнула я.

— Никто в офисе твоего мужа не сомневается в твоей гениальности, — съязвил Роман.

Если человек тебя терпеть не может и постоянно пытается спровоцировать на скандал, ни в коем случае нельзя идти у него на поводу. Я нежно посмотрела на Бунина.

— Рома, мне неудобно от того, что ты постоянно меня хвалишь. Знаю, на самом деле я не особенно талантливый детектив. Но мне очень приятны добрые слова, спасибо за поддержку. Ты настоящий друг.

Бунин приоткрыл рот, но не произнес ни слова. Да и что он мог сказать? Я помахала ему рукой и убежала к эксперту.

* * *

— Интересная картина, — пропела подруга, когда я сняла очки. — Зачем ты так разукрасилась?

Мне пришлось рассказать про аллергию и краску, которую я использовала вместо крема.

— Засунула голову в СВЧ-печку? — заржала эксперт. — Креативно.

— Хватит потешаться, лучше помоги, — взмолилась я, — неудобно ходить в очках от солнца, темно.

— И с этим не поспоришь, — согласилась Лена, — ложись.

— Куда? — не поняла я.

— На стол.

— Ни за что, — передернулась я, — ты на нем трупы вскрываешь.

— Он совершенно чистый, — возмутилась Глаголева, — отмыт, продезинфицирован. В чем проблема?

— Лучше сяду на табуретку, — сопротивлялась я.

— Нет, — уперлась Лена, — мне удобно, когда тело лежит. Хочешь избавиться от краски?

Я кивнула.

Глаголева похлопала ладонью по нержавейке.

— Тогда вперед.

Делать нечего, пришлось подчиниться. Когда я умостилась на жесткой поверхности, Ленка приподняла мою голову, подсунула под нее подставку, зажгла большую круглую лампу, натянула перчатки, прикрыла свое лицо прозрачным щитком и взяла какую-то изогнутую железку.

— Эй, эй, — испугалась я, наблюдая за ее действиями, — смотри, не разрежь меня по привычке.

— Лежи молча, — велела Глаголева, — разговаривающий объект на столе из равновесия выбивает. Сейчас изучу проблему и пойму, как от нее избавиться.

Минут через десять Глаголева вынесла вердикт:

— Отодрать «Скоромаляр» плевое дело, но не получится.

— Если от этой дряни легко избавиться, то почему ничего не выйдет? — не поняла я.

Глаголева подняла со своего лица прозрачный щиток и потрясла перед моим носом бутылкой из синего стекла.

— Намочу ватную палочку этим раствором, и зелень растает.

— Прекрасно. Давай, — обрадовалась я.

— Ну, если ты настаиваешь, то ладно, — серьезно ответила Лена, — но должна тебя предупредить, данный препарат растворит кожу, как на лбу, так и на веках, и он очень токсичен.

— Этим пользоваться не надо, найди другой, — потребовала я.

Глаголева вытащила из ящика нечто, смахивающее на циркулярную пилу.

— Можно им шлифануть, действует по принципу машины для циклевки паркета. Но, полагаю, тебе это тоже не по вкусу придется.

— С ума сошла! — возмутилась я. — Придумай для меня что-нибудь приятное.

— Могу предложить чаю с сушками, — вздохнула Глаголева, — ты прямо как Костин, он пришел позавчера, занял: «Глаголева, избавь меня от фурункула на спине, боюсь идти в поликлинику, врача там не знаю». Я скальпель взяла и за дело, а Володя заорал: «Больно, почему не заморозила!» Вот так всегда, сначала просите, потом недовольны. Нет у меня обезболивающих уколов или кремов. За фигом они тем, кого сюда привозят? Вот и тебе целых два средства предложила, а ты от всех нос воротишь.

— Циклевка лица слишком экстремальна, — возразила я, — думала, ты чем-то потрешь мою мордочку, применишь растворитель.

Лена опять потянулась к синей бутылке.

— Вот же он!

— Спасибо, не хочу остаться без кожи, — отказалась я.

— Значит, ходи зеленая, — развела руками патологоанатом, — хотя...

— Ты что-то придумала! — обрадовалась я.

— Стопроцентно успешный результат не гарантирую, но попытаться можно, — пробурчала Лена. — Раздевайся.

— Зачем? — насторожилась я. — На тело краска не попала.

Глаголева показала на агрегат, напоминающий хлебницу, только очень большую и со всех сторон стеклянную.

— Хочу воспользоваться этим аппаратом.

— Отлично, засуну в него башку, — предложила я.

— Тогда он не закроется, — начала злиться Глаголева. — Слушай, у меня дел полно.

Я дала задний ход.

— Ладно, ладно. А в одежде туда нельзя? Неудобно голой при тебе.

Глаголева почесала переносицу.

— Романова, я работаю исключительно с так сказать обнаженной натурой, полагаю, в твоем случае не увижу ничего удивительного. Хочешь избавиться от краски? Тогда прекращай капризничать. А, поняла! Ты ждешь, что я тебя угощу таблеткой, ты ее проглотишь, потрясешь головой, и краска осыплется на пол. Так?

— Это лучшее решение проблемы, — согласилась я.

— Но подобное невозможно, скажи спасибо, что я ищу хоть какой-то способ, — возмущенно произнесла Лена. — Поясняю: в этом аппарате вырабатывается пар, твои шмотки станут влажными. И кто-нибудь может войти, Бунин, например, он противный, вечно ко мне цепляется, увидит в определителе одетое тело, пристанет с вопросами.

— Что такое определитель? — заволновалась я.

Лена закатила глаза.

— Романова, у тебя минута на размышление. Или слушаешься меня, или до свидос. Время пошло. Пятьдесят девять секунд, пятьдесят восемь...

Я быстро стянула пуловер, джинсы, скинула белье и улеглась в «хлебницу».

— Не шевелись, — приказала Глаголева, — десять минут, и все. Ну, устроилась?

— Очень жестко, — заныла я, — и холодно.

— Да ну? — удивилась Глаголева. — Капризуля! До тебя никто не жаловался.

— И много живых людей тут до меня устраивалось? — хмыкнула я.

— Ты первая, — ответила эксперт. — Внимание! Сейчас опущу крышку, емкость начнет заполняться паром. Лежи смирно.

— Не задохнусь, случайно? — забеспокоилась я.

— До сих пор никто не пострадал, — пожала плечами Ленка.

Я поежилась, ну да, тем, кого сюда запихивают, кислород уже не нужен.

— Закрой глаза, — вещала Глаголева, — и замри, иначе отпечатки не проявятся.

— Какие отпечатки? — заморгала я.

— Пальцев.

— Чьих?

— Убийцы. Ты перестанешь наконец болтать? И как только врачи в больницах с живыми работают? — негодовала эксперт. — Рот у них не закрывается.

— Лена! Мне надо удалить краску с лица, — напомнила я.

Глаголева осеклась, но уже через секунду продолжила:

— Не важно. Оборудование дорогое, оно не привыкло, что в нем кто-то вертится. И последнее: мы подруги, поэтому я и взялась тебе помогать. Но я не имею права использовать прибор в личных целях. Поэтому, если кто сюда зайдет, не шевелись, помни: ты труп! Не подведи меня! Народ разный, побегут начальству стучать, Бунин, например.

— Не переживай, заступлюсь за тебя перед Максом, — пообещала я.

— Просто веди себя, как велю, расслабься и получай удовольствие, — приказала Глаголева и включила прибор.

Послышалось гудение, я повернула голову и вдруг сообразила, что агрегат совершенно прозрачный: он же стеклянный. Если сейчас во владения эксперта кто-то заглянет, то увидит меня голую во всех подробностях. Я собралась уже застучать по закрытой крышке, но тут емкость начала наполняться паром. Я слегка успокоилась, белый туман скроет фигуру, можно не переживать по поводу обнаженки. Через какое-то время мне стало тепло, потом влажно, слишком горячий воздух обжигал нос и щипал глаза. Я закрыла веки и постаралась глубоко не дышать. Нет, долго я так не выдержу. Это похоже на посещение парной, а я терпеть не могу баню. В тот момент, когда я уже совсем собралась колотить по стеклу, повеяло прохладой. Я открыла глаза, поняла, что туман рассеивается, и вдруг увидела: около контейнера кто-то стоит, и это не Лена, а мужчина... Роман!!! Помня слова Глаголевой, что надо изображать труп, я молча уставилась на компьютерщика. Брови Бунина взметнулись вверх, глаза сделались круглыми и вылезли из орбит. У него был такой ошарашенный вид, что я не выдержала и рассмеялась. Компьютерщик развернулся и выбежал из лаборатории, стеклянный аппарат издал чихающий звук, откуда ни возьмись появилось облако красной пыли и обрушилось на меня.

— Ленка! — заорала я. — Что за чертовщина?

Глаголева открыла агрегат.

— Больше никогда не стану тебе помогать. Сто раз повторила: лежи тихо! Бунин убежал с воплем, уже несется к Максу или Костину.

— Не волнуйся, я решу проблему, — пообещала я. — Чем меня завалило?

— Долго объяснять, — вздохнула Лена, — держи мыло, одноразовое полотенце висит в душе. Вымойся как следует, лицо потри вот этим раствором, нальешь его на губку, вот она.

— Похоже на наждачную бумагу, может, не надо? — засопротивлялась я.

— Надо, Федя, надо, — буркнула Глаголева, — действуй.

Минут через пятнадцать, когда я, полностью одетая, вышла из санузла при лаборатории, Глаголева сунула мне в руки зеркало.

— Любуйся!

Глава 25

— Ленка! Ты гений! — закричала я. — Пятна исчезли. Мама!!! Катастрофа!

— Что опять не так? — скривилась эксперт. — Романова, у тебя мерзкий характер. Вечно всем недовольна. Хотела избавиться от краски? Теперь ее нет! Скажи умной, гениальной Леночке «спасибо» и сматывай удочки.

— Брови, — прошептала я, — и ресницы.

— Они есть у всех, — назидательно сказала Глаголева, — природа предусмотрела растительность на лице для защиты органов зрения.

— Лена, — еле слышно произнесла я, — у меня сейчас брови торчат перпендикулярно к лицу, выглядит это так, будто над веками прикрепили тент, как над летним кафе, а ресницы задрались вверх и соединились с ним. И тебя не смущает, что мои волосы теперь красные?

— Где? — спросила Глаголева.

— На голове!

— А какие они были?

— Я блондинка!

— Ерунда, — отмахнулась эксперт, беря пинцет, — пару раз воспользуешься шампунем, и все пройдет, вот с бровками интересненько. Лампа, можешь пожертвовать кое-чем ради науки? Ни разу не видела, чтобы у тела, вынутого из определителя, такая фигня на лице получалась. Дай-ка мне образец. Охота изучить его.

Я не успела ответить, Глаголева быстрым движением поднесла к моему лицу щипчики.

— Ой, — взвизгнула я, — больно.

— Не выдергивается, — удивилась эксперт, — странновато. Ну-ка, с другого глаза.

— А-а-а! — заорала я.

— Удалось! — обрадовалась Ленка.

— Глаголева, — закричали из коридора, — тебя Малахов зовет, просит отчет принести.

Лена пошла к компьютеру.

— Что делать с лицом и волосами? — растерянно спросила я.

— Живи спокойно, Романова, — пробубнила Ленка, возя мышкой по коврику, — все уладится, сегодня плохо — завтра хорошо. Зеленых пятен нет, и отлично. Учись радоваться любой удаче.

— Моргать неудобно, — пожаловалась я.

— Не ной, — скомандовала Глаголева, — топай отсюда, я ухожу, лабораторию запереть надо.

Делать нечего, я выскочила в коридор и поспешила к Бунину, но в техотделе оказался один Николай.

— А где Роман? — удивилась я.

— Давно ушел в лабораторию и еще не вернулся, — отрапортовал Епифанцев, — мне удалось установить личность Шнапси.

— Молодец! Рассказывай, — велела я.

Николай показал на один из мониторов.

— Игорь Федорович Артемьев, тридцать лет. Родился в поселке Красная Слобода. В Москву приехал к тетке. Много раз пытался поступить в театральный вуз, но дальше первого тура никогда не проходил. Живет в коммунальной квартире, в комнате, которая ему досталась после смерти родственницы. Между прочим, дом, где прописан Артемьев, находится прямо напротив нашего офиса. Место работы: санитар в морге. Три года назад родственники одного из покойных обвинили Игоря Федоровича в краже. Они дали ему часы стоимостью более тридцати тысяч долларов и попросили надеть их на руку усопшего. Санитар выполнил пожелание, но в крематории сын умершего заметил, что на запястье отца не оригинальный вариант, а дешевая китайская копия, которую за копейки легко купить в Интернете. Разразился скандал. Но доказать факт воровства не удалось, Артемьев клялся, что в момент, когда гроб погрузили в катафалк, баснословно дорогой брегет находился при покойном. А уж что случилось по дороге, Игорь понятия не имеет. Санитара не задержали, он ушел работать в другой морг. В театре «Новая абстракция» Шнапси не на окладе. Заведением владеет хозяин консервной фабрики, он же сам ставит спектакли. Актеры не профессионалы, платят им за выступление, никто на ставке не сидит. Артемьев занят в нескольких постановках, его роли связаны с обнажением на сцене, режиссер использует внешние данные красавчика. Театр имеет сайт в Интернете, там указан репертуар, приведен список артистов, зрители могут написать отзыв. В основном постановки ругают: «Ерунда фиговая», «Чушь кошачья», «Лучше б я не билет на эту дрянь купила, а зефир к чаю», «Удавись, Станиславский», «Закрой парашу, если денег девать некуда, отдай их бедным людям». Но есть и положительные оценки. В адрес Шнапси поток восторгов от теток, которые млеют от его накачанной фигуры, и ведра помоев от тех, кто оценивает его актерские способности. У Игоря аккаунты во всех соцсетях, он там под своей фамилией и, судя по переписке, готов выезжать на вечеринки или для приватных танцев. Про клуб «Ликси» мужик помалкивает, и понятно почему. Если Шнапси о подпольном заведении проболтается, он получит такое море неприятностей, что в ближайшие пятьдесят лет его не вычерпает. У Артемьева есть кредитка. До недавнего времени на ней было мало денег, Игорь не мог похвастаться большими доходами. Но недавно он внес сто пятьдесят тысяч долларов, которые бойко начал тратить: купил джип, много дорогой одежды-обуви, поел в ресторанах и приобрел тур на две недели, собрался улететь на Мальдивы.

— Когда? — уточнила я.

— Послезавтра, — ответил Николай.

— Молодец! — похвалила я парня. — Надеюсь, мобильный у звезды сцены есть, и ты его знаешь.

— Он еще самый дорогой айфон приобрел, — наябедничал Епифанцев, — сейчас вам номер эсэмэской сброшу.

У меня сильно зачесался правый глаз, пришлось снять черные очки и потереть веко. Николай молча смотрел на меня, потом тихо спросил:

— Извините за любопытство, Евлампия, а как вы такое с ресницами и бровями сделали? Они у вас сегодня оригинально выглядят. И волосы супер, цвет крутой!

Я проигнорировала вопрос стажера, встала и двинулась к двери.

— Лампа, — крикнул мне в спину Николай, — можно ваше лицо сфоткаю? У меня девушка ведет в Интернете бьюти-блог, она разные луки собирает, у нее много посещений.

Я обернулась, Епифанцев живо щелкнул айпадом.

— Не желаю, чтобы мое имя светилось в Сети, — отрезала я.

— Понял, — сказал Епифанцев, — а вот моя мама не возражает, когда ее Марина у себя выставляет. Хотя мамуля тоже сыщик, она под прикрытием работает.

— Николай, если твоя мать служит в полиции и выполняет особые поручения под чужим именем, об этом нельзя никому рассказывать, — строго сказала я.

— Вам можно, — заулыбался Епифанцев.

— Нет! Нельзя, — возразила я, — ты не имеешь права болтать о чужой службе.

— Она не полицейская, — начал Коля, — и вы ей нравитесь, я часто рассказываю дома о вас.

Я решила не продолжать беседу, вышла в коридор и наткнулась на Бунина, который именно в этот момент собрался войти в кабинет.

— Лампа! — дернулся Роман.

— Привет, привет, — расцвела я, — ты раздобыл сведения о человеке по прозвищу Шнапси?

— Фу-у, — выдохнул Бунин, — пока не успел. Макс приказал кое-что у Глаголевой забрать, отсканировать и ему отправить. Я спустился в морг... а там...

— Не беспокойся, я уже получила информацию, — остановила я Романа и стала ждать взрыва его негодования.

Но компьютерщик не стал злиться.

— Романова, ты жива? Я зашел к Ленке, а там твой труп!

— Да ну? — всплеснула я руками. — Извини, если тебя разочаровала, но пока еще на этом свете присутствую.

— Сначала я прифигел, — непривычно жалобно завел Бунин. — Ну когда с тобой беда случилась? Ты нсприятная дама, вздорная, вечно споришь, мужу на меня жалуешься. Но даже самому плохому человеку смерти желать не по-христиански.

Роман потряс головой.

— Около определителя стоял, он как раз выключился, пар ушел, а твой труп глаза открыл и заржал.

— Не может быть, — сдавленным голосом отозвалась я, — мертвецы не хохочут.

— Этот во всю пасть гоготал, все клыки кривые наружу!

— У меня идеально ровные зубы! — возмутилась я и осеклась.

Но Бунин ничего не понял, он продолжал рассказ:

— Я выскочил в коридор, побежал в туалет, умылся. Очень не хотел к Глаголевой возвращаться, но надо Максу документы приготовить. Пришлось назад идти. Вошел в лабораторию, глянул на определитель, а он пустой. Спросил у Ленки: «Слушай, ты уверена, что Романова померла? Ее труп мне сейчас в лицо ржал. Ты хорошо проверила тело? Помню, как у нас мужик в холодном ящике очнулся». Глаголева давай огнем плеваться: «Я тогда не работала. И у меня подобного не случится. Думаешь, я способна запихнуть в аппарат живую? Она же там от пара задохнется. И с какой стати мне это делать? Нет, Рома, кто в определитель попал, тот отсюда на своих ногах не уходит. Я аппаратуру исключительно по назначению использую. Краску с лица ею не удаляю. И в аппарате сегодня никого не было, у тебя глюки».

Бунин расстегнул воротник рубашки.

— Но я тебя видел! А Глаголева утверждает, что тебя в морг не привозили. Готов поклясться, ты там лежала! Хохотала!

Я посмотрела на картонный стакан, который Роман держал в руке.

— Сколько кофе ты сегодня выпил?

— Не знаю, не считал, — ответил Бунин, — пять, шесть порций. Вчера у компа долго сидел, утром никак проснуться не мог.

— Понятно, кофеиновое отравление, — с видом знатока объявила я, — небось еще и не поел нормально.

— Чипсами перекусил, — пояснил Бунин, — с запахом бекона.

— На завтрак надо есть овсянку или гречку, — посоветовала я, — глотать литрами кофе не следует. Лучше пить зеленый чай, от него сон мигом прочь улетит. Ленка права, у тебя глюки. Я жива.

— Можно потрогаю тебя? — испуганно попросил Бунин.

Я протянула ему руку.

— Желаешь убедиться, что имеешь дело не с зомби? Начинай вести здоровый образ жизни, и все наладится.

— Перестанет мерещиться дрянь, вроде тебя в морге? — задал гениальный вопрос Роман.

— Правильная еда, исключение кофеина, режим дня помогут, — пообещала я.

— А-а-а, — протянул Бунин, — попробую...

— Вот и отлично, — сказала я.

Помахав стоявшему с растерянным видом Бунину рукой, я пошла к лифту и услышала за спиной:

— Романова!

Я обернулась.

— Да?

— Почему труп хохотал?

Я нажала кнопку вызова лифта.

— Глюки живут по своим правилам.

— Что у тебя с глазами?

— Аллергия, — нашла я ответ.

— А с волосами чего?

— Покрасила. Решила сменить имидж. Еще вопросы имеются? Задавай, не стесняйся, вероятно, тебе интересно узнать мой вес, рост, размер обуви, — продолжала я.

Подъехавший лифт бесшумно открыл двери, я юркнула в кабину, нажала на кнопку с цифрой «три» и поехала вверх. Да уж, денек сегодня замечательный, сначала я проснулась с зелеными пятнами на лице, потом от них избавилась, зато приобрела красный цвет волос и удивительную конструкцию под названием «броворесницы». Теперь мне неудобно моргать, да и выглядит «икебана» странно, а еще я вынесла мозг Роману. Зато выяснилась правда про Игоря Артемьева. Где санитар из морга, подрабатывающий стриптизом в подпольном клубе «Ликси» и выступающий почти даром на сцене театра, раздобыл сто пятьдесят тысяч долларов? Ответ прост: он снял с шеи покойной Лауры ключ от банковской ячейки и забрал себе ее содержимое. Кто, кроме покойного Никиты Владимировича, Лауры и Елены Яшиной, мог знать, где хранятся деньги? Только заказчик убийства Сыркина.

Я вышла из лифта, набрала номер лучшей подруги Кривоносовой и сказала:

— Добрый день, Лена.

— Я узнала вас, — нервно отреагировала Яшина. — Есть новости?

— Вы знакомы с Игорем Федоровичем Артемьевым, он выступает в клубе «Ликси» и театре «Новая Абстракция», — задала я свой вопрос.

— Нет, я танцульки не посещаю, возраст не тот, на спектакле в последний раз была лет пять назад, ходила балет смотреть, — пояснила Елена. — Про Артемьева не слышала. И учеников с такой фамилией у меня нет. А что?

— Со Шнапси не встречались? — продолжила я.

— С кем? — удивилась педагог. — Это кто?

— Забудьте, — велела я.

Глава 26

— Примчится через десять минут, — ухмыльнулся Костин, откладывая телефон, — повезло, что Шнапси живет напротив. Ну и дурацкий псевдоним у мужика. Полагаешь, он заказал Сыркина?

— Считаю Артемьева посредником, — пояснила я, — у него таких денег никогда не было, Шнапси не мог отсчитать гору долларов. Думаю, дело обстояло так. Некто нанял Артемьева для поисков человека, способного убить Виталия Павловича. Шнапси справился с задачей, он договорился с Обжориным. После того, как Никита погиб, заказчик велел санитару поехать домой к Лауре, забрать у нее ключ и унести из банка доллары. То, что сумма не достанется вдове, человек, задумавший лишить жизни Сыркина, знал с самого начала, поэтому спокойно вручил Обжорину огромную сумму. Стриптизер по натуре вор, он один раз украл у покойного в морге часы, но ему мародерство сошло с рук. Шнапси решил, что ему все можно, и присвоил денежки заказчика.

— Рискованно, — оценил поступок санитара Володя, — и глупо. За такое ему здорово достанется, в суд богатый дядя не пойдет, сам накажет проныру.

— Когда речь заходит о весьма приличной сумме в валюте, у некоторых представителей человеческого рода отказывает мозг, — добавила я.

— Неплохая версия, — одобрил Костин. — Но кто звонил в службу спасения? Почему этот человек отказался представиться? Почему у него незарегистрированный телефон? Что побудило его сбежать, не дождавшись врачей?

— Вот уж не ожидала от тебя таких вопросов! — удивилась я. — Стандартная ситуация. Представь! По улице в гости к даме сердца идет неверный муж, при себе у него телефон, купленный для общения с любовницей, жена ни о чем не догадывается. Парень обманывает законную супругу, но он добрый человек. Прелюбодей идет по Ремонтной и вдруг: ба-бах! Машина Обжорина сбивает Сыркина. Большинство людей в такой ситуации кидается к жертве, потом к водителю. Прохожий так и поступил, когда он заглянул в «Жигули», увидел Никиту в крови, тот еще дышал, и вызвал врачей по телефону, который лежал в кармане. Так поступить ему велела совесть, но через секунду в мужике ожил прелюбодей и стал шептать: «Сейчас прикатит «Скорая», увидит, что пешеход умер, вызовет полицию, патруль примется задавать вопросы, доставит меня в отделение. Не дай бог, супруга. выяснит, что я не сидел на совещании, а не пойми где разгуливал. И телефон у меня «левый». Именно поэтому парень удрал. Будешь спрашивать, почему он не представился дежурному на пульте?

Костин хотел что-то сказать, но тут дверь кабинета распахнулась, и появился крупный мужик, одетый в черный сюртук, на груди у него сверкал монументальный крест.

— Здрасти, — прогудел он. — Я по адресу попал? Мне звонили от продюсера сериала, просили срочно прийти.

— Вы Игорь Федорович Артемьев, творческий псевдоним Шнапси? — спросил Костин.

— Он самый, — подтвердил посетитель и плюхнулся на стул, — я синтетический артист, могу исполнить любую роль. Прекрасно пою, танцую, играю на гитаре, пианино, исполняю акробатические этюды.

— Да ну? — включилась я в игру. — Вы не кажетесь спортивным. Нам нужен актер с хорошей фигурой. Красавец. По сюжету ему придется раздеваться.

Артемьев улыбнулся, встал, расстегнул сюртук, отработанным движением скинул его и, встав в классическую позу бодибилдера, осведомился:

— Ну как?

— Впечатляет, — кивнула я, — вы просто Аполлон.

Шнапси начал одеваться.

— В театре «Новая Абстракция» в одном спектакле я выхожу в просторной одежде и с бородой, на шее здоровенный крест. Зритель думает, что мне сто лет, я еще горблюсь, ногами шаркаю. А потом... раз... и сел на шпагат. Каждый раз звучат овации.

Вовка протянул Шнапси листок.

— Хорошо, можете прочитать небольшой текст? Сцена такова: вы пришли домой, на полу лежит сосед по комнате, он застрелился, вы звоните в «Скорую». Забыл предупредить, мы снимаем детектив. Вы как к развлекательному жанру относитесь? Может, принципиально в криминальных лентах не снимаетесь?

— Я готов на все, — отрапортовал Артемьев. — Могу голым чечетку сплясать.

Я изобразила радость.

— Отлично. Владимир вам рассказал о сцене, начинайте.

Артемьев взял листок и с готовностью произнес текст.

— Так пойдет? Могу с другой интонацией.

— Сделаем несколько вариантов, — сказал Володя.

— Какое у вас образование? — поинтересовался Костин, когда Шнапси перестал вещать.

— Театральный институт, — не моргнув глазом, соврал санитар.

— Ваше основное место работы? — задала я свой вопрос.

— Театр «Новая Абстракция», — объявил Шнапси, — я много гастролирую, занят в разных антрепризных постановках.

Минут пятнадцать мы вели с Артемьевым неспешную беседу, Шнапси бесстыдно врал, изображая из себя звезду. Наконец дверь открылась и появился Роман.

— Ну как? — спросил у него Костин.

— Полное совпадение, — ответил Бунин, — это он. Все материалы я сбросил тебе на почту. Я, пожалуй, с вами останусь.

Вовка посмотрел на Артемьева.

— Игорь Федорович, не так давно вечером неизвестный мужчина обратился в «Скорую». Все звонки на пульт непременно записываются. Вот сообщение анонима.

Костин тронул мышку, из компьютера донесся голос.

Лицо Шнапси вытянулось, а Володя продолжал:

— Наш эксперт только что сравнил голос незнакомца с вашим и выявил полное совпадение. Это вы сообщили о дорожно-транспортном происшествии. В тот день вы были заняты в спектакле в театре «Новая Абстракция». Но еще санитару морга предстояло выступить в подпольном клубе «Ликси». Оба заведения находятся на одной улице. Вы решили пробежать от театра до клуба в гриме, мы знаем, что и в спектакле, и подпольном заведении вы изображаете сначала немощного дедулю, а потом, раздевшись, исполняете стриптиз и собираете аплодисменты публики.

— А что плохого я сделал? — ожил Шнапси. — Вы не продюсеры?

— Детективы, — уточнил Костин.

— Обманули меня, — разгневался санитар, — устроили комедию.

— Игорь Федорович, выслушайте нас, — попросила я. — Кто велел вам найти человека, согласного сбить машиной Сыркина? Вы приказали Обжорину совершить наезд около десяти вечера, это время было выбрано не случайно. Спектакль в театре завершился, гудеж в «Ликси» пока не стартовал. Вы хотели лично присутствовать при акции. Записывали происходившее, чтобы отчитаться перед клиентом? Подошли к машине, чтобы убедиться, что Никита не струсил и застрелился? Зачем вызвали «Скорую»?

— Нет, нет, нет, — в ужасе закричал Шнапси, — я не имею ни малейшего отношения к произошедшему. Просто шел мимо.

— Игорь Федорович, после устранения Сыркина вы положили на свой банковский счет сто пятьдесят тысяч долларов, — мирно продолжил Володя. — Опрометчивый поступок. Любые финансовые операции с использованием кредиток легко отслеживаются. Вот вам выписка, покупка автомобиля...

Шнапси стал ломать пальцы, а Костин рассказал ему о дорогих приобретениях и поинтересовался:

— Игорь Федорович, откуда у вас эти деньги?

— Нашел, — быстро соврал Шнапси, — шел домой, гляжу, на дороге сумка, а в ней баксы, никаких записок не было...

— Чудак-человек, — влез в беседу Бунин, — ты о криминалистике слышал? Про отпечатки пальцев знаешь?

— Я их нигде не отпечатывал! — взвизгнул Артемьев. Костин налил ему воды.

— Игорь Федорович, в тот момент, когда вы душили Кривоносову, рядом в шкафу прятался вор. Он проник в квартиру Лауры, чтобы кое-что украсть, услышал шаги и залез в гардероб. Вы не удосужились тщательно проверить помещение, начали его обыскивать, а затем лишили жизни спящую на диване Лауру. Грабитель хорошо рассмотрел человека, который душил хозяйку. Вы загримировались, приклеили свою сценическую бороду, пришли в черной одежде с крестом, но это не помешает опознанию.

— Знаешь, сколько волос теряет человек за день? — опять без спроса вклинился в разговор Роман. — В среднем около сотни. Криминалисты перелопатят однушку, я готов спорить на годовой оклад: они найдут хоть один твой волосок, его для анализа ДНК хватит.

Артемьев шумно дышал:

— Нет-нет, все не так! Я никого не убивал!

«Это чистая правда, — подумала я. — Мы знаем, что Лаура была мертва до появления стриптизера, и ее не задушили, а отравили снотворным».

— Мне требовался ключ, — каялся Шнапси, — от ячейки с долларами. Я соблазнился деньгами. Сто пятьдесят кусков! Про этого Сыркина я вообще никогда не слышал! Не нанимал убийцу. Я ни при чем, просто хотел... купить машину и отдохнуть по-человечески, одеться... работаю, работаю, а ничего не получаю, еле-еле на жрачку хватает. Устал от нищеты.

— Мы могли бы вам поверить, но мешает маленькая деталь, — остановила я Артемьева, — если вы никогда ранее не виделись с Обжориным...

— Никогда, никогда, никогда, — эхом повторил Шнапси.

— И не слышали про Сыркина...

— Не слышал, не слышал, не слышал...

— То откуда узнали по валюту, как выяснили название банка, в котором находится ячейка, адрес Никиты Владимировича? — договорила я.

— Нестыковочка. Печалька, — подхватил Бунин.

— Он мне исповедался, — выпалил Шнапси. — Сейчас расскажу правду, только правду, и ничего, кроме правды! Клянусь!

— Начинай, — скомандовал Бунин.

Я покосилась на Володю. Почему Роман здесь распоряжается? Бунин начальник техотдела, он должен был принести отчет об исследовании записи голоса, дать объяснения и уйти, а не вести допрос.

— Уже говорю, — засуетился горе-актер.

Глава 27

В день, когда случилось ДТП, Шнапси выступил в спектакле на сцене театра и побежал в «Ликси». Снимать парик с длинными седыми волосами, отцеплять бороду и переодеваться парень не стал. Зачем заморачиваться, если в клубе ему предстоит исполнить ту же роль, что и в театре? Артемьев, придумывая выступление для женщин, сильно не напрягался, он просто повторял роль в спектакле. Сначала появлялся в образе старика, охал, ахал, хватался за поясницу, потом срывал с себя одежду и начинал петь и плясать. Зачем ему понадобился большой крест на толстой цепи? Костюм придумал режиссер и владелец театра, стриптизер с ним не спорил. Игорь был неверующим, он не считал кощунством кривляние перед публикой в таком виде. И потом, это же театр и клуб, насильно в зал никого не затаскивают, если вам неприятно, не посещайте подобные заведения. Таково мнение Шнапси, и, похоже, те, кто наслаждался выступлениями стриптизера, его разделяли.

Пару раз Артемьев, устав от акробатических па, ехал домой в сценической одежде и понял: кое-кто из пассажиров метро принимает его за церковнослужителя. Игорю уступали место, его не пинали в спину, видели крест на черной одежде и почтительно пропускали вперед. Шнапси сообразил, что длинная борода и парик усиливают эффект, но даже без них он вызывает у людей уважение. После того, как продавщица в супермаркете, обхамившая на глазах у Игоря несколько человек, тихо сказала ему: «Батюшка, не берите колбасу, у нее срок годности вышел», он понял, что грех не воспользоваться наивностью простого народа, полагавшего, что большой крест, надетый на длинный черный свитер, равен большому благочестию, и Игорь стал везде появляться в этом образе. Священником он себя не называл, да оно и не требовалось, люди сами принимали Шнапси за служителя церкви. И в тот день, когда Обжорин застрелился, танцовщик шел в «Ликси» с бородой и в седом парике.

Рабочий день давно закончился, прохожих не было, только по другой стороне улицы шагал какой-то мужик. Вскоре он решил перейти дорогу. И тут старые «Жигули», мирно припаркованные вдали, вдруг резко стартанули с места и понеслись вперед на огромной скорости. «Во дает металлолом, — подумал Шнапси, — ничего себе чешет, а на вид рухлядь».

Незнакомец как раз пересекал дорогу, он остановился. Проезжая часть широкая, никакого транспорта не было, развалюха легко могла объехать человека, который не метался туда-сюда, а мирно ждал, когда автомобиль проедет, но «девятка» врезалась прямо в пешехода.

Артемьев давно работает санитаром в морге, трупов он не боится, не раз видел жертв ДТП, но, согласитесь, одно дело, когда тело привозят к тебе на каталке, и совсем другое — самому наблюдать момент смерти. Шнапси стало дурно, но он быстро пришел в себя и приблизился к месту происшествия. Почему он не ушел? Несмотря на то что Игорь мог прибрать к рукам чужую собственность, давно стал циником и не испытывал ни малейшего неудобства от того, что пляшет голым с крестом на шее, он сохранил в душе немного доброты. Игорь подумал, что жертва может быть жива, ей, вероятно, нужна помощь. А еще тихий внутренний голос, которому он очень доверял, шепнул: «Погляди, чего там да как, сдается мне, тебе сегодня выпала козырная карта». Шнапси наклонился над жертвой. Опытному санитару хватило секунды, чтобы понять: перед ним мертвец.

«Теперь загляни в раздолбайку, — посоветовал все тот же голос. — Почему водитель не выходит? Он остановился, значит, удирать не собирается».

Шнапси постучал пальцем в стекло дверцы шофера.

— Эй! Ты как? Жив?

Ответа не последовало. Игорь открыл автомобиль и замер, он увидел мужика в окровавленной рубашке, пистолет, а рядом мобильный телефон... Виновник ДТП был жив. Шнапси обежал «девятку», распахнул пассажирскую дверцу, схватил трубку водителя, вызвал

«Скорую» и хотел уйти. Игорь не собирался дожидаться докторов и рассказывать им о наезде. Времени до начала представления в «Ликси» было предостаточно, но Артемьев не имел ни малейшего желания тратить его на общение с полицейскими, которых непременно вызовут врачи. Но тут он услышал шепот:

— Батюшка, отпустите грехи.

Шнапси понял, что водитель очнулся, принял его за священника, и поспешил успокоить мужика:

— Помощь уже едет, вас спасут.

— Нет, не надо, — тихо заговорил незнакомец. — Батюшка, отпустите мне грехи. Господь добр, раз вас сюда послал. Я очень виноват, я...

Шнапси замер. Ему не хотелось слушать чужую исповедь, он собирался уйти, но как покинуть того, кто посчитал тебя священником и сейчас кается? Игорь подлый человек, но у него не хватило окаянства на такой поступок, правда, он собрался объяснить водителю, что является актером, но тут убийца пешехода произнес: «Мне заплатили сто пятьдесят тысяч долларов...», и Шнапси превратился в слух.

Раненый говорил тихо, но внятно. Он рассказал, что сбил человека за деньги, а потом покончил с собой, так как смертельно болен, ужасный поступок он совершил не из корысти, а ради жены Лауры: та не должна жить в нищете. Рассказал про бандероль и ключ.

— Батюшка, отпустите мне грехи, — повторял шофер, — зайдите к моей жене, скажите, что я только ради нее... пусть ключ бережет... его бандеролью доставят. Банк называется «ОКНАМ», номер ячейки семь, паспорт... в сумке... адрес... мой...

Водитель всхлипнул и замолк, Шнапси понял: кающийся грешник скончался.

Ремонтная улица по-прежнему оставалась пустой, клиенты «Ликси» входят в клуб с заднего хода, а он выходит в Соснин переулок. «Скорой» не было ни видно, ни слышно. Игорь открыл сумку, лежащую на переднем сиденье, вынул из нее паспорт, быстро сфотографировал своим телефоном страницу с пропиской и ушел.

Артемьев умолк.

— Для вызова помощи вы воспользовались трубкой водителя? — уточнил Бунин. — Почему?

Игорь сдвинул брови.

— Мой сотовый отключили, деньги на счету закончились.

— Экстренные вызовы можно делать с нулевым балансом, — напомнила я.

— Ну... ну зачем со своего номера звонить? — признался Шнапси. — Еще вычислят его, пристанут с вопросами. Когда я уходить собрался, вспомнил, что трубку держал, подумал, полиция приедет, начнет все осматривать, забрал сотовый и выбросил его в отбросы на кухне клуба. На всякий случай перестраховался, не хотел неприятностей. Я решил съездить к жене мужика.

— Понятно, — глубокомысленно произнес Роман.

— Нет, нет, нет, — испугался Шнапси, — вы неверно думаете. Я не убийца. Народ считает, что санитарами в морге психи работают, некрофилы, маньяки, но это не так. Мы нормальные люди, просто там деньги платят, родственники покойных чаевые дают, и с мертвыми дело лучше иметь, чем с живыми. Я одно время в больнице служил, вот где нахлебался от пациентов, ни от кого хорошего слова не слышал, одну брань...

— Давайте вернемся к вашему посещению квартиры Кривоносовой, — остановила я причитания Шнапси.

— Сейчас все выложу, одну правду, ничего не скрою, — явно волнуясь, произнес стриптизер. — Водички не дадите? Во рту пересохло.

Костин протянул ему пластиковую бутылку.

Игорь сделал несколько глотков, вытер рот тыльной стороной ладони и продолжил каяться.

На тот вечер у Шнапси имелись большие планы. В своей квартире Артемьев очутился под утро, свалился в кровать, проспал до обеда, проснулся с жутким похмельем и промаялся до вечера, пытаясь прийти в себя с помощью испытанных народных средств. Ко вдове он отправился на следующий день около полудня.

Номера ее телефона Шнапси не знал, но подумал, что тетка, у которой позавчера погиб муж, должна лежать в кровати и рыдать. Но он ошибся, Лауры дома не оказалось. Игорь постоял на лестнице, потом решил заявиться завтра. На следующий день в районе одиннадцати утра Игорь опять очутился в подъезде, хотел позвонить в дверь и увидел, что она не заперта.

Артемьев тихо вошел внутрь и спросил:

— Ау, хозяйка! Вы тут?

Никто не ответил, Шнапси заглянул в комнату. Он не собирался убивать Лауру, у него был вполне мирный план. Он предполагал сказать хозяйке: «Я в курсе, что ваш муж совершил наезд за деньги, давайте мне сто тысяч, и никто правду не узнает».

— Благородно, — снова не выдержал Бунин, — ты решил оставить Кривоносовой треть барыша. Да ты джентльмен.

Мне очень захотелось треснуть Романа по затылку, а Костин наклонил голову и попросил компьютерщика:

— Сходи к Глаголевой.

— Зачем? — спросил начальник техотдела.

Володя посмотрел на Бунина.

— Иди, она все объяснит.

— Ладно, — без особой охоты согласился Роман и наконец-то покинул кабинет.

— Тетка уже была мертвой, — сказал Шнапси, — я сразу понял, что на диване неживой человек.

— И как вы поступили? — заинтересовался Костин.

Шнапси сложил руки на груди.

— Если человек копыта отбросил, бабло ему не понадобится. Квартира маленькая, такую быстро осмотреть можно. Я залез в тумбочку, там ничего хорошего не было. Полку изучил, на ней модели машин стояли, какая-то плюшевая игрушка сидела, потискал ее, но внутри только мягкая набивка прощупывалась. Потом подумал, что женщины часто дорогие вещи около себя прячут. Я иногда на труповозке катаюсь, приедешь забирать покойницу, поднимешь ее с постели, а под подушкой деньги или золотая цепочка лежит. Глупо, конечно, но я не один раз на «клад» натыкался. Ну и решил в койке пошарить.

— А что было в тумбочке? — притормозила я Шнапси. — Можете предметы перечислить?

Артемьев пожевал нижнюю губу.

— В ящике была всякая лабудень, заколки, пульт от телика, календарик, носовые платки, ватные диски. Внизу, на полке, газеты разные, сборники кроссвордов, книжка какая-то растрепанная. Сверху будильник стоял, салфетка лежала кружевная, у меня мать такие из ниток вязала. Жесть.

— Похоже, у вас хорошая память, — похвалил его Костин. — Лекарств не видели?

— На память не жалуюсь, — гордо ответил стриптизер, — я артист, приходится текст наизусть заучивать.

У всех, кто на сцене выступает, с памятью проблем нет, потому что мы постоянно тренируемся. Не, медикаментов не углядел.

— Белая коробка с красными полосами, на ней нарисована голова с облачком, внутри которого буквы «ZZZ», — подхватила я.

— А-а-а! «Дорминочь», — сообразил Шнапси, — суперское лекарство, сам покупал его, да все классное из продажи исчезает. Нет, снотворное точно не валялось, я бы его взял. Зачем оно мертвецу? А мне пригодилось бы.

Я не стала комментировать замечание Игоря.

— Стакан заметили?

— Возле часов стоял пустой, из него ложка торчала, — подтвердил Артемьев.

— Чистый?

Шнапси пожал плечами:

— На вид да, а там кто знает, я не трогал его.

— Жвачку видели? Ее к стакану приклеили? — не останавливалась я.

— Фу-у! Блевотина! Тем, кто так поступает, надо руки оторвать, — передернулся санитар, — небрезгливый я совсем. Но две вещи видеть не могу: чужие волосы в стоке рукомойника и обжевыш! Нет. На стакане ничего не было.

— Чем пахло в комнате? — задал вопрос Костин.

— Ничем, — удивился Артемьев, — типа чужой квартирой, может, какой-то едой дешевой.

— Духами? — подсказала я. — Восточными, душными, тяжелыми.

— Нет, — возразил Игорь, — я сразу бы расчихался, у меня нос на них нервный.

— Что вы сделали, обыскав тумбочку и полку на стене? — продолжила я.

— Собрался под подушкой пошарить, голову бабе приподнял, увидел на шее шнурок, потянул за него и вытащил ключ, — признался Шнапси, — на нем бирка с цифрой семь моталась. Взял его и поехал в банк, по дороге весь издергался: забрала она бабло, или оно в ячейке?

Вор притих.

— И все? — вкрадчиво спросила я. — Больше ничего? А письмо? Вы не забирали послание?

Глаза Шнапси забегали из стороны в сторону.

— Ох! Совсем забыл! Когда перевернул тело, под ним нашел листок, наверное, тетка его в руке держала или рядом с собой положила. Я бумажку взял, а там написано все, что мужик мне на «исповеди» рассказал. Я унес записку. Случайно. А потом выбросил.

— Тоже случайно? — усмехнулась я. — Или боялись, что тот, кто обнаружит тело, узнает, что у Лауры был капитал? Вы уничтожили послание, чтобы не всплыла информация о долларах.

Артемьев отвел взгляд в сторону, а я продолжала:

— Вам повезло, доллары мирно лежали в сейфе, но как вы попали в зал ячеек? Я держу кое-что в банке, так у меня всегда при входе охрана спрашивает паспорт, заносит в особую книгу данные и просит расписаться. Постороннего человека в депозитарий не пропустят.

Шнапси сам налил воды в стаканчик.

— Не знаю. Я приехал, вижу, банк занимает первый этаж, вошел в холл, там девица сидела, она спросила: «Хотите коммунальные расходы оплатить или счет открыть?» Я ей ключ показал, девушка объяснила: «Спускайтесь на лифте, минус первый этаж».

Я поехал, охраны не видел, попал в комнату чуть больше вашей, в стене дверцы, ячеек немного, открыл седьмую, забрал пакет и спокойно ушел.

— Ну и порядки у них, — возмутилась я.

— Я думал, так везде, — простодушно признался Шнапси, — никогда ничего в банке не прятал, полагал, что это как почтовый ящик в отделении, если ключ имеешь, спокойно содержимое возьмешь.

Глава 28

— Неужели вору кража сойдет с рук? — вскипела я, когда Артемьев покинул кабинет.

Костин побарабанил пальцами по столу.

— Понимаешь, денег как будто нет. Об их пропаже никто не заявлял. Письмо Обжорина, где он рассказывает о получении от заказчика долларов, исчезло. Рассказ Елены Яшиной о том, что она его читала, просто слова.

— Артемьев только что признался, что влез в квартиру Кривоносовой, его видел Юрий Прохоров, — не успокаивалась я.

Вовка встал и включил кофемашину.

— Давай вспомним беседу с педагогом, мечтающим получить за чужую модель золотую медаль. Он утверждал, будто некто, кого он видел, сидя в гардеробе, задушил Лауру. Но совершенно точно известно, что она скончалась от большой дозы снотворного. Одна нестыковка уже есть. Юрий ни словом не обмолвился про ключ, он не разглядел, что Шнапси снял его с шеи покойной, услышал лишь радостный напев «Тра-ля-ля-ля». Но это не доказательство. Сейчас Игорь Федорович струхнул и выболтал правду. Но, если дело дойдет до беседы под протокол, мерзавец догадается прийти с адвокатом и заявит: «Я болен, подцепил грипп, вот справка от врача, градусник в день разговора с детективами за сорок показал. Сыщики меня обманули, пригласили якобы договориться о моем участии в сериале, а сами допрашивать начали. Я плохо себя чувствовал, видимо бредил. Не помню, что им наплел, но все это неправда. Откуда у меня сто пятьдесят тысяч баксов? Накопил чаевые от клиенток, держал в чулке под матрасом, решил в один день потратить. Таскать пачки в кармане стремно, вот я и завел карточку. Вы проверьте, кто-нибудь жаловался, что у него тугрики свистнули? Нет? Ну я пошел домой». Вот если мы найдем заказчика убийства Сыркина, тогда получим возможность насыпать соли на хвост прохиндею Шнапси. Интересная, однако, картина вырисовывается. Утром в квартиру Кривоносовой пробирается Прохоров. Он видит хозяйку на диване и, наивно полагая, что та крепко дрыхнет, разглядывает модель машины «Принцесса шейха», папку с рассказом об истории автомобиля, слышит мужской голос из прихожей и в ужасе забивается в гардероб. Обрати внимание, на тумбочке у кровати Прохоров ничего, кроме часов и стакана, не заметил, по его словам, «Дорминочи» и жвачки там не было.

— Преподаватель был напуган, он мог не увидеть лекарство, — возразила я.

— Пусть так, — не стал спорить Костин, — но Шнапси спокоен, как удав, покойники его не пугают, он хладнокровно забирает ключ и сматывается. Однако Артемьев тоже утверждает, что снотворного не было, он упоминает про будильник, стакан, кружевную салфетку. И жалеет об отсутствии таблеток, они ему нужны, он бы их прихватил. Нет, на прикроватной тумбочке, кроме часов, стакана и салфетки, ничего не было. Однако полицейские, прибывшие по вызову Яшиной, указали...

Костин подвигал мышкой.

— Часы настольные со звонком производства Японии, упаковка «Дорминочь», рядом три блистера пустые, салфетка белая кружевная, стакан с налипшей на него массой цвета хаки, похожей на жвачку. Сыщики с «земли» нашли порожние упаковки из-под снотворного, услышали от Елены, что случилось с Никитой Владимировичем, сделали вывод: суицид — и радостно побежали заниматься другими делами. Будешь кофе?

— Спасибо, не хочу, — отказалась я. — Значит, однушку Кривоносовой посетили в один день три человека. Сначала явился Юрий, следом, буквально наступая ему на пятки, возник Шнапси, он унес ключ от ячейки. А уж потом приехал кто-то, он и подбросил лекарство. Ранее этот же человек успел угостить Лауру таблетками «Дорминочь», а теперь оставил пустую упаковку, чтобы полиция решила, что Кривоносова покончила с собой.

— Думаю, третьим был заказчик убийства Сыркина, — сделал вывод Костин.

— Он не стал бы сам этим заниматься, — встрепенулась я, — приказал кому-то решить проблему, нанял человека, привлек же он Обжорина.

Костин включил кофемашину.

— Думаю, преступник случайно узнал о болезни Никиты и решил использовать ее в своих целях. Кривоносову он лишил жизни, чтобы забрать назад деньги, но кого убийца мог послать к ней домой? Зайти в квартиру, где лежит труп, немногие согласятся, тем более ее обыскивать.

Я решила поспорить.

— Врачи, санитары, медсестры, полицейские, сотрудники ритуальных агентств, военные, спасатели — все те, кто по роду службы сталкивается с умершими. Кроме того, есть люди, которые не нервничают при виде трупа, преступники, например, отсидевшие за убийство. Почему ты решил, что за ключом приходил сам заказчик?

Костин отхлебнул из чашки кофе.

— Любому исполнителю надо отдать энную сумму, а тот, кто желал смерти Сыркину, жаден, он сначала заплатил Никите, потом решил забрать «гонорар». И наш подозреваемый точно не полицейский и не бывший уголовник, он оставил серьезную улику: жвачку. Она сейчас у нашего эксперта, он анализ ДНК делает, вдруг в базах окажется образец для сравнения? Ладно, соглашусь с тобой, давай не будем называть третьего посетителя заказчиком, пусть тот велел ему найти в квартире Кривоносовой ключ. Но мужик опоздал!

— Может, ключ унесла женщина, — фыркнула я.

— И много ты знаешь баб, которые согласятся шарить в комнате, где покойник? — усмехнулся Вовка.

— Первой на ум приходит Лена Глаголева, — пожала я плечами, — среди врачей много представительниц слабого пола.

— Думаю, это был мужик, — уперся Костин.

— Дождемся результатов анализа ДНК, и станет ясно, — прекратила я пустой спор. — Надо обойти соседей Лауры, кто-то мог видеть постороннего, входящего к ней.

Володя открыл ящик письменного стола.

— Тебе этим заниматься не стоит, отправлю для беготни по этажам Гену Приходько. Но особого результата не жди. Ты же была у вдовы, видела, что Лаура и

Никита жили в обычной блочной башне, дом расположен около большого торгового комплекса с огромным супермаркетом. Консьержки в здании нет, кодовый замок регулярно ломают, часть квартир сдается, в них в основном селятся гастарбайтеры, работающие в магазине. Даже если Гена опросит каждого обитателя дома, сомнительно, что мы узнаем, кто входил к Лауре. Жильцы друг с другом не знакомы, часто меняются. На горизонте маячит висяк.

— Заедем с другого конца, — сказала я. — Надо выяснить хоть что-нибудь про Сыркина.

Но Костин не проявил оптимизма.

— Там тоже тупик. Настоящий Сыркин умер, кто-то прикрылся его именем, причем этому типу здорово повезло. Вскоре после того, как его сбила машина, сгорело общежитие, в котором он занимал угол, строители разлетелись кто куда, найти тех, кто знал лже-Сыркина, сейчас почти невозможно. Нет, здание не поджигали, там воспламенилась старая электропроводка, она не выдержала множества электрочайников, СВЧ-печек, утюгов, которыми пользовались жильцы. Я был на квартире, которую недавно приобрел человек, живший под именем Сыркина. Интересный момент: там все новое, мебель, посуда, шторы. Никаких фотографий, альбомов, сувениров, ничего. Одежда тоже с иголочки. Создается впечатление, что он просто начал жизнь с нуля, закопав поглубже свое прошлое. У тебя телефон мигает.

— Прости, Вова, я должна ответить, это Краузе, — занервничала я. — Обычно она не беспокоит меня на службе. Вдруг случилась неприятность? Алло!

— Лампа, извините, никак не могу найти сироп от кашля, который вы купили для Кисы, — зачастила Роза

Леопольдовна. — В аптечке нет, в холодильнике, хотя его туда ставить нельзя, тоже, в шкафчике на кухне отсутствует. Подскажите, куда вы его спрятали?

— Я не приобретала сироп, — удивилась я, — меня никто не просил это сделать.

— Позавчера мы беседовали на тему сиропа, — возразила няня, — вы пообещали заскочить в аптеку по дороге, а я объяснила: врач просил приобрести «Подорожник-мох», он производится фирмой «Народная трава», продается только в одном месте. Скинула вам сообщение с адресом. И получила от вас ответ: «Да. Поняла. Непременно куплю». Проверьте в телефоне.

— Сейчас, — пробормотала я и начала смотреть эсэмэски. — Точно! Вот она. И как я могла забыть?

— Вы не купили сироп? — уточнила Краузе.

Мне пришлось признаться:

— Нет. Совсем из головы вылетело. Сегодня непременно загляну в эту аптеку.

Краузе засопела.

— Пожалуйста, Лампа. Киса покашливает.

— У тебя обескураженный вид, — заметил Костин, когда я положила телефон на стол.

— Накопились домашние дела, — обтекаемо ответила я.

Ну не рассказывать же Вовке о том, что в последнее время я страдаю расстройством внимания и памяти. Забыла надеть на Кису колготки-брючки и привела малышку полуголой в садик, перепутала картинки на шкафчиках в детской раздевалке, а теперь начисто вылетела из головы просьба няни купить сироп. Получила от Краузе сообщение, ответила на него, и... и что? А ничего, попросту не вспомнила о лекарстве. Наверное, надо пойти к врачу и попросить выписать мне пилюли от маразма. Только боюсь, они не помогут, пить их надо регулярно, а я ведь позабуду про лекарство.

— Весь день собираюсь спросить, да никак не получалось, народу вокруг полно. Почему ты темные очки не снимаешь? — спросил Костин.

— Воспользовалась новой косметикой и заработала аллергию, — привычно соврала я.

— Купи антигистаминные таблетки, — посоветовал друг. — И причесон у тебя сегодня авангардный, цвет чума. Его смыть можно?

Я демонстративно посмотрела на настенные часы.

— Поеду в клинику «Юность». Для посещения есть хороший повод, веки покраснели, пожалуюсь на аллергию, а потом побеседую с медсестрой Анной. Сдается мне, что Лауру угостили снотворным на службе. Сделай одолжение, вышли мне на почту фото Сыркина, не настоящего, который давно погиб, а того, кого Обжорин задавил.

Глава 29

Припарковав машину около клиники, я вошла в здание и сразу же у рецепшен наткнулась на Анну, которая при виде меня воскликнула:

— Евлампия! Здравствуйте, вы на перевязку?

Я не успела ответить, медсестра начала теснить меня к окну, и когда мы оказались на большом расстоянии от стойки с администратором, зашипела:

— Вы почему не позвонили? Предупреждала, что днем не могу заниматься с личными пациентами, надо заранее застолбить день приема.

— Набирала ваш номер, — ответила я, — но постоянно слышала о недоступности абонента, посмотрите на трубку, вероятно, она отключена.

Анна вытащила из кармана мобильный.

— Действительно. Глючит его по-черному, что хочет, то и делает, надо новый покупать, да жаба душит. Зачем вы меня искали?

Лучше один раз увидеть, чем сто раз услышать. Я сняла солнечные очки.

— Блин! — подпрыгнула Анна. — Что стряслось?

— Именно это я и хотела у вас узнать, — сказала я, — давайте вернем бровям и ресницам нормальный вид.

— Я занята, — заговорила медсестра, — предупредила же, ко мне можно только после закрытия, и не через главный вход, надо пользоваться служебной дверью. Первый раз вижу, чтобы брови и реснички вместе сцепились. Чего вы делали? Надеюсь, инструкцию тщательно изучили?

— Какую? — удивилась я.

— Ту, что от меня перед уходом получили.

— Вы ничего мне не давали.

Анна закатила глаза.

— Отлично помню! Я вручила вам бумагу! Всем ее даю! Стойте здесь, никуда не уходите, сейчас вернусь.

Я прислонилась к стене, посмотрела вслед ушедшей медсестре и услышала тихий голос:

— Дама, простите, вам нетрудно подвинуться?

Я машинально сделала шаг в сторону.

— Спасибо, — еле слышно поблагодарила женщина примерно моих лет, одетая в бордовый халат, — я только цветочки на подоконнике полью. А что вы такая грустная? Обидел кто?

В голосе незнакомки звучало столько неподдельного участия, что я, сама не зная почему, сняла очки.

— Сделала процедуру «Открытый взгляд». Сначала радовалась, а теперь вот такая ерунда.

— Олеся Геннадиевна, подойдите сюда, — крикнули с рецепшен.

Уборщица, сгорбившись, двинулась на зов.

— Техперсоналу запрещено общаться с пациентами, — заявила брюнетка за стойкой. — Хотите лишиться места? Это можно устроить очень быстро.

Олеся втянула голову в плечи, администратор гневно продолжала:

— Наши посетители платят за моральный и физический комфорт, они не желают общаться с поломойками. Что вы себе позволяете?

Мне стало жаль тетушку с лейкой, я приблизилась к стойке и строго спросила:

— Здесь что, тюрьма? Я не могу задать вопрос персоналу?

Брюнетка мигом сменила злое выражение лица на приторно-сладкое.

— Наши любимые пациенты имеют право на все. А вот персонал должен молча выполнять свою работу. Мы бы с огромным удовольствием наводили порядок в помещении по ночам, но в медицинских учреждениях из соображений гигиены необходимо убирать каждые два часа.

— Ваша сотрудница меня не беспокоила, — возразила я, — сама обратилась к ней, спросила, чем она подкармливает цветы, они очень красивые. А у меня дома такие же листья теряют. Но ответа не получила, потому что вы запретили ей со мной разговаривать. Представьтесь, как вас зовут, не вижу бейджика.

Брюнетка схватила лежащий у телефона картонный прямоугольник, прицепила его к блузке и начала оправдываться:

— Думала, Олеся к вам с глупыми разговорами прилипла, ей уже делали насчет этого замечания.

— Нет, это вы в грубой форме пресекли мою беседу, — отрезала я.

— Евлампия, — окликнула меня Анна, — доктор велел вам памятку передать.

Я подошла к медсестре, та опять потащила меня к окну.

— Просила же на месте стоять. Зачем на рецепшен болтаете? Сегодня Лариса дежурит, она сплетница. Приходите после девяти и внимательно изучите рекомендации.

Я развернула листок. «Советы тем, кто прошел процедуру «Открытый взгляд».

— Аня, вы мне вчера такую инструкцию не давали.

— Нет-нет, я всегда ее вручаю, — заспорила Анна, — небось вы ее потеряли. Идите, погуляйте в торговом центре, почитайте текст, подумайте, что не так сделали, потом мне расскажете, я все исправлю. Не переживайте, станете красавицей.

Я покорно покинула клинику, пересекла улицу, вошла в магазин и села на скамейку в центральном холле. Ну, что там в руководстве написано?

«Процедура «Открытый взгляд» проводится с применением стопроцентно натуральных микроскопических волосков, сделанных из полиуретанкремниево-гидробензонафто изолитополителенфосфатосоломы, которая после вакуумной обработки и добавления мелкого металлизированного силиконпластмассожелеза обретает удивительную гибкость. Ваши брови и ресницы, пройдя процедуру «Открытый взгляд», приобретут сияние, укрепятся, придадут лицу ухоженный вид, сбавят вам визуально двадцать пять лет, кроме того, они потеряют пигментные пятна».

Я пришла в недоумение. Навряд ли нечто, сделанное из материала, название которого я не то что запомнить, а даже правильно прочитать не способна, можно считать «стопроцентно натуральным». И неужели на ресницах-бровях могут появиться, как на коже, пигментные пятна? Ну-ка, почитаю дальше.

«Чтобы сохранить прекрасный вид до следующей процедуры, необходимо соблюдать ряд условий. Вам категорически нельзя находиться на солнце, посещать сауну-баню, использовать косметические средства на масляной основе, умываться водой из фонтанов, ложиться спать лицом в подушку (нарощенные, натуральные волоски могут покалывать), прыгать на батуте, заниматься парашютным спортом, пересекать пустыню на вьючных животных, спать с обезьянами, чьи блохи могут перебраться на человека и сгрызть растительность на его теле. При пользовании авиатранспортом в момент взлета-посадки в зоне турбулентности, а также в случае авиакатастрофы надо срочно прижать к лицу силиконовый валик, чтобы сохранить нарощенную растительность, при отсутствии оного возьмите подушку».

Я засунула инструкцию в карман. Можно предположить, что существуют люди, совершающие путешествия по Сахаре на верблюдах, а потом устраивающиеся спать в обнимку с макаками. Кое-кто, вероятно, может плескать в лицо воду из фонтанов, но неужели составители инструкции считают, что в момент крушения авиалайнера основной заботой женщины станет сохранение ресниц? Зато теперь понятно, что никакой аллергии вчера ночью у меня не случилось, кололи ресницы, приклеенные к векам, а я случайно намазалась зеленой краской и, чтобы избавиться от нее, легла в аппарат, который использует наш эксперт. Хорошо помню, как стеклянный ящик наполнился паром, это же все равно, что в бане побывать. Может, поэтому мои брови встали перпендикулярно ко лбу, а ресницы, задравшись, соединились с ними? И вот результат: моргать неудобно, и приходится ходить в темных очках.

Похоже, я опять все забыла. Анна утверждала, что дала мне инструкцию, но я ничегошеньки не помню. Надо пойти поискать аптеку, может, купить витамины? Я двинулась по галерее влево, не нашла ларька с таблетками, зато на пути попалась лавка с шампунями, в которой я, посоветовавшись с продавщицей, приобрела шампунь для восстановления естественного цвета волос.

Размахивая пакетиком, я вернулась в центральный холл и решила пойти направо, вероятно, киоск с лекарствами есть там.

— Как хорошо, что я нашла вас! — воскликнул вдруг за спиной женский голос.

Я подняла голову и увидела уборщицу Олесю из клиники, только на этот раз она была не в халате, а в джинсах и курточке.

— Судя по тому, что я увидела, когда вы в клинике на секунду сняли очки, — продолжала она, — вам сделали фуфло под названием «Открытый взгляд». Да еще небось у Анны за полцены.

— Вы знаете про маленький бизнес медсестры? — удивилась я.

Олеся вынула из сумочки визитную карточку.

— Давайте я представлюсь.

— «Общество борьбы с мошенниками», — прочитала я, — начальник департамента Олеся Викторовна Гаврилова, врач-терапевт. Вот это да! Впервые о таком слышу. А почему вы моете в клинике красоты полы?

— Клиника красоты, — повторила Олеся, — сие заведение — клиника обмана, завышенных цен, плохо сделанных операций и процедур, которые никому никогда не помогут. Вас еще не подбивали на плазмолифтинг?

— Нет, — пробормотала я. — А что это?

— Берут у пациента кровь, прогоняют через центрифугу, она расслаивается, плазму вкалывают в кожу лица, под глаза. Обещают потрясающий эффект: вы избавитесь от морщин, только надо пройти курс из десятка процедур общей стоимостью двести тысяч рублей. Не верьте. С зоной вокруг глаз может справиться только скальпель. Или коллагеновые маски. Они ой какие дорогие, пятнадцать тысяч одна, конечно же, надо посетить «Юность» раз двадцать, тогда кожа наполнится сиянием. Я, когда про сияние слышу, сразу чесаться от злости начинаю. Ничего у вас не засияет, животный коллаген, который входит в состав «волшебной» масочки, не способен из-за большого размера молекул проникнуть в клетки кожи человека. Лучше ешьте индейку, холодец, овощи зеленого цвета, морскую капусту, жирную морскую рыбу, мидии, креветки и простимулируете выработку собственного коллагена. А ваши нарощенные ресницы-брови сделаны на азиатской помойке, их заказывают оптом по копеечной цене, прикрепляют с помощью клея, который часто вызывает аллергию.

— В «Юность» не стоит ходить? — приуныла я. — Но хочется за собой поухаживать.

— Обращайтесь в крупные давно существующие на рынки клиники, — посоветовала Олеся. — Сначала придите на бесплатную консультацию и, если вам скажут: «Страх смотреть на ваше лицо! Надо сделать...» и дальше примутся перечислять множество процедур, сразу покидайте заведение. Хороший доктор никогда не станет подталкивать женщину к бесконечным посещениям, не будет стимулировать у нее желание постоянно улучшать себя. Наоборот, если он заметит, что пациентка стала зависеть от операций, не может остановиться, постоянно занимается самоулучшением, то отправит ее к психотерапевту, только к настоящему, а не к Майе Григорьевне, которая врет всем, что получила второе высшее образование по специальности психолога. Федина не училась на психфаке МГУ. Не хотите выпить чаю? Вон там хорошее кафе.

Глава 30

— Ни с кем, кроме Анны и Григория Петровича, я в «Юности» не общалась, — сказала я, когда мы с Олесей сделали заказ, — профессор не производит впечатления адекватного человека, он постоянно забывал, как меня зовут. Конечно, Евлампия не очень привычное имя, но я предложила обращаться ко мне Лампа, а врач все равно не запомнил. Григорий Петрович сразу заявил, что мне пока ничего с лицом делать не стоит. Следуя вашей логике, такому специалисту можно доверять, но как-то боязно, вдруг он забудет швы наложить? Старичок совсем плох.

— Сколько ему лет, по-вашему? — улыбнулась Леся.

— Судя по виду и по тому, как крепко дедулю скрутил маразм, эдак лет двести пятьдесят, — усмехнулась я.

Олеся взяла у официантки бокал с латте.

— Ему семидесяти не исполнилось, по нынешним временам это не возраст.

— Да ну? — удивилась я. — Григорий Петрович совсем седой, еле передвигается, весь сгорбленный, и с головой беда. Вот не повезло мужчине! Оказывается, он не дряхлый старец.

Леся потянулась к эклеру.

— Отнюдь. Седина не признак преклонного возраста, у некоторых людей она появляется на пороге тридцатилетия. Мне кажется, Григорий Петрович хитрец, наверное, у него есть проблемы с памятью, но он их преувеличивает.

— Зачем? — удивилась я.

Олеся отложила пирожное.

— Евлампия Андреевна, скажите...

— Давайте без отчества, — перебила я, — и... минуточку, откуда вам известно, что моего отца звали Андрей? Никогда не представляюсь по имени-отчеству.

— А я никогда не подхожу к пациентам и не сую им в руки свои визитки, — парировала Леся. — Если позволите, сейчас объясню. Наше общество создано богатым успешным человеком, который десять лет назад потерял жену. Ей сделали подтяжку, случился анафилактический шок, а в клинике не оказалось реаниматолога. Муж добился закрытия медцентра, но пока он воевал с неквалифицированными медиками, понял, как много на рынке пластической хирургии некомпетентных, жадных, гоняющихся только за сиюминутной выгодой людишек, и решил объявить им войну. Так появилось «Общество борьбы с мошенниками». Мы действуем как Штирлицы. Под другими фамилиями тайно внедряемся в клинику, нанимаемся на низшие должности: уборщица, санитарка. Поломойку или тетку с «уткой» всерьез не воспринимают, доктора при ней ведут откровенные беседы. Разве полуграмотная уборщица поймет мудреные медицинские термины? Чего стесняться дуры? Но мы подобным образом собираем много материала, у нас на руках оказываются нужные документы. Сейчас объектом нашего внимания стала «Юность», в этой клинике красоты далеко не все благополучно. Не надо считать нас пираньями, собрав полное досье, мы сначала беседуем с владельцами заведений, предлагаем им исправить ошибки, если они делают правильные выводы, мы их поддерживаем, но, если не обращают внимания на критику, действуем жестко, благодаря нашему обществу несколько медцентров закрылось. У нас прекрасные связи с прессой, многие журналисты охотно оказывают нам помощь, публикуют материалы про обманщиков. Спасение утопающих дело рук самих утопающих. Помните, из какого романа эта фраза?

— Ну конечно, — откусив кусок от корзиночки со взбитыми сливками, ответила я. — Илья Ильф и Евгений Петров «Двенадцать стульев».

— Если чиновникам от медицины плевать на граждан, которых убивают и обирают нечестные пластические хирурги и косметологи, то кто же будет наводить порядок? — вздохнула Олеся. — Вот мы и пытаемся это сделать. Отлично знаю, чем занимается Анна, она подпольно оказывает разные услуги, вам сделала процедуру «Открытый взгляд». Медсестра, даже опытная, не имеет права этим заниматься. Но, повторяю, к постороннему человеку я бы не подошла, а вас решила предостеречь.

Я положила остатки пирожного на тарелку.

— Мы знакомы? Встречались раньше? Не подумайте, что я похожа на Григория Петровича, но совершенно вас не помню.

— Мы видимся впервые, — успокоила меня Леся, — но я о Евлампии Романовой с недавнего времени от Коли Епифанцева постоянно слышу. Он вами восхищается, счастлив, что попал стажером в агентство Вульфа. Я поливала цветы в холле, услышала, как Анна воскликнула «Евлампия!», и мигом сообразила, кто вы. Имя очень редкое.

— В Москве может найтись вторая Евлампия, — улыбнулась я, — вы рисковали.

— Такого же возраста? Навряд ли, — возразила Леся, — а если учесть ваш необычный цвет волос, то это и вовсе невероятно. Минут за тридцать до вашего появления мне позвонил Коля, мы с ним немного поболтали, и он сказал: «Евлампия удивительная женщина, сегодня пришла с оригинальной прической, теперь у нее красно-розовые волосы. Прикинь, ей это очень идет. Расскажу Францу, она в восторг придет». Франц — это его девушка Марина, она под таким ником ведет в Интернете блог про макияж и бьюти-новинки. А еще Николаша показывал фото, сделанное на праздновании юбилея агентства. На вас было очень красивое голубое платье, сидело идеально. Хотя с вашей фигурой можно мешок натянуть, и он прекрасным покажется.

— Коля ваш сын? — поразилась я. — Но ему двадцать семь лет.

— А мне сорок четыре, — весело уточнила Леся, — я родила мальчика, едва закончив школу. Спасибо бабушке, которая на себя младенца взяла, поэтому я смогла в институте учиться. Я могу вам чем-то помочь? Кажется, догадываюсь, что вас в клинику привело. Смерть Лауры Кривоносовой. Верно? Сотрудникам объявили, что она покончила с собой, отравилась препаратом «Дорминочь». Кстати, его в клинике активно используют, дают в стационаре, чтобы человек после операции хорошо спал. Мне жаль Лауру, у нее был непростой характер, но Кривоносова честная до мозга костей, по крайней мере, во всем, что касается профессии. Коллеги ее терпеть не могли, она никогда не прощала ошибок, халатности, лени. Если замечала непорядок, сразу докладывала Майе Григорьевне. Анна тем же занимается, стучит на коллег, но делает это тайком и наушничает не хозяйке, а ее помощнице Варе. Варвара с Аней подружки неразлейвода, друг другу помогают. Варя медсестру прикрывает, а та с секретаршей барышом от своих клиентов делится. А Лаура на летучке вставала и ну шашкой размахивать. «Майя Григорьевна, обращаю ваше внимание на то, что вчера вечером пациенту забыли сделать укол». Ну и так далее, она прямо в глаза правду-матку рубила. А кому такое понравится? Федина тоже не в восторге была. Ей-то приходилось на доклады Кривоносовой реагировать.

— Значит, у кого-то в клинике могло возникнуть желание отравить Лауру? — спросила я.

— Большинство сотрудников ее недолюбливало, — протянула Олеся, — но чтобы убить... надеюсь, таких нет.

— Персонал часто чаевничает? — продолжала я.

Леся нацелилась на «картошку».

— Чтобы все вместе за одним столом, это крайне редко бывает, но комната отдыха не запирается, любой может туда зайти. Заварку не прячут, на столе всегда торт, конфеты, булочки — подарки пациентов. Ну и привычки друг друга известны. Лаура не любила ни чай, ни кофе, она пила исключительно травяные сборы, приносила с собой термосы, ставила их на столик. Легко можно было выбрать момент и подсыпать в шиповник или ромашку «Дорминочь».

— Термосы? — повторила я. — Их было несколько? Одного не хватало?

Леся стала собирать ложечкой молочную пену со стенок бокала.

— Один раз я поинтересовалась у нее: «Зачем два термоса таскать? Тяжело ведь». Она ответила: «Лесенька, если я не остаюсь на дежурство, то всегда перед уходом выпиваю два стакана успокаивающего чая, там пустырник, валерьяна, мята, ромашка. Днем его употреблять нельзя, он вызывает сильную сонливость, а после окончания смены милое дело. Пока до дома доберусь, минут тридцать пройдет, как раз настой действовать начинает. Поэтому и два термоса, в одном, например, листья смородины, их днем использую, а во втором то, что расслабляет. Меня часто муж встречает-провожает, сумку с чаями в багажнике возит». Про то, что Лаура перед уходом настой пьет, всем известно было. Кривоносова термосы не прятала, они всегда на одном месте стояли. Несколько раз старшая медсестра предлагала коллегам свои травяные настои попробовать, кое-кто согласился, потом плевался, никому они по вкусу не пришлись.

Я взяла салфетку.

— Отвернуть крышку, вытащить пробку, бросить внутрь горсть таблеток и уйти незамеченным легко. Можно узнать, кто из врачей и среднего медперсонала работал в тот день, когда Лауру отравили?

Леся начала рыться в сумке.

— Все данные в компьютере, думаю, Коля их легко добудет. Бедная Лаура, она очень любила мужа, а тот прекрасно относился к ней. Никита Владимирович частенько супругу после работы ждал, в клинику он не заходил. Увидит, что она по переулку шагает, из машины выскочит и торопится у нее сумку забрать. Как-то раз мы из «Юности» вышли втроем: Лаура, кастелянша Наташа и я. Никита подскочил, и они с Лорой к «Жигулям» двинулись, Наталья им в спину посмотрела и выдала: «Нищие сбиваются в стаи. Только посмотрите на них! Ничего в жизни не добились, живут в трущобе, катаются на металлоломе, дачи нет, зимой Лорка в китайском пуховике ходит, о шубе ей даже мечтать не приходится, денег не зарабатывают, нормальный отдых себе позволить не могут — и счастливы! Они идиоты? Да? Вон у нас с Игорем «трешка» в хорошем районе, иномарка новая, садовый участок, в Турцию-Египет два раза в год летаем, а я по ночам бессонницей маюсь. Супруг хорошо зарабатывает, да вдруг его с работы попрут, как с кредитами тогда расплачиваться? Хочется манто новое норковое, в пол, да Игорь не разрешает покупать, опасается, что еще один долг банку не потянем. Вечно у меня душа не на месте, мы с Игорем постоянно ругаемся. Я как-то у Лауры спросила: «Чего ты делаешь, чтобы не волноваться? Антидепрессанты пьешь?» Она удивилась: «Зачем они мне? И по какой причине мне нервничать? У нас с Никитой дела идут отлично, мы ночью обнимемся и спим крепко». Так только кретины поступают. Мне вот от Игоря в постели подальше отодвинуться хочется». Я хотела сказать Наташе, что не в деньгах счастье, но промолчала, нет смысла ей это говорить, не поймет. Я симпатизировала Кривоносовой и очень расстроилась, когда узнала, что Обжорин ее обманывает.

Глава 31

— Никита Владимирович врал супруге? — напряглась я.

Олеся посмотрела на недоеденное пирожное.

— Таковы мужчины. Меня личная жизнь персонала клиники волнует только в том случае, когда она связана с мошенничеством. Просто я заметила, что Никита перестал заезжать за супругой, и один раз предложила Лауре довезти ее вечером до метро. Та обрадовалась, села в машину и начала благодарить:

— Спасибо, Леся, ты молодец, научилась рулить, а я боюсь за руль садится, да и муж не разрешает, говорит: «Ты на дороге растеряешься». Хорошие у тебя колеса. А у нас старенькая «девятка», правда, Кит ее всю переделал, снаружи колымажка не ахти смотрится, но мотор у нее лев, с места в секунду разгоняется.

Я не хотела, чтобы у Лауры зародился вопрос, откуда у поломойки иномарка, и быстренько пояснила:

— Уборщицей я временно устроилась, раньше в крупной фирме секретарем работала, прилично получала, авто с тех благополучных времен осталось. Жаль, контора обанкротилась, новое место найти трудно, начальники хотят молодую красотку, вот и пришлось полы мыть. Ну ничего, еще поднимусь.

Лаура кивнула:

— Конечно, главное не падать духом. Мой Никита спортсмен, получал золотые медали, потом пришлось ему по разным работам помыкаться, продавцом был, в школе преподавал физкультуру, а сейчас на фитнес-инструктора учится, получит диплом и будет в прекрасном месте работать. Никогда нельзя отчаиваться.

Я возьми и скажи:

— Вот почему супруг за вами приезжать перестал.

— У него занятия по вечерам, — подтвердила Лаура, — они поздно заканчиваются, возвращается домой после полуночи.

Я обрадовалась: значит, у них нет размолвок. А потом обратила внимание, что Майя Григорьевна стала в клинике задерживаться, и насторожилась. В здании четыре этажа, оно четко на две части поделено. Слева хирургия и всякие там лазеры, справа косметология. Майя весной домой отправлялась в шесть, а то и раньше. К чему я про разделение клиники сказала? В хирургической части стационар, на ночь и врач, и медсестра остаются. А в косметологии никого нет, да и зачем там людей держать? В двадцать ноль-ноль косметологи ушли, и до завтра. Федина очень экономна, лишних денег не потратит, поэтому вечером и ночью охранники только в хирургическом отделении дежурят. А косметология поставлена на пульт, секьюрити там нет. Два месяца назад Майя неожиданно стала задерживаться, и как она это делала? В шесть укатит, а в полдевятого вечера вернется, с охраны отделение снимет и в свой кабинет шмыг. Я случайно узнала о поведении хозяйки. Мобильный забыла, спохватилась только в полдесятого, помчалась в «Юность», припарковалась и думаю: «Леся, ты балда, как внутрь попадешь?» Звонить в дверь бесполезно, из стационарного отделения не спустятся, им запрещено. От служебного входа у меня ключа нет. Глядь, а у здания, чуть поодаль, джип Майи маячит. Я голову подняла, в окнах кабинета хозяйки свет горит. Меня любопытство охватило, зачем Федина вернулась? Чем она в офисе после окончания работы занимается? И вдруг вижу: недалеко «Жигули» припаркованы, «девятка» старая, на зеркале заднего вида плюшевая мышь-балерина висит. Сразу поняла, что это автомобиль Обжорина, у него такая игрушка болтается. Я свою машину на соседнюю улицу переставила, сама в кустах спряталась, лето было, зелень буйно распустилась. В начале одиннадцатого свет в кабинете хозяйки потух, из дверей минут через пять вышел Никита Владимирович, сел в раздолбайку и уехал. Следом появилась Майя. И что мне думать следовало?

— Обжорин за спиной жены завел роман с владелицей клиники красоты, — ответила я.

Леся поманила официантку.

— Сделайте еще латте. На мой взгляд, они никак не подходили друг другу. Федина богата, Никита беден.

— Ну и что? — пожала я плечами. — Классика жанра. Принцесса и свинопас. Кое-кому из обеспеченных дам по сердцу мужчины с пустым кошельком.

— Как правило, в такой паре она немолода и в золоте, а он юн и в рваных штанах, — улыбнулась Леся. — Нищая молодость покупается богатой старостью. А чем Обжорин мог привлечь Федину? Красотой не блистал, умом тоже, денег в кошельке нет, молчун, красиво говорить не умел. Нет, там было нечто иное. Я решила, что у них деловое сотрудничество, хотела разобраться, и не спрашивайте, как, слишком долго рассказывать, выяснила правду: Майя занималась с Никитой психотерапией, денег она с него не брала. Лаура понятия не имела, где ее благоверный вечера проводил. Кривоносова полагала, что он на курсах фитнес-тренеров учится, а ее супруг в кабинете хозяйки сидел. Это вообще ни в какие ворота не лезло.

— Никита Владимирович тяжело заболел, — остановила я собеседницу. — Лаура отвела мужа к Майе на консультацию.

— Фу-у-у, — выдохнула Леся.

— Федина по образованию невропатолог, — продолжала я. — Мастерство не пропьешь. Майя поняла, что у Обжорина смертельная болезнь Крейтцфельдта-Якоба. Лаура не упоминала, где лечился муж, но теперь, поговорив с вами, я думаю, что Никита находился под наблюдением Фединой.

Олеся взяла свою сумку.

— Я не невропатолог, но у нас в институте были прекрасные преподаватели, они читали лекции, вели семинары и снимали со студентов три шкуры за малейшее нарушение дисциплины. Профессор Волховский, например, ставил на экзамене либо «два», либо «пять», «троек-четверок» не признавал, а тем слушателям, которые ныли: «Иосиф Маркович, я же правильно ответил на первый вопрос билета, запутался потом, почему не заслужил «удовлетворительно», — он спокойно отвечал: «Уважаемый будущий коллега, похвально, что вы хорошо ориентируетесь в материале одной части билета. Но как вы поступите, если к вам, врачу, на прием придет больной, чья проблема относится ко второму вопросу, по которому вы ничего путного не сказали? Или повесите на двери кабинета объявление «Лечу все, кроме бронхита, колита, пневмонии, когда нам про эти напасти на лекциях рассказывали, я гулял и веселился». Нам было ой как трудно учиться, но знания мы получили прекрасные. Я уже не практикую, потому что борюсь с мошенниками в белых халатах, но образование осталось при мне. И хоть никогда не работала невропатологом, кое-что помню про болезнь Крейтцфельдта-Якоба, это прогрессирующее дистрофическое заболевание коры большого и спинного мозга, а также базальных ганглиев. Не стану забрасывать вас терминами, скажу главное: лечить болезнь пока не научились. Да, используют медикаменты, но срок жизни больного составляет от восьми до тридцати месяцев. Диагноз установить не просто, требуются сложные исследования, и очень часто врачи путают болезнь Крейтцфельдта-Якоба с болезнью Альцгеймера, они действительно похожи. Майя Григорьевна никак не могла взяться за такого больного. У нее нет необходимого диагностического оборудования.

— Похоже, Федина обошлась без него, — пробормотала я, — она не только прописывала Никите какие-то медикаменты, но и работала с ним как психотерапевт.

Олеся стала вертеть в руках пакетик сахара.

— Федина врунья, она всем говорит, что получила второе высшее на психфаке МГУ, имеет диплом. Документ у нее в кабинете висит на стене, аккуратно в рамочку окантован. Для нас важно образование тех, кто работает в клиниках, мы всегда тщательно проверяем и врачей, и средний медперсонал. В медицинском институте она училась, а психологию не осваивала, диплом, выставленный напоказ, фальшивый.

— Как только Федина не побоялась вывесить подделку? — удивилась я.

Олеся пожала плечами.

— Бумага качественная, выглядит солидно, большинство людей верит «рекламным материалам» в кабинетах врачей. И проверить подлинность диплома непросто, не у всякого получится это сделать. Но даже будь Майя настоящим психотерапевтом, она Никите помочь не могла. Если с Обжориным случилась такая беда, душевные разговоры его не могли вылечить.

— Людям становится легче, когда кто-то с ними беседует, — вздохнула я. — Может, Федина подумала: поговорю с мужчиной, вселю ему веру в свои силы.

— Пусть так, — согласилась Олеся. — Но вот вопрос: зачем это делать тайком поздно вечером? И почему Никита врал жене?

— Очень хочется поговорить с Майей Григорьевной, — вздохнула я, — но в клинике ее нет, а мобильный выключен. Если в ближайшее время не смогу связаться с хозяйкой клиники, отправлюсь без приглашения к ней домой.

— Подождите пару деньков, — посоветовала Олеся, — у Майи беда с зубами, она сломала их, кусая шоколадный батончик, в котором оказался гвоздь. Просто катастрофа! Рухнули передние коронки, штифты сломались, Фединой за один прием поставили пять имплантов, она почти весь день у дантиста провела. На следующий день у нее температура поднялась, короче, сейчас она снова у дантиста. Думаю, ей и говорить-то больно.

— Слышала эту историю, — вздохнула я. — Вот уж не повезло, так не повезло!

Глава 32

На следующее утро я проснулась около шести и сразу побежала в ванную. Вчера Анна, вооружившись какой-то острой штучкой, очень аккуратно разъединила мои ресницы и брови, а потом посоветовала:

— Купите завиватель и перед выходом на работу раз в сутки пользуйтесь им. Вы, конечно, не признаетесь, что сходили в баню и испортили результат прекрасной, качественно сделанной мною процедурки.

— Давайте уберем нарощенные части, — попросила я, — если честно, мне с ними неудобно спать, я ложусь лицом в подушку и ощущаю неприятное покалывание.

— Снять волосики невозможно, — отрезала Анна, — они приделаны к родным ресницам-бровям, надо подождать, пока сами выпадут. Измените привычную позу. Вы стали красавицей, а ради прекрасной внешности можно и потерпеть. Ну-ка, гляньте, как сейчас?

Я посмотрела в услужливо поданное зеркало.

— Здорово.

— Вот видите, даже ошибка клиента легко исправляется профессионалом, — заявила Аня, — завиватель ваш друг, без него все опять сцепится. С вас три тысячи.

— За что? — робко поинтересовалась я.

Анна прищурилась.

— Разблокировка волосистой части окологлазного пространства, придание формы...

— Спасибо, — остановила я медсестру, вынимая деньги.

Приехав домой, я спросила у няни:

— У вас вроде есть такая штука, прикладываешь ее к веку, нажимаешь, и ресницы загибаются.

— Завивка, — кивнула Краузе, — иногда ею пользуюсь.

— Можете одолжить ее мне на время? — попросила я. — Сегодня магазины уже закрыты, а мне утром эта штучка очень понадобится. Завтра куплю вам новую.

— Пользуйтесь на здоровье, — разрешила щедрая Краузе.

И вот сейчас мне предстоит воспользоваться загадочным прибором. Сначала я залезла под душ, старательно вымыла ярко-красные волосы шампунем, который приобрела в торговом центре до встречи с Олесей. Продавщица, посоветовав взять именно это средство, заверила меня:

— Два раза воспользуетесь и вновь станете блондинкой.

— Содержимое бутылки черного цвета, — засомневалась я.

— И что? — удивилась торговка. — Если сомневаетесь, то не берите, но оно супер.

Я поверила девушке, вечером помыла голову и обрадовалась, ярко-красный цвет волос вроде поблек, поэтому я снова воспользовалась шампунем, закрутила на голове тюрбан из полотенца и подошла к зеркалу. Ресницы после соприкосновения с водой потеряли красивый изгиб и напоминали колья деревенской изгороди, брови торчали в разные стороны.

— Ничего, ничего, — забормотала я, хватая никелированную вещицу, — сейчас стану красавицей. Главное, понять, что делать.

Минут пять я безуспешно пыталась завивать ресницы, и в конце концов позвала няню.

— О! Это очень просто, — улыбнулась Краузе, — ну-ка сядьте на пуфик, не шевелитесь. Опля! Любуйтесь! Фея! Принцесса!

— Вы гений! — восхитилась я, изучая свое отражение.

— Скажете тоже, — смутилась Краузе. — Это может сделать любая женщина.

— Кроме меня, — вздохнула я. — А что с бровями делать?

— Закрепите их гелем, — посоветовала Роза Леопольдовна.

— Такого средства в косметичке нет, — расстроилась я.

— Сейчас принесу, — обрадовала меня няня.

Следующие минут десять я пыталась укротить брови, но не достигла успеха, фиксирующая масса оказалась бессильна. Нарощенные волоски торчали как иголки перепуганного насмерть дикобраза.

— Придумала! — неожиданно закричала Краузе. — Дайте мне машинку и сидите смирно. Раз! Два! Три! Вы неотразимы.

Я перевела взгляд в зеркало. В порыве вдохновения Роза Леопольдовна вновь использовала завиватель, и ей удалось придать моим бровям некое подобие формы. И что получилось? Видели когда-нибудь карликовых пуделей? Таких маленьких собачек, покрытых мелко вьющейся шерстью, они бегают на мохнатых лапках. И сейчас мне на секунду показалось, что к моему лбу приклеены две лапы пуделя. Брови теперь не топорщились, они задорно кудрявились.

— Немного странно, — пробормотала я. — Никогда не видели женщин с таким макияжем. Вьющиеся брови ни у кого не видела.

Роза Леопольдовна подбоченилась.

— Великие открытия в мире моды совершали люди, которые не боялись рушить стереотипы. Народ посмотрит на вас и то же самое соорудит. Дорогая Лампа, сейчас ваше лицо имеет ухоженный вид, а пять минут назад вы напоминали ежа после недельного запоя. Вышел он еле живой из дома и побрел к метро, ахая и охая!

Перед моим мысленным взором на секунду появился ежик. Шевеля кудрявыми бровями, он семенил к подземке, но я живо прогнала видение.

— Думаете, так лучше?

— Несомненно! — отчеканила Краузе.

— Ну ладно, — вздохнула я, размотала тюрбан и лишилась дара речи.

— Матерь божья, — попятилась няня. — Почему у вас волосы ярко-зеленые?

— Шампунь, — выдавила я из себя, — вчера он смыл часть красного слоя, а сегодня почему-то... вот... так... И что делать?

Лежащий на рукомойнике мобильный затрезвонил, меня разыскивал Костин, он, забыв поздороваться, тут же спросил:

— Когда приедешь? У Епифанцева есть информация по личности Сыркина.

— Уже несусь, — ответила я, положила трубку на пуфик и растерялась. — Надо спешить в офис. Представляю, как отреагируют коллеги, увидев меня в образе салата латук.

— Из любой ситуации всегда есть выход, — оптимистично воскликнула Краузе, — на улице дождь, ветер, никто не удивится, если вы натянете шапочку.

— Хорошая идея, — вздохнула я. — Есть маленькая проблема: я терпеть не могу головные уборы, поэтому покупаю куртки с капюшонами, с ними намного удобнее, и прическу они не мнут. Но сидеть в офисе в верхней одежде странно, а шапочки у меня нет.

— Пустячок, — засмеялась Краузе, — неделю назад Макс привез из Италии Кисе подарок: шарф, перчатки и замечательный вязаный колпачок.

— Он мне будет мал, — окончательно приуныла я.

— А вот и нет, — возразила няня. — Во-первых, у Кисы крупная голова, а у вас черепушка мелкая. А во-вторых, Вульф, как всегда, ошибся, купил шапочку для подростка. В прошлый раз из Германии он Кисе сапожки тридцать восьмого размера приволок, я давно не удивляюсь его покупкам. Шерстяной комплект спрятала, сейчас принесу! Вот видите, главное, не впадать в уныние, все решаемо!

* * *

— Ну, наконец-то! — воскликнул Костин, когда я вошла в кабинет. — Сколько ждать можно? Без тебя начинать не хотели. Говори, Епифанцев!

Николай, сидевший напротив Вовки, откашлялся.

— Я провел собственное расследование.

— Что ты сделал? — поразилась я. — Коля, ты работаешь в техотделе, к тому же пока стажером. Не имеешь права ничего предпринимать, не доложив начальству.

— Когда я к работе приступал, мне менеджер по персоналу сказал, что творческая креативность приветствуется, — надулся Епифанцев.

— Пусть выскажется по делу, — кивнул Костин, — потом ему клизму поставим.

Стажер начал:

— Вам уже доложили, что паспорт, найденный у жертвы ДТП, отправили на экспертизу, и он оказался фальшивым.

— Нет, — возразила я, — впервые об этом слышу.

Володя и Николай одновременно посмотрели на меня.

— Лампа, ты забыла? — удивился Костин. — Я рассказывал тебе, что удостоверение личности не подлинное. Визуально подделку не определишь, работал классный мастер, он использовал фамилию, имя, отчество реального давно умершего человека. От людей, предъявляющих такие документы, часто страдают банки, выдающие «быстрые» кредиты на покупки в магазинах. Паспорт у клерка подозрения не вызывает, клиент увозит холодильник-телевизор, и ау! Начинают должника искать... Ба, да он покойничек уже десять лет как. Неужели нашу беседу не помнишь?

— Пока не страдаю маразмом, я имела в виду, что ничего не слышала про экспертизу, — вывернулась я, совершенно забывшая тот разговор, — полагала, что фальшивку определили с ходу, детально не изучали...

Я притихла, а Коля продолжал:

— Поскольку ничего о Сыркине, кроме места его прописки, выяснить не удалось, и вообще он, как оказалось, уже давно мертвец, просто кто-то использовал его имя в фальшивом документе, я подумал: лже-Виталия Павловича могут разыскивать. Вероятно, у него есть любовница, коллеги по работе, друзья, не может человек жить в вакууме! Поэтому выложил во все социальные сети фото жертвы наезда и сопроводил его текстом: «Погиб мужчина. Если кто его знает, позвоните». И сегодня рано утром прорезалась Евгения Павловна Хрусталева.

Николай обвел нас с Вовкой торжествующим взглядом и продолжил:

— Сыркин вовсе не Сыркин. Он Виталий Павлович Хрусталев, младший брат Евгении. Они поругались много лет назад, сейчас объясню почему. Женя вышла удачно замуж за Геннадия Волкова, обеспеченного человека, тот в смутное перестроечное время мгновенно разбогател на продаже подержанных иномарок из Европы. У Волкова был бизнес-партнер, весьма оборотистый тип по фамилии Кнутов. Сначала у Геннадия все с компаньоном шло прекрасно. Но спустя лет пять-шесть Волков обнаружил, что мужик его обманывает, и альянс распался. Времена были беспредельные, Волков решил получить свои украденные деньги, Кнутов клялся, что он честнее папы римского, мошенничеством занимался бухгалтер. Ясное дело, в милицию Геннадий не побежал, он занимался криминальным бизнесом, был связан с преступной группировкой. Короче говоря, разобрались сами. Волков подозревал, что вор припрятал валюту, но где, так и осталось тайной, которую Кнутов не выдал даже перед смертью. Разозленный продавец иномарок запретил своей жене, сестре Виталия, общаться с братом. Почему бизнесмен взъелся на шурина? У убитого по его приказу Кнутова была дочь Лиза, одногодка Виталия. У юноши с девушкой разгорелся роман. Волков и его партнер не имели ничего против этого брака, дело катило к свадьбе, и тут выяснилась правда о воровстве. Геннадий сказал шурину:

— Запрещаю приводить в семью эту девку.

— Я ее люблю, — уперся Виталий.

— Отец этой дуры меня на миллионы баксов кинул, — взвыл Волков, — слышать имя его дочки не желаю.

— Лиза ни при чем, — кинулся защищать невесту Виталий, — она ничегошеньки про дела отца не знала. Андрей Павлович жадным был, дочке ничего не покупал. Твои люди жилье Кнутовых обыскали, на молекулы разобрали, Лизу допросили, ты в курсе, что она ни при чем, понятия не имеет о долларах.

— Пока тебя содержу, будешь меня слушаться. Выбирай: или богатая жизнь со мной, или вали вон! — пошел вразнос Волков.

И Виталий ушел к Елизавете.

Глава 33

Евгения не могла ослушаться мужа, она не пыталась связаться с единственным близким родственником, как брат живет, понятия не имела. Сама Женя в деньгах не нуждалась, Геннадий прекрасно зарабатывал, а потом случилась беда. На Волкова наехала налоговая инспекция, возбудила дело, состоялся суд, и бывший бандит, успевший к тому времени трансформироваться в легального бизнесмена, оказался на зоне, где вскоре погиб от руки соседа по бараку. Имущество преступника арестовали, а вот шикарный особняк, находившийся в собственности его супруги, не тронули.

Евгения продала дом, перебралась в маленькую квартиру, долгое время жила на оставшиеся от сделки с недвижимостью средства, а потом перед ней замаячил призрак полной нищеты. По образованию Женя учительница младших классов, но, удачно выскочив замуж за Волкова, ни разу не переступила порог школы. И кто возьмет на службу тетушку средних лет, не имеющую опыта работы с малышами? Детей у Евгении нет, она их не любит, они ее раздражают. Но кушать-то хочется каждый день! Когда кубышка окончательно опустела, Женя вспомнила о брате, принялась разыскивать Виталия и быстро нашла его координаты. Решив, что лучше им побеседовать тет-а-тет, Евгения Павловна в районе десяти вечера позвонила в его квартиру. Дверь открыла полная блондинка, она мало походила на стройную девушку, дочь Андрея Кнутова, вороватого компаньона Геннадия.

— Вам кого? — спросила толстуха.

— Виталий Хрусталев тут живет? — спросила Женя.

— Это мой муж, — ответила блондинка. — А вы ему кто?

— Лиза? — робко осведомилась Евгения.

— Да, мы знакомы? — удивилась хозяйка.

— Не узнаешь меня? — огорчилась гостья. — Здорово я постарела, да и ты сильно изменилась, была худенькой, а сейчас прибавила в весе.

— Пришла, чтобы обсуждать мою фигуру? — хмыкнула хозяйка.

— Нет-нет, я не хотела тебя обидеть, — испугалась Женя, — просто отметила: мы обе не помолодели, прошел не один год с последней нашей встречи, время никого не красит.

— Или объясните, что хотите, или проваливайте, — отрезала дочь вора.

— Я Евгения, сестра Виталия, — представилась Женя, — мой муж Геннадий Волков погиб, живу одна. Родственников, кроме вас, у меня нет, хочу наладить прерванные отношения.

Лиза вышла на лестничную клетку и прикрыла дверь в квартиру.

— Здорово. Но мы не нуждаемся в общении с вами. И зря надеетесь, что брат будет содержать сестрицу, которая надолго исчезла из его жизни.

— Ты же понимаешь, почему разорвались отношения, — всхлипнула Женя, — не я тому виной, твой отец украл у моего мужа огромную сумму, почти десять миллионов долларов. Гена запретил мне даже думать о Виташе. Супруг погиб на зоне, мне очень плохо, одиноко, ни детей, ни друзей нет. И жить не на что, помогите, пожалуйста. Лизочка, мы с тобой редко встречались, но когда-то пили чай за одним столом. Ты тогда была красивой, худенькой, с длинными локонами.

Елизавета открыла квартиру и громко сказала:

— Попрошу вас более никогда сюда не являться. О родственниках надо вспоминать не тогда, когда ждешь от них материальной и моральной помощи, а в дни благоденствия. Будешь общаться с близкими в радости и достатке, тогда, если настанет черный день, они о тебе позаботятся.

Речь Елизаветы прервал подъехавший лифт, из него вышел мужчина. Жена Виталия замолчала, потом улыбнулась.

— Добрый день, доктор, проходите, мы вас ждем.

— Спасибо, Лиза, — поблагодарил незнакомец и вошел в апартаменты Хрусталевых.

Хозяйка сделала то же самое, на пороге она обернулась и прошипела:

— Только посмей нас еще раз побеспокоить, тварь, без головы останешься.

Евгения расплакалась и ушла. Звонить брату по телефону она не стала, поняла: семья Хрусталевых не желает с ней общаться. Но спустя недели две Женя подумала, что Виталий может иметь отличное от супруги мнение, и набрала его номер. Ответил девичий голосок.

— Можно поговорить с Виталиком? — попросила Евгения.

— Здесь такого нет, — заявила незнакомка, — телефон я купила сегодня утром. Если раньше он у какого-то Виталика был, то теперь мой. Не трезвоньте.

Женя решила не сдаваться, опять приехать к Хрусталевым, но на сей раз не звонить в дверь, а подождать брата на лестничной клетке. Он же когда-нибудь появится?!

Но в подъезде Евгения Павловна увидела, что дверь Хрусталевых опечатана. Женя замерла, в душе ожили самые неприятные воспоминания об аресте Геннадия...

И тут дверь в соседнюю квартиру приоткрылась, высунулся мужчина и спросил:

— Эй, чего тут делаете?

— Я приехала к Хрусталевым, — пояснила Женя, — но, похоже, их нет.

— В аварию угодили, — объяснил незнакомец, — подробностей не знаю. На прошлой неделе беда случилась. А вы им кто?

— Сестра Виталия, — прошептала Евгения, — мы много лет не общались, я хотела восстановить отношения, но не успела.

— Родная? — неожиданно обрадовался мужчина.

— Да, — кивнула Евгения.

— Отлично, — ликовал дядька. — Хотите чаю? Вам подкрепиться надо. Валя, живо, накрывай поляну!

Сосед затащил растерянную Евгению в свою квартиру, усадил ее за стол и растолковал ей, что она является единственной наследницей погибшего.

— Давно просил Хрусталевых продать нам их трешку, — распинался сосед, — а Лиза ни в какую. Деньги им хорошие сулил, она отказывалась. Давай договоримся. Ты вступишь в права наследства, оформим сделку купли-продажи, поможем тебе новое жилье приобрести.

— Вы уверены, что квартира брата мне достанется? — робко осведомилась Женя.

— У меня жена — нотариус, — потер руки мужик, — держись нас, получишь капитал.

Вдова не успела опомниться, как дело завертелось. Через шесть месяцев Евгения стала владелицей трешки и продала ее соседу брата. Мужик и его супруга оказались честными людьми, не обманули Женю и помогли ей купить апартаменты в другом районе. Сейчас Женя их сдает и не голодает, ее жизнь потихоньку наладилась, она освоила Интернет, завела аккаунты во всех соцсетях, познакомилась с большим количеством людей, нашла через одного нового приятеля работу секретаря. О Виталии Евгения не тосковала, о брате не вспоминала. Они ведь давным-давно стали чужими людьми, его жена отказалась помочь Евгении в трудную минуту. Хрусталева понятия не имела, где родственники похоронены, и совесть ее по этому поводу не мучила. Да, ей досталась квартира Виталика, а кому она еще могла отойти?

Женя наконец-то стала жить счастливо и вдруг в одной из соцсетей ей попалось фото Виталия с красной «шапкой»: «Помогите найти родных». Хрусталев постарел, обзавелся морщинами, потерял свои пышные кудри, но сестра узнала брата, это точно был он. Евгения пришла в недоумение: если верить объявлению, человека на фото зовут Сыркин Виталий Павлович, и он погиб на днях. Но Виталий Хрусталев умер несколько лет назад.

Николай обвел нас торжествующим взглядом.

— Евгения поколебалась и позвонила мне. Я ей сказал, что порой на свете встречаются очень похожие друг на друга люди, они вовсе не родственники. Иногда природа так шутит, создает двойников. В Интернете есть несколько сайтов, где выкладывают фото люди, как две капли воды похожи на знаменитостей...

— Короче, — сквозь зубы процедил Костин, — вещай по делу, не уплывай в сторону.

Епифанцев затараторил с утроенной скоростью:

— Я объяснил Хрусталевой, что единственный способ точно установить, является ли сбитый Сыркин ее братом, провести анализ ДНК. Взял у нее мазок изо рта...

Я не поверила своим ушам.

— Что ты сделал?

— Ватной палочкой у нее по внутренней стороне щеки провел, — уточнил стажер, — отволок материал в лабораторию, но его без вашего распоряжения принять отказались. Попросите, чтобы все сделали. Евлампия, можете свою шапку снять?

Я, пораженная поведением Николая, вместо того, чтобы высказать парню в лицо все, что думаю о его «креативности», удивилась:

— Какое тебе дело до моего головного убора?

— У вас на макушке что-то сверкает, — пояснил Коля, — не пойму что, очень интересно!

Я сдернула колпачок.

— Вау! — воскликнул Епифанцев и схватил свой айфон. — Ваще круто! Синие волосы! Чума! Франца от восторга затрясется. Ну-ка улыбнитесь! Это для блога Марины.

Я уставилась на шапочку и поняла, что к ней приделаны круглые пластмассовые очи, их черные зрачки трясутся и слегка перемещаются, когда головной убор шевелится, а «белки» покрыты серебряной краской. Теперь понятно, почему люди в лифте и в коридорах провожали меня пристальными взглядами. Небось сейчас все агентство обсуждает мой внешний вид и сочувствует Максу, чья жена разгуливает в шапке с глазами. Почему я не заметила, что вязаный колпак снабжен оригинальным украшением? Почему, почему... да потому что, торопясь на работу, схватила протянутую Краузе шапку и натянула ее себе на голову не глядя. И ведь сказала же мне Роза Леопольдовна, что Вульф привез колпачок для Кисы. Нет бы подумать, что головной убор может выглядеть необычно.

— Велите лаборатории срочно сделать анализ ДНК, — улыбался Коля, — и похвалите меня. Я же молодец! Нашел Евгению. Взял у нее мазок!

Костин оперся ладонями о стол и начал медленно вставать, я вскочила и ринулась из кабинета со словами:

— Вернусь через полчаса, совсем забыла в аптеку заскочить.

— Ты стажер, — загремел Вовка, — не имеешь права ничего делать без согласования с нами, и вообще, люди из техотдела...

Я выбежала в коридор и захлопнула дверь. Пусть Володя без меня читает Николаю нотации, не люблю, когда кого-то ругают. Епифанцев заслужил порку, но, надо признать, он здорово нам помог. Если окажется, что Сыркин — это уже один раз умерший Виталий Павлович Хрусталев, то дело примет новый оборот. Схожу-ка на самом деле в аптеку, а потом вернусь в офис.

* * *

— Никак не определитесь, что вам надо? — спросила провизор, наблюдая, как я маюсь у большой витрины.

— Хотела витаминчики купить, — ответила я, — но их тут тьма. Наверное, лучше те, что подороже?

— Не всегда, — возразила фармацевт, — посоветуйтесь с врачом. Витамины не всем принимать можно, кое-кому они во вред. Например, курильщики, принимающие повышенные дозы витаминов Е и С, увеличивают почти на семьдесят процентов риск заболеть туберкулезом.

— Да ну? — поразилась я. — Хорошо, что не балуюсь сигаретами. У вас есть «Быстроум»? Слышала, этот БАД отлично помогает при проблемах с памятью.

— Его запретили месяц назад, — нахмурилась аптекарша, — многие широко разрекламированные добавки на самом деле не приносят пользы, а иногда они вредны. «Быстроум» вызывает у тех, кто много и регулярно занимается спортом, дрожание рук, проблемы со зрением. В первое время средство помогает, вы начинаете быстрее соображать, но через пару недель приема достигается обратный эффект. Память резко ухудшается, вы можете забыть, где живете, накатывает головная боль, теряете равновесие. Мало кто понимает, что ухудшение состояния связано с приемом такой, на их взгляд, чепухи, как витамины, люди начинают бегать по клиникам и при этом не говорят доктору, что сами себе назначили «Быстроум», ну и получают диагнозы! Врачи разные, встречаются среди них дураки, услышат про ослабление зрения, головную боль, дрожание рук и сообщают: «У вас, похоже, Паркинсон!»

— Или болезнь Крейтцфельдта-Якоба, — пробормотала я.

— И такое возможно, — согласилась аптекарь. — А вы откуда про этот недуг знаете? Надеюсь, у вас дома никто им не страдает?

Я не успела ответить, в кармане зазвонил телефон, на экране определился странный номер, состоящий из одних единиц.

— Слушаю, — сказала я.

Глава 34

— Ев... Евлампия? — чуть запнувшись на имени, спросил ломающийся голос мальчика-подростка. — Романова? Вы сыщик? Жена хозяина детективного агентства Макса Вульфа?

— Да, — удивилась я. — С кем разговариваю?

— Жвачка «Треш», которая налеплена на стакан в квартире Лауры Кривоносовой, продается только в одном месте. В магазине «Ромбо», там постоянных клиентов знают, хозяин им на дом заказы доставляет. Среди них Майя Григорьевна Федина, она постоянно «Треш» жует. И духами «Диабло» душится. Федина убила Лауру Кривоносову и наняла Обжорина задавить Сыркина. Проверьте ДНК со жвачки.

Я растерялась, но быстро опомнилась:

— С кем я разговариваю? Как вас зовут?

В ответ полетели короткие гудки, и сотовый замолчал. Я развернулась и побежала назад в офис, забыв купить витамины для улучшения памяти.

* * *

— Пришел результат анализа жвачки, прилепленной на стакан, обнаруженный на тумбочке у кровати Кривоносовой, — завел Володя, едва я возникла на пороге, — в базе его нет, сравнить не с чем. Но ДНК женская.

— Скорее всего, она принадлежит Майе Григорьевне Фединой, владелице клиники «Юность», — перебила я Костина.

— А ты откуда знаешь? — удивился друг.

Я рассказала Вовке про разговор с анонимом и предложила:

— Пусть Роман попробует определить, откуда мне звонили. Мобильные детективов агентства снабжены функцией записи всех наших разговоров. Возможно, инкогнито использовал преобразователь голоса, его сейчас можно купить на Горбушке, стоит недорого. Бунин умеет возвращать нормальное звучание речи, думаю, мне звонил не подросток, а взрослый человек, который в курсе всего, что произошло с Никитой и Лаурой. Надо попросить Федину приехать к нам для беседы, предложить ей чаю, потом отнести кружку эксперту. Благодаря тому, что Макс не экономит на самом современном дорогостоящем оборудовании, наша лаборатория может изучить ДНК в рекордно короткие сроки. Сравним образец с чашки с тем, что на жвачке, и картина прояснится.

— Действуй, — велел Костин, — договаривайся с хозяйкой клиники, а я отдам твой мобильный Бунину.

— Буду ей дозваниваться, — приуныла я. — Дама сломала зубы, теперь делает их заново, на звонки не отзывается, в клинике не показывается.

* * *

Соединиться с владелицей клиники мне удалось лишь на следующее утро.

Федина сначала удивилась.

— Детективное агентство занимается смертью Лауры? Кто вас нанял?

— Человек, который хочет выяснить правду, — обтекаемо ответила я, — нам очень нужна ваша помощь. Мы считаем, что Лаура покончила с собой, не перенеся гибели мужа, который застрелился, задавив прохожего. Настоящая трагедия.

— Ужас! — согласилась Федина.

— Хочется узнать, какие отношения связывали Кривоносову и Обжорина, правда ли, что Лаура обожала мужа? — зачирикала я. — Вы, как руководитель клиники, наверное, в курсе личной жизни сотрудников.

— Конечно, мы одна семья, — заверила Федина. — Лорочка всегда со мной откровенна была, у них случилось горе, Никита Владимирович заболел...

— Простите, — перебила я Майю, — чтобы закрыть дело и подтвердить версию суицида Лауры, нам надо запротоколировать ваш рассказ. Сделать это лучше в нашем офисе, чтобы соблюсти все формальности.

— Понимаю, прибуду примерно через час, — пообещала Майя.

Я обрадовалась и набрала другой номер, на сей раз мне понадобилась Света Яковлева.

— Лампуша, приветик, — зачастила подруга, — прикинь, мой муж опять...

— Помнишь, я недавно говорила с тобой про жвачку «Треш», — перебила я Светлану.

— Нет, — ответила та.

— Ты сначала жаловалась на супруга-лентяя, — напомнила я.

— Прикинь, целый день думу думает, денег не приносит, — вмиг завелась Яковлева.

Я повысила голос.

— Потом ты сказала, что слопала паштет с чесноком, хотела пожевать «Треш» и не нашла его в сумке.

— Ну, Романова, у тебя память слона, — восхитилась Светлана.

— Только на то, что связано с работой, — вздохнула я. — Вроде у тебя есть какой-то парень, он работает в магазине «Ромбо», но постоянным клиентам привозит чудо-жвачку под заказ.

— Петька! — обрадовалась Яковлева. — «Ромбо» ему принадлежит. Хочешь «Треш»? Сейчас дам телефончик, больше ни у кого в Москве резинку не купишь. Петяха ею эксклюзивно торгует. Эсэмэской номерок сброшу, купи побольше, у Петьки порой перебои с поставками случаются.

* * *

Федина приехала через полтора часа. К моменту ее появления мы с Костиным уже знали, что мне звонили из телефона-автомата, установленного в торговом центре «Атлас».

— Телефон на первом этаже, — пояснил Бунин, — он там один, пережиток прошлого, расположен около магазина «Английский пациент». Странно, что его не сняли, сейчас у всех мобильники.

— Значит, найти того, кто звонил, невозможно, — приуныла я.

— Может, у бутика есть камера? — предположил Роман. — Некоторые торговые точки их не только внутри, но и снаружи устанавливают.

— В большом торговом центре навряд ли, — расстроилась я. — Зачем им галерею, по которой толпа течет, отслеживать? Вот если лавка имеет выход прямо на улицу, тогда эта мера оправдана.

— Голос не изменен, — сказал Роман, — на мой взгляд, он принадлежит парню лет тринадцати-четырнадцати, у него астма.

— А это ты как определил? — изумился Костин.

— В одном месте возникает характерный звук пшик-пшик. Такой издает баллончик с дозатором, — пояснил Бунин. — Вот, включите слух, для вас специально его выделил.

Роман пошевелил мышкой, я услышала уже знакомый голос.

— Ев... Евлампия...

— Он запнулся! — отметил Бунин.

— Не смог сразу сложное имя произнести, — улыбнулась я.

— Нет, — заспорил начальник техотдела, — паренек пытался вдохнуть.

— Романова? Вы сыщик? Ххх... ххх... Жена хозяина детективного агентства? Пшик-пшик, пшик-пшик, — донеслось из компьютера.

— Во время разговора никаких посторонних звуков не заметила, — пробормотала я.

— Я выделил их, — объяснил Бунин, — сначала анониму не хватило воздуха, потом он сделал пару попыток вдохнуть, сказал фразу и использовал дозатор. У него точно астма, которая от разных причин обостриться может: духота, волнение. Судя по звуку, телефон висит в будке, может, там чем-то воняло. Голос ломается, как у паренька-подростка.

— Мальчик лет четырнадцати, — запоздало удивился Вовка. — Откуда он в этой истории?

— Скорей всего, ниоткуда, аноним поймал в торговом центре школьника и предложил ему денег за легкую работу: звякнуть из автомата да сказать пару фраз, — предположила я.

В кабинет заглянула секретарша Галя.

— К вам пришла Федина.

— Прекрасно, приглашай ее, — обрадовалась я. — Галочка, подай нам чай в стеклянных чашках, мармелад и печенье курабье. Через минут пятнадцать принеси новый чайник и чистую посуду. Старую убери, чашку, из которой пила Федина, держи только за ручку, ни в коем случае не мой ее. Позови Катю из лаборатории, она знает, что делать.

Галя вздернула подбородок.

— Так и я не дура, не волнуйтесь, все сделаю качественно, не первый раз вы на анализ ДНК берете.

— Меньше говори — больше работай, — сделал секретарше замечание Бунин.

Галя поджала губы, но ушла молча. Я покосилась на Костина. Роман высококлассный специалист, вот только у него тяжелый характер, нельзя, чтобы он оставался при разговоре с Фединой. Но как аккуратно выпроводить Бунина, чтобы он не обиделся? Дверь кабинета приоткрылась, вновь показалась Галина.

— Роман, у вас что-то в отделе замкнуло или сгорело, тревожный звонок орет.

Бунин испарился со скоростью капли воды, упавшей на раскаленную сковородку.

— Очень кстати неполадки случились, — обрадовалась я, когда мы с Костиным остались одни.

Вовка засмеялся.

— Иногда аварийную сигнализацию глючит, все в порядке, а она воет.

— Ты попросил Галину соврать! — догадалась я.

Костин стал убирать со стола бумаги.

— Надо с техотделом разобраться, оба парня хорошо работают, посоветую Максу взять Епифанцева в штат, но они слишком креативны и хотят самостоятельно рулить делами, а Рома еще и обидчив, как тринадцатилетняя девочка.

Створка снова открылась, в комнату вошла незнакомая дама с дорогой сумкой в руках.

Володя задвинул ящик.

— Майя Григорьевна! Очень рады вас видеть.

Глава 35

Все время, пока мы беседовали с Фединой, я поглядывала на телефон. Ну когда же он зазвонит? Почему лаборатория так долго делает анализ ДНК? И вот наконец трубка запищала.

Володя молча выслушал сообщение эксперта, потом обратился к гостье:

— Майя Григорьевна, у вас прекрасные духи.

Я, чуть не задохнувшаяся от удушливого, тяжелого аромата, добавила:

— Просто восхитительные. Как они называются?

— «Диабло», — охотно ответила Федина, — рада, что вам они понравились, давно ими пользуюсь. Сложно найти свой аромат, такой, чтобы подходил во всех случаях. Но мне повезло, «Диабло» уместны и в январе, и в июле.

Я осторожно втянула носом воздух. На дворе сентябрь, с погодой москвичам в очередной раз не повезло, месяц выдался холодным, дождливым. Но даже сейчас, когда на улице прохладно, парфюм гости кажется удушающим. Представляю, как он убийственно действует на окружающих в жаркие дни! Майя не слышала о легких духах? И неужели никто ни разу не объяснил ей, что флакон предназначен для многократного использования, не надо выливать на себя сто миллилитров за один раз.

Костин пнул меня под столом ногой, я очнулась и начала исполнять свою роль:

— Никак не найду подходящую туалетную воду, зато совсем недавно открыла потрясающую жевательную резинку. Название, правда, не очень аппетитное, не понимаю, кто мог назвать ее «Треш», но на качестве это не отразилось. Вкус потрясающий, и он долго не исчезает. В Россию жвачка не поставляется, но я нашла Петю, он ею эксклюзивно торгует.

Федина улыбнулась, открыла сумочку и достала оттуда темно-зеленую коробочку.

— Мир тесен. Обожаю «Треш» и всегда покупаю ее у того же Петра.

— Да ну! — всплеснула я руками. — Здорово. А теперь ответьте на вопрос: каким образом эта редко встречающаяся в Москве жевательная резинка оказалась прикреплена к стакану, который стоял на тумбочке у дивана Кривоносовой?

Глаза Фединой округлились, брови взлетели вверх.

— Не надо восклицать: «Понятия не имею», — предостерег ее Костин. — Вы здесь пили чай, пустую чашку отправили в лабораторию, с нее сняли ДНК, и она совпала с той, что была в жвачке на стакане.

— Не поняла, — пробормотала Майя.

Костин провел рукой по пустой столешнице.

— Что такое ДНК знаете? Хотя, глупый вопрос, у вас высшее медицинское образование. С «Треш» взяли пробу и с чашки, которой вы сейчас пользовались, тоже. Результат показал: жевала резинку и пила из чашки одна и та же женщина. Это вы.

— В квартире убитой Кривоносовой стоял сильный запах «Диабло», — подхватила я, — ни Лаура, ни ее муж парфюмом никогда не пользовались.

Дверь кабинета распахнулась без стука, вошел Роман.

— Здрасти, — сказал он Фединой, сел за стол и поставил перед собой ноутбук.

От такой наглости я подавилась следующей фразой.

— Что вы делали в квартире Кривоносовой? — резко спросил Володя.

— Никогда там не была, — подпрыгнула Федина, — понятия не имею, где Лаура жила.

— Люди лгут, ДНК нет, — влез в разговор Бунин. — Одна птичка насвистела нам, что хозяйка «Юности» имеет привычку приклеивать обжевыши где попало.

Я испытала острое желание выгнать Романа вон, но ведь нельзя это сделать в присутствии владелицы клиники. Мне никто не говорил в клинике красоты про манеру Фединой избавляться от использованной жвачки, прикрепляя ее в разных местах. Сейчас Майя возмутится, скажет: «Я воспитанный человек...»

— Ну... бывает, — неожиданно смутилась она, — я постоянно жую «Треш», меня ее вкус успокаивает. Но ведь неудобно беседовать с человеком и чавкать? А куда резинку деть? Вот и приходится незаметно ее изо рта вынимать и куда-нибудь приклеивать.

Меня передернуло.

— Именно это и произошло в квартире Лауры, — подчеркнул Костин. — Вы начали обыскивать труп и машинально приклеили «Треш» на стакан. Или сделали это, когда поняли, что ключа нет, разволновались, решили успокоиться с помощью любимой жвачки, а та, которую держали во рту, потеряла вкус, вы ее на стакан прикрепили, достали новую...

— Какой ключ? — заморгала Федина.

— От ячейки, — пояснила я.

— Какой? — изобразила удивление Майя. — Ничего не понимаю!

— Попробую объяснить, — сказала я. — Незадолго до убийства Сыркина вы с Никитой отправили ему домой курьерской доставкой бандероль, в которой лежали ключ от депозитной ячейки и письмо Обжорина к жене. Никто из вас не хотел рисковать. Вы опасались, что, получив большую сумму до исполнения заказа, Никита Владимирович может струсить и не выполнить задания. А Обжорин думал, что вы можете зажулить денежки, он переедет Виталия Павловича, застрелится, а его жена ничего не получит. В послании было четко указано, сколько долларов спрятано в сейфе.

— Не было такого, — запротестовала Федина. — С ума сойти можно!

— Вы поставили Обжорину диагноз, — наседала я, — определили у него болезнь Крейтцфельдта-Якоба.

— Ну да, — согласилась Майя Григорьевна. — Лаура попросила ее мужа посмотреть. Я сразу поняла, что с ним, в институте защищала диплом по этой болезни.

— Очень интересно, — неожиданно обрадовался Роман и забегал пальцами по клавиатуре.

— Мне стало жаль Лауру, — продолжала владелица клиники, — но никакой хорошей перспективы для Никиты не было. Я выписала ему пару препаратов, но надеяться на лекарства не стоило. Бедняга в скором времени начал бы терять рассудок.

— А еще вы стали проводить с ним психотерапевтические сеансы, хоть и не имеете права на подобную практику, — добавила я.

— Это еще почему? — разозлилась Майя. — Я невропатолог, а потом получила второе высшее, психологическое образование.

— Нет! — отрезал Бунин. — Конкретная неправда! На факультете психологии МГУ не было выпускницы Фединой, ваш диплом фальшивый.

— Я там училась! — взвилась владелица клиники.

— Верно, — кивнул Роман, — всего полгода, потом бросили. Но не это самое интересное. Полюбуйтесь на фото.

Бунин развернул ноутбук экраном к Фединой, я, сидевшая рядом с ней, увидела снимок.

— Кадр сделан в тот день, когда студенты-медики получали дипломы, — пояснил Роман. — Слева мы видим список, в нем перечислены фамилии новоиспеченных докторов, европейских среди них не очень много. Вы учились не в первом, не во втором, не в третьем меде, а на факультете при Университете дружбы народов. Поэтому перед нами в основном иностранцы из стран так называемого третьего мира. Изучим второй ряд, там, похоже, россияне. Читаю: «Слева направо: Анна Николаева, Павел Гнутов, Майя Федина, Елизавета Кнутова, Игорь Пахмутов».

— Однако вы здорово изменились, — отметила я, — поправились, стали брюнеткой.

— Время летит, — дрожащим голосом сказала владелица клиники, — мало кто остается таким, как во времена молодости.

Бунин бесцеремонно направил свой айфон на Федину и щелкнул камерой.

— А теперь фокус-покус. Беру ваше только что сделанное фото, вырезаю из общего снимка изображение Фединой, включаю специальную программу. Строение черепа каждого человека уникально, хотя есть общие черты, позволяющие эксперту определить по костям, к какой расе принадлежит скелет. Вау! Совпадений по точкам нет, Майя Федина со снимка и Майя Федина, сидящая сейчас перед нами, не одно и то же лицо. Забавно получилось, звучит как каламбур, но на самом деле не одно лицо. Кто же вы? Может, Елизавета Кнутова? Секундос. О!!! Полное совпадение. Моя гениальная догадка подтвердилась! Кстати, диплом по болезни Крейтцфельдта-Якоба никто из выпускников не защищал.

— Майя Григорьевна, что происходит? — удивился Костин.

Я перевела дух. Ай да Роман! Но почему он ничего не сообщил нам с Володей? Отчего решил вывалить столь важную информацию в присутствии Фединой?

Майя закрыла лицо руками.

— Знала, что когда-нибудь все выяснится. Вы мне не поверите, если расскажу правду. Я не виновата, Виталий нас подставил. Я просто хотела выжить, а он...

Федина заплакала.

— Я его любила, а потом раз, и чувство иссякло... мне с детства не везло, родилась не в той семье. Попробую сейчас объяснить... растолковать... но жизнь так запутала... так все перемешала... поверить невозможно...

— Вы говорите, — попросила я, — мы поймем.

Майя вытерла лицо ладонями.

— Ладно, придется начать издалека.

Глава 36

Андрей Павлович Кнутов, отец Лизы, был авантюристом и большим любителем женского пола. Мать Елизаветы умерла, когда дочери исполнилось десять. Папа решил не нанимать ни няню, ни домработницу, он сказал малышке:

— Веди домашнее хозяйство, нечего после уроков по улицам шляться.

И Лизочка стала ходить за продуктами, готовить обед, стирать-гладить-пылесосить. Андрей Павлович обращался с малышкой, как со взрослой, он часто звонил вечером домой и сообщал:

— Ночевать не приду.

Лиза запирала дверь и ложилась спать, она совершенно не боялась оставаться одна. Утром девочка вставала по звонку будильника и шла в школу. Папа мог отсутствовать несколько дней, дочка не нервничала, она знала, что он непременно вернется и принесет ей подарок. Удивительное дело, но фактически беспризорный ребенок учился на одни пятерки, рос очень ответственным. Лиза стала прекрасной хозяйкой, научилась принимать гостей, поддерживать беседу в присутствии взрослых, и никогда никому не рассказывала, о чем говорят мужчины, которые порой заглядывают к отцу. У Елизаветы ушки всегда были на макушке, а рот на замке.

В начале перестройки Андрей Павлович вместе с Геннадием Волковым стал перегонять из Европы в Россию подержанные иномарки. Бизнес оказался удачным, деньги к партнерам текли рекой. Кнутов построил дом, но старую дачку-развалюху, где Лиза в детстве проводила лето, не продал, оставил, так сказать, на память. Андрей Павлович жил на широкую ногу, деньги швырял направо-налево, ездил на роскошных машинах, менял часы стоимостью в десятки тысяч долларов, не ограничивал в расходах Лизу.

Геннадий Волков женился на Евгении Хрусталевой, у той был младший брат Виталий. У Лизы и Виталия вспыхнул роман. Ни Геннадий, ни Андрей не возражали против их отношений, но потом все рухнуло. Волков уличил Кнутова в краже средств фирмы, сумма была очень большой, тридцать миллионов долларов. Естественно, в полицию Геннадий обращаться не стал, ночью в дом Андрея нагрянули люди в масках, перевернули все вверх дном, вскрыли полы, разломали мебель... Хорошо, что Лиза, увидев, как в дом врываются бандиты, сообразила выпрыгнуть в окно первого этажа и убежать. Когда девушка днем вернулась в особняк, там уже распоряжалась милиция. Опера принялись задавать Елизавете вопросы, а она, прекрасно понимая, что откровенничать с представителями закона нельзя, включила дурочку и залепетала:

— Папочка собирал картины, предметы искусства, держал в сейфе деньги. Я увидела, что грабители ворвались в дом, и сбежала.

— Правильно поступила, — похвалил ее оперативник. — Отец твой погиб, избили его сильно, перед смертью пытали, небось шифр от несгораемого сейфа узнать хотели, он сейчас открыт и пуст. Останься ты дома, мы бы два трупа нашли. Бандиты, узнав код доступа, сразу твоего отца пристрелили.

Лиза поняла, что произошло. Отец сообщил людям Геннадия, как открыть сейф, но промолчал о тайнике с миллионами долларов. Наверное, он хотел выиграть время, надеялся убежать, пока уголовники роются в домашнем «банке», но те услышали шифр и убили хозяина до того, как вскрыли бронированный шкаф, а когда обнаружили, что в нем денег Волкова нет, было поздно, от мертвеца правды не узнаешь.

Лиза похоронила Андрея Павловича и вышла замуж за Виталия. Узнав, что младший брат жены не намерен разрывать отношения с любимой, Геннадий взбесился и выгнал его из дома. Елизавета же поняла: Виталий ее никогда не предаст, он мог откреститься от нее, и тогда бы Геннадий продолжал содержать его. Однако Виталий наплевал на деньги и остался с нищей Лизой.

Кнутова поменяла фамилию, стала Хрусталевой, продала разгромленный бандитами Волкова особняк, купила скромную квартирку на задворках Москвы, и они с Виталием начали тихо жить. Денег не хватало, дом пришлось продать за бесценок, никто не хотел селиться там, где убили человека.

Виталий никак не мог найти работу, Лиза получала копейки, им было трудно. Через год после свадьбы она тяжело заболела, наверное, сказался полученный стресс. Врачи предупредили мужа, что без операции Лиза не выживет, но и после нее шансы на выздоровление ничтожно малы. Лиза имела медицинское образование, поэтому понимала тяжесть ситуации. Ночью накануне операции она открыла Виталию тайну. Ее отец на самом деле украл у Волкова тридцать миллионов. Доллары спрятаны в укромном месте в районе старой дачи, где Лизочка провела детство.

— Тратить их сейчас ни в коем случае нельзя, — шептала она, — я уверена, что Геннадий следит за нами. Он думает, что мне известно, куда папа заныкал валюту. Если завтра я умру, ни в коем случае не трогай запас. Воспользоваться им можно лишь лет через десять, да и то осторожно, либо в случае кончины Волкова. Вот когда муж твоей сестры сыграет в ящик, тогда у нас руки будут развязаны.

— Тридцать миллионов американских рублей! Ошизеть! А мы живем в нищете! — выдохнул Виталий.

Лиза попыталась сесть.

— Деньги есть, но их вроде и нет. Я не рассказывала тебе о капитале, не хотела искушать. Но видишь, как получилось, я могу завтра очутиться в морге. Не хочу, чтобы ты бедствовал, если умру, забери все себе. Сейчас объясню, где деньги хранятся, как открыть подземное убежище. Но дай честное слово, что засунешь руку в него лет через десять или в случае смерти Геннадия.

И Виталий поклялся сделать так, как велела супруга.

Вопреки прогнозам докторов Лиза Хрусталева выжила и выздоровела. Семья по-прежнему вела скромный образ жизни. Виталий работал нелегальным таксистом, Елизавета сидела дома, после тяжелой болезни требовался длительный восстановительный период. Пару раз муж намекал ей, что неплохо бы взять немного из заначки, совсем чуть-чуть, приобрести, например, хороший телевизор, но Лиза пугалась и отвечала:

— Нет! Я уверена, что Волков только и ждет, когда мы деньги тратить начнем, тогда он своих головорезов с цепи спустит, миллионы отнимет, а нас убьет. Знаешь, почему он меня до сих пор не тронул? Надеется, что я потеряю бдительность и приведу его к копилке.

— Нет, Геннадий считает тебя дурочкой, — успокаивал ее Виталий, — он о тебе давно забыл.

— Деньги трогать нельзя! — отрезала Лиза. — Не спорь. Знаю, на что способны бандиты.

Хрусталев давал задний ход, но настал день, когда Виталий ослушался супругу. Старенькие «Жигули», с помощью которых он добывал средства на жизнь, развалились, починить их не представлялось возможным. Хрусталев отправился в Подмосковье, достал из тайника энную сумму и купил новую иномарку. Представляете, как отреагировала Лиза, увидев ее у подъезда?

Через неделю Хрусталевой показалось, что за ней кто-то следит. Спустя десять дней соседка по лестничной клетке рассказала, что к ней заглянул приятный хорошо одетый мужчина и начал расспрашивать о соседях.

— Наболтал, что вы двушку на продажу выставляете, — молола языком тетка, — вот он и приехал на подъезд посмотреть. Лизочка, если и впрямь переезжать хотите, нам фатерку оставьте, дочь беременная, расширяться хотим, сразу деньги отдадим.

У Хрусталевой земля ушла из-под ног, но она, пробормотав:

— Конечно, только вам свое жилье предложим, — вернулась к себе.

Когда Виталий вечером заявился домой, она воскликнула:

— А покатай-ка меня на красивой тачке!

Весьма удивленный Хрусталев сел за руль.

— Слушай внимательно, — зашептала Лиза, когда иномарка влилась в поток машин, — в нашей квартире установили «жучок»...

Виталий услышал историю про мужика, желавшего купить квартиру, и попытался вразумить жену:

— Вероятно, парень просто адрес перепутал.

— Нет, — не согласилась Елизавета, — в доме во время нашего отсутствия кто-то побывал, чашки в шкафу не в том порядке стоят, вещи в шкафу переложены. Все аккуратно, но не так, как у меня было. Что ты наделал, нас убьют! Припаркуйся вон у того магазина.

— Зачем нам туда? — не понял Хрусталев.

— Делай, что говорю, — каменным тоном приказала жена.

Лиза завела Виталия в торговый центр, покружили по бутикам, потом они вышли на другую улицу, не туда, где оставили машину, спустились в метро...

Часа через полтора супруги оказались на детской площадке, вдалеке виднелись несколько блочных пятиэтажек.

— Зачем мы сюда приперлись? — спросил Виталий.

Елизавета посмотрела на часы.

— Скоро придут Майя Федина и ее муж Андрей. Ты их знаешь.

Виталий решил, что у супруги от страха поехала крыша.

— Майка училась вместе с тобой, она твоя подруга, вы до сих пор общаетесь по телефону. Но в гости друг к другу не ездите. Я ее и Андрея всего раз видел, когда они у нас свидетелями в загсе были.

— Фединой сейчас не до посиделок с друзьями, — мрачно объяснила Лиза. — У них дочь больна, вылечить ее могут только в Америке, нужно семьсот тысяч долларов. Ради спасения ребенка отец с матерью на все пойдут. Я договорилась с ними обменяться судьбами.

— Что? — обомлел Виталий. — Это как?

— Нас убьют, — деловито продолжала Лиза. — Сначала пытать будут, заставят адрес, где баксы лежат, сказать, потом пристрелят, надо исчезнуть. Все очень просто. Я стану Майей Фединой, ты Андреем Яковлевым, а они превратятся в нас. Мы убежим, спрячемся, нас не найдут.

— Идиотская затея, — обомлел Хрусталев, — и глупая. Во-первых, у них есть дочь, а у нас нет. Как мы объясним, куда девочка делась, если люди интересоваться начнут?

— Она скоро умрет, — отмахнулась Елизавета, — ее ничто не спасет, а мы будем говорить, что лишились ребенка, но никто нас об этом спрашивать не станет.

— Ты сумасшедшая, — возмутился Виталий, — придумала бред полный.

Жена схватила его за плечо.

— Хочешь стать покойником? Вон они, идут. Решай, мы прячемся, или нас убивают.

Майя замолчала.

— Вы обменялись с настоящей Фединой биографией? — уточнил Костин.

— Да, — прошептала хозяйка клиники и закашлялась.

Володя налил ей воды.

— Меня всегда удивляет, когда в телесериалах герои берут чужой паспорт и спокойно по нему живут. Да, фотографии в документах на редкость неудачны, но, например, Евлампия и вы совершенно не похожи. Ладно, простому обывателю еще можно наврать про то, что потолстела-похудела, сменила прическу. Но сотрудники полиции, ГАИ, банковские служащие, кассиры — масса людей вокруг могут понять, что им показали чужую ксиву.

Федина сжала ладонями виски.

— Яковлев тогда работал в ОВИРе, у него был телефон парня, который мог сделать любой документ. Нам выправили паспорта, самые что ни на есть подлинные, в них вписали данные Фединой и ее мужа, но вклеили наши фото. А им состряпали документы с нашими именами-фамилиями.

— Лиза Кнутова стала Майей Григорьевной Фединой, а Виталий Павлович Хрусталев превратился в Андрея Яковлева? — повторила я.

— Да, — подтвердила собеседница, — и никакая проверка не могла ничего обнаружить. Обычно те, кто мастерят фальшивки, идут двумя путями. Выписывают паспорт на никогда не существовавшего гражданина, но это до первой серьезной проверки. Начнут копать, и мигом откроется: такого человека на свете не было, в школе он не учился и т. д. Или выдают заказчику паспорт на имя того, кто умер. И с первым, и со вторым вариантом фальшивок можно спокойно жить, но на хорошую работу не устроиться, за границу не поехать... А в нашем случае никаких проблем. У нас с Лизой одинаковое образование, обе получили дипломы врачей, я не самозванка, честно отучилась. Документы оплатила я, отдала за них большую сумму, но они того стоили.

— Как вы решили проблему с родственниками и друзьями? — заинтересовался Роман.

Хозяйка клиники повернулась к нему.

— А у нас никого не было. С Виталей сестра все связи оборвала, родители мужа давно умерли. Мои мать и отец тоже на том свете, я один ребенок в семье.

— Есть еще знакомые, коллеги по работе, бывшие однокурсники, соседи в конце концов, — перечислил Роман.

Федина сменила позу.

— Мы с Виталей ни с кем не общались, из живущих рядом людей только с соседкой по лестничной клетке здоровались. Ну и повезло, конечно, ни разу с кем-то из прошлой жизни не столкнулись. Я изменила прическу, поправилась. У наших друзей по обмену родных тоже не было.

— Погодите-ка, — остановила я говорившую, — у настоящей Майи есть отец, Григорий Петрович, тоже врач, слегка безумный, но очень милый старик, он сейчас работает у вас. В «Юности» говорят, что вы хорошо относитесь к нему, держите его на службе, где он никакой пользы не приносит.

Лиза-Майя поджала губы.

— Да уж. Возникла проблема. Разрешите о ней чуть позднее скажу? Хочу последовательно излагать события.

— Конечно, — согласилась я.

Собеседница достала из коробки подушечку жвачки и засунула ее в рот.

— Я очень нервничаю. Простите, но буду жевать «Треш». Я отдала подруге семьсот тысяч долларов, вытащила их из загашника. Историю о том, как я заметала следы, направляясь к тайнику, рассказывать не стану, долго и не нужно, важен итог: меня не выследили. Потом мы решили проблему с квартирами, мы с мужем еще до обмена документами быстро продали свою соседке, взяли деньги и уже по новым паспортам приобрели скромное жилье в большом густонаселенном доме в противоположном конце Москвы. А Лизе с Андреем не пришлось избавляться от жилья, они свою «трешку» выставили на торги, когда у них дочь заболела, им деньги на лечение понадобились, они жили в съемной халупе и просто съехали оттуда.

Лиза-Майя начала накручивать прядь волос на палец.

— Дальше пошла новая жизнь. Я очень надеялась, что, став другой личностью, теперь, когда Геннадию уже до меня не добраться, я буду счастлива.

— Какая наивность! — фыркнул Роман. — Бандиты Волкова, если они действительно следили за вами, вмиг бы поняли, что Кнутова смылась, пробили бы по базе данные, вышли на семью, с которой вы обменялись биографией, пригрозили им и выяснили бы правду. Более глупой истории ни разу не слышал! Зачем с кем-то обмениваться документами? Да еще со знакомыми? Надо было раздобыть новые паспорта на любую фамилию и смыться. Вот уж начудили!

— Мне показалось, что так будет лучше, — всхлипнула Лиза-Майя. — Я могла работать врачом...

— Странно, что Виталий согласился на это идиотство, — не успокаивался Бунин. — Предложи мне жена подобное, уж я бы ей...

— Он не хотел, — шмыгнула носом Федина, — говорил те же слова, что и вы, но я ему пообещала: «Если согласишься, я возьму из загашника деньги, и ты откроешь бизнес». И он сразу воскликнул: «Хорошо, поступим по-твоему».

— Поступили вы не сказать, что умно, — не утихал Бунин.

Лиза-Майя вытащила из сумочки носовой платок.

— Да. Я поняла это. Действовала второпях, ничего не обдумала, страх ум затмил. А Виталий очень хотел начать тратить деньги, поэтому подписался под моим планом. Наши друзья по обмену ради спасения ребенка были готовы на все. Я дурацкую кашу заварила, мне ее и кушать. Ведь я надеялась на счастье, но стало только хуже. Сейчас объясню...

Глава 37

То, что она поступила глупо, Лиза-Майя поняла почти сразу. Едва они с мужем, став Фединой и Яковлевым, перебрались на новое место, как ей пришла в голову простая мысль: если Волков захочет, он легко их найдет, и его люди сразу поймут, под чьим именем теперь живет младший брат Евгении. Лиза снова запаниковала, а муж стал требовать денег на бизнес.

— Надо подождать, — упрашивала его жена, — опасно лезть в тайник.

— Красиво получается, — заорал Виталий, — значит, когда для твоего душевного спокойствия потребовалось из нычки семьсот тысяч гринов изъять, ты про опасность забыла. А как обо мне речь зашла, так дуля? Я согласился на идиотизм, придуманный тобой, исключительно ради открытия собственного дела! Хочу торговать БАДами, со всеми уже договорился, нужен стартовый капитал. Гони обещанные доллары!

— Нет! — затряслась супруга. — Я боюсь!

Разразился скандал, в процессе которого супруг заявил:

— Не желаешь держать слово? Ну и... с тобой! Поеду к Геннадию, повинюсь, пообещаю рассказать, где деньги захованы. Волков меня простит, примет назад в семью, поможет фирму основать, а вот тебе тогда капец.

Услышав это, Лиза-Майя рухнула в обморок, а когда очнулась, Виталий сидел рядом и держал ее за руку. Увидев, что супруга пришла в себя, он извинился:

— Прости, со зла ляпнул. Никогда подлости я не совершу, эти деньги нас разведут, лучше б их не было, одно горе от них.

Лиза-Майя обняла его.

— Я виновата! Следовало отдать миллионы Геннадию! А я дурацкий обмен документами затеяла.

На следующий день после этой неприятной сцены Виталий показал жене газету.

— Волкова арестовали! Ему немалый срок светит. Вот и дождались. Можно ехать за баблом.

Лиза-Майя хотела привычно возразить, объяснить, что люди, подобные Геннадию, тебя даже из-за решетки достанут, но, сделав над собой огромное усилие, прошептала:

— Хорошо.

И вроде жизнь наладилась. Волкова осудили, отправили на зону, он там через некоторое время умер.

К лже-Фединой никто не приходил, в обмане ее не уличал, на улице в спину: «Лиза! Кнутова! Ау, не делай вид, что ты меня не слышишь», — не кричал. Виталий-Андрей успешно торговал БАДами, в семье появился достаток. Лиза-Майя некоторое время служила в обычной муниципальной поликлинике, но ей там скоро надоело. Кроме того, у нее оказался слабый иммунитет, проходя по коридорам, где змеились очереди кашляющих, чихающих, сморкающихся людей, она постоянно заражалась, брала бюллетень. В конце концов ей пришла в голову мысль получить второе высшее образование, стать психологом и заняться психотерапией, брать частных клиентов. Она поступила на психфак, честно отучилась два семестра и поняла, что ей не стоит тратить несколько лет, она все освоила, ни к чему разбазаривать время и деньги, диплом надо купить в Интернете и вывесить в кабинете на стену, никто из пациентов его проверять не станет.

Я слушала Федину и понимала, что она похожа на своего отца, беззастенчиво укравшего чужие деньги, в жилах женщины течет кровь авантюристки, ей в голову приходят такие решения проблем, о которых честный человек и не помыслит: сменить личность, купить диплом...

Через некоторое время Лиза-Майя остыла к психотерапии, зато у нее вспыхнул интерес к пластической хирургии, в голове стала оформляться идея создания собственной клиники. Желание стать преуспевающей бизнесвумен захватило Кнутову-Федину, и она осмелилась запустить лапку в запас. В хранилище она заглядывала всего два раза, заплатила настоящим Фединым семьсот тысяч и дала «лимон» мужу на раскрутку бизнеса. Произведя простое вычитание, можно подсчитать, что в тайнике должно было остаться чуть меньше двадцати восьми миллионов трехсот тысяч долларов, ведь до нее еще Виталий брал деньги на новую иномарку.

Волков был мертв, никто к ней с требованием вернуть украденное не приходил, похоже, на свете не осталось ни одного человека, который знает про капитал, но в дочери Андрея Павловича по сию пору жил страх. Вдруг раздастся звонок в дверь и появятся люди в масках и с пистолетами? Вдруг, когда она вскроет «банк», откуда ни возьмись появятся грабители и убьют ее? Это уже была настоящая фобия, ее следовало лечить. Лиза-Майя могла сама себе назначить нужные препараты, в ее кабинете часто появлялись пациенты со страхами. Бывшая невропатолог, а ныне доморощенный психотерапевт, понимала, как можно помочь человеку, у которого, например, при одной мысли о том, что ему надо куда-то лететь на самолете, начинается паническая атака. Для пациентов у Кнутовой-Фединой находились и необходимые слова, и бланки с печатями. Но с собой она справиться не могла, пить таблетки не желала. Она отлично знала побочные действия лекарств, не хотела гробить желудок, печень, почки. Бежать к психотерапевту и выкладывать перед посторонним человеком правду тоже не собиралась. Она постоянно удивлялась: ну как пациенты, придя впервые к ней на прием, начинают вываливать перед незнакомым человеком свои секреты?

Поняв, что даже после смерти Волкова страх быть убитой из-за денег остался, Кнутова-Федина решила, что воспользуется капиталом лишь в случае самой крайней необходимости, и нервы слегка успокоились. Но свято 'место пусто не бывает, теперь у нее возник новый ужас: что, если кто-то узнает про обмен личностями, заинтересуется, почему она так поступила, и выяснит всю правду до донышка? При одной мысли о том, что тайна вылезет на свет, у лже-Фединой начиналась сердечная аритмия. Но как же ей хотелось стать владелицей собственной клиники! И в конце концов это желание победило ужас, Майя поехала в «банк» и... нашла там всего три миллиона долларов.

Увидев опустошенную кассу, она впала в панику. Бандиты Волкова! Они нашли тайник! Грабители рядом! Она плохо помнит, как бежала через лес к электричке, ехала до Москвы, пересаживалась в свою оставленную на вокзале ради конспирации машину. Потом к ней все же вернулась способность рассуждать логически. Это не люди Геннадия, тот мертв, и ни один преступник не оставит три миллиона, он заберет все. А вот свой...

Майя еле дождалась возвращения мужа и задала ему вопрос в лоб:

— Ты взял из копилки почти все деньги. Куда их дел?

— Ездила в деревню? — поразился Виталий-Андрей. — Зачем?

— Хочу открыть клинику пластической хирургии, — призналась супруга, — а деньги исчезли.

— Вот ты какая! — возмутился муж. — Мне запретила даже думать о валюте, а сама порулила за золотым запасом.

— Где деньги? — перебила Лиза-Майя. — Они мои! Ты не имел права их брать!

— Круто, — восхитился спутник жизни, — давай вспомним, на чьей грядке выросло дерево с пиастрами. «Лимоны» изначально принадлежали моей сестре Евгении. А твой папаша их скоммуниздил!

— Бабло Волкова, — взвизгнула Лиза-Майя, — Женька тут ни при чем, Геннадий моему отцу недоплачивал...

Завязался крайне неприятный разговор, в процессе которого выяснилась правда: у Виталия-Андрея начались сложности с бизнесом, дела идут совсем не так хорошо, как он рассказывал жене. Продавец БАДов тайком залез в тайник, чтобы расплатиться с долгом, потом, чтобы вернуть взятое, не придумал ничего лучше, чем играть в карты. Сначала ему везло, потом птица удачи улетела прочь.

— Ты все проиграл! — ахнула Лиза-Майя. — Как это возможно!

Супруг начал жаловаться:

— Просто мне не фартило. Карта не шла, но ничего, это временно.

— Казино закрыты, — прошептала Майя, — не понимаю, где ты играл...

— На квартире, — пояснил Виталий-Андрей, — игорные дома в тень ушли, если хочешь в покер сразиться, легко найдешь где.

— Найдешь где, — повторила Лиза-Майя, — свинья грязь всегда найдет.

— Не злись, — забубнил горе-картежник, — чую, сегодня сорву куш.

— Нет! — закричала жена. — Ты больше никогда не возьмешься за карты.

— Это еще почему? — возмутился игроман. — Ради тебя стараюсь, хочу деньги вернуть. Возьму оставшиеся три «лимона»...

— Никогда, — отрезала супруга.

Они ругались ночь напролет, утром Виталий-Андрей, высказав благоверной все, что он про нее думает, хлопнул дверью и убежал. Он отсутствовал неделю, а когда вернулся, поставил жене условие: или она отдает ему заначку, чтобы он отыгрался, или прощай, дорогая, навеки.

— Думаешь, ты одна баба на свете, — орал горе-бизнесмен. — Ха! Вокруг полно женщин, которые готовы мне ноги мыть и воду пить. Полагаешь, что ты уникальная красавица, и поэтому я отвел тебя в загс? Думаешь, ты в сексе супер? Хозяйка шикарная? Я тебя обожаю? Дура! Я просто мозгами раскинул, когда Андрей Павлович бабки спер, подумал, что тридцать «лимонов» неплохой куш. Геннадий-то мне жалкие подачки давал, а зятю тесть не пожадится. А уж когда твоего папашу прибили, я перестал сомневаться, уверился, что он спрятал бабло, а ты в курсе, где оно, рано или поздно мне правду выложишь. И я на тебе в надежде на это женился. А ты, дрянь, на мешках с баксами сидела, мне фигу под нос совала. Я на все согласился, на все твои условия! Ждал, что ты меня одаришь. А что я получил? Жалкий миллион! Один всего! Эх, просчитался я! Дурак! Дурак! Если б не повел дочь вора в загс, сейчас бы жил припеваючи с нормальной девкой, а не с истеричкой, которая своей тени боится. А ну, говори, куда три «лимона» перепрятала? Их в тайнике нет!

Майя не стала молча слушать мужа, и снова разразился грандиозный скандал. Виталий опять удрал из дома и пропал.

Лето и осень Кнутова-Федина провела в одиночестве, но она не тосковала, организовала клинику красоты. Представляете, как ей хотелось стать владелицей клиники, если она не побоялась потратить оставшиеся три миллиона и не испугалась, что кто-то из врачей, желающих устроиться на работу, окажется ее бывшим однокашником? Но богиня удачи взяла начинающую бизнесвумен под свое крыло, для Кнутовой-Фединой словно красную дорожку расстелили. Мгновенно нашлось хорошее помещение, за аренду которого не заломили бешеных денег, встретился толковый юрист, который быстро оформил все бумаги, врачи, пришедшие работать в новую клинику, никогда не учились в Университете дружбы народов... Все катило, как по маслу, а когда «Юность» распахнула двери, туда потянулись женщины. Ложась вечером спать, Лиза-Майя твердила молитву: «Добрый боженька, спасибо, что ты послал мне за все страдания и муки успех. И отдельная благодарность за то, что мужа нет рядом. Хорошо, что он в пылу скандала выложил правду: женился на мне в расчете на деньги. Прошла моя любовь к нему навсегда». Но у богини везения противный характер, она похожа на капризную барыню, которая сначала приблизит к себе горничную, осыплет ее подарками, а потом вдруг разозлится и велит выпороть ту на конюшне. Некоторое время Лиза-Майя жила счастливо, потом грянули неприятности.

Глава 38

Как-то вечером, когда Майя отдыхала у телевизора, она услышала шорох за спиной. Она вздрогнула, обернулась и закричала:

— Как ты сюда попал?

— В дверь вошел, — ответил муж, — открыл ее ключом. Я здесь живу, или ты забыла?

Кнутова-Федина растерянно молчала, она не подумала, что после исчезновения супруга надо сменить замок, и не знала, как реагировать на появление Виталия.

А тот начал клясться ей в любви, просить прощения, говорить, что очень тосковал...

Лиза-Майя не сразу смогла вставить слово в поток речи ставшего ей совсем чужим мужика.

— Тебя долго не было. Я привыкла жить одна и не хочу менять свой уклад. Давай разведемся.

— Ладно, — неожиданно согласился Виталий. — Но сначала подумай, ты владеешь клиникой, бизнес раскручиваешь, состоя со мной в браке. Если мы разрушим отношения, половина всего имущества, включая «Юность», отойдет мне.

У Фединой опять пропал дар речи.

— Пойду душ приму, — улыбнулся супруг.

Едва он вышел из гостиной, как Майя бросилась звонить юристу, и, когда муж в халате опять возник в комнате, она была во всеоружии и объяснила муженьку, почему ему не стоит рассчитывать на клинику, рассказала про судебный процесс, который затеет, и велела убираться подобру-поздорову.

Незваный гость впал в агрессию, потом заплакал:

— Солнышко, прости меня, я дурак. Должен огромную сумму, проиграл кучу денег, если не верну их в течение недели, меня убьют. Помоги, спаси, дай в долг. Отыграюсь и верну.

— И сколько надо? — поинтересовалась Майя.

— Три миллиона долларов, — заявил мерзавец.

— Уходи, — процедила Кнутова-Федина, — и больше не появляйся.

— Дай хоть половину, — зарыдал игрок, — иначе я покойник. Ну да, в последнее время у нас были проблемы, но мы же семья. Я вернулся.

— У меня таких средств нет, — воскликнула хозяйка клиники, — все вложено в «Юность».

Больше часа муж уговаривал ее, стоял на коленях, умолял, в конце концов Майя сжалилась. Она открыла сейф, достала двадцать тысяч долларов и предложила:

— Получишь валюту, если напишешь заявление о разводе и укажешь в нем, что не имеешь ко мне никаких материальных претензий. Сейчас позвоню своему нотариусу, она работает неподалеку, контора круглосуточная.

Заядлый игрок сродни наркоману. Героинщик при виде дозы готов на любые подвиги, а тот, кто хочет отыграться, согласится на все, чтобы иметь возможность сесть за карточный стол. Виталий молча подмахнул документы, схватил зеленые пачки и исчез. Лиза-Майя хотела, не теряя времени, оформить официально развод, но фея удачи опять скорчила злую гримасу. Идя от парковки к клинике, хозяйка «Юности» поскользнулась, упала, сломала ногу и около четырех месяцев восстанавливалась. Развод отложили, а когда Кнутова-Федина все же отнесла заявление в загс, приложив к нему бумаги, подписанные супругом, то выяснилось, что владелец разорившейся фирмы по продаже БАДов скончался вскоре после того, как получил двадцать тысяч долларов. Смерть его была не криминальной, с ним случился инфаркт. Поскольку тело никто из морга не забрал, его похоронили за госсчет.

Федина не расстроилась, даже не всплакнула, у нее началась эйфория. Все. Кошмар закончился. Теперь она может жить спокойно.

Не успела вдова перевести дух и порадоваться свободе, как случилась новая неприятность.

Она приехала вечером домой, всунула в замочную скважину ключ и услышала шепот за спиной.

— Елизавета!

От ужаса у нее зашевелились волосы не только на голове, но и по всему телу. Огромным усилием воли она растянула губы в улыбке, повернулась с желанием сказать: «Вы обознались, я Майя Григорьевна» — и уронила сумку. Перед ней стояла настоящая Федина.

— Как ты меня нашла? — выдохнула Лиза.

— Просто, по базе прописки, я же знаю, под каким именем ты живешь, — пояснила гостья. — Думаю, нам лучше войти в квартиру.

Едва войдя в прихожую, вдова, забыв о вежливости, резко спросила:

— Что тебе надо?

И услышала рассказ.

На днях к фальшивой Кнутовой приехала старшая сестра Виталия Павловича. Она хотела поговорить с братом, решила возобновить с ним отношения.

— Евгения поняла, что ты не я! — впала в панику вдова.

— Нет, — успокоила ее настоящая Федина, — правда, она удивилась, как сильно изменилась жена брата, но я ей объяснила: времени много с нашего последнего свидания утекло, я растолстела, изменила цвет волос и лучше б ей домой отвалить и более у нас не показываться.

— А зачем ты сюда заявилась? — осведомилась Лиза.

Гостья усмехнулась.

— За деньгами. У нас с мужем девочка два года назад родилась, здоровая. Ниночка-то умерла, не помогли твои деньги, все средства на лечение ребенка угрохали и напрасно. Вторая малышка растет, ее одевать-обувать надо.

— А я при чем? — отшатнулась владелица клиники.

— Ты мою жизнь украла, — всхлипнула вымогательница, — мучаюсь теперь, боюсь, что кто-то узнает.

— Я заплатила тебе семьсот тысяч долларов, — напомнила хозяйка квартиры, — у нас состоялась честная сделка. Другого ребенка вы рожали не по моему приказу. В чем претензии?

— Ты хорошо живешь, богато, — занудила попрошайка, — а я в бедности гибну. Дай миллион долларов. Если откажешь, я пойду в «Желтуху» и расскажу всю правду до донышка.

Бедная владелица клиники собрала все мужество в кулак и решила изобразить полнейшее равнодушие.

— Беги скорей, смотри не споткнись. Да только ты тоже в мошеничестве замешана.

— Ерунда, — отмахнулась шантажистка, — мы с мужем никому не интересны, живем бедно, родни не имеем, друзей тоже, о нас газета вскользь упомянет и забудет. А ты владеешь бизнесом, зависишь от клиентов. Журналисты могут любого бизнесмена разорить, не каждому понравится уколы красоты у мошенницы делать. Люди как рассуждают: она чужую личность себе присвоила, всех обдурила, значит, и с клиентами не постесняется, будет использовать просроченные препараты. Вот и опустеет клиника. Хочу всего миллион долларов, разве для тебя это сумма? Заплатишь один раз, больше не побеспокою.

— У меня нет денег! — с отчаянием воскликнула хозяйка клиники.

— Можешь кредит взять, — не дрогнула гостья.

— Ни один банк столько не даст, — попыталась объяснить бизнесвумен. — И знаешь, под какой процент ссуду отпускают?

— Я маленький бедный человек, — проблеяла вымогательница, — с банками дел не имею, вкладами не обладаю, это тебе, успешной, про кредиты все известно. Неужели ни копейки налички дома нет? Трудно поверить в такое. Наверное, сейф где-то за картиной спрятан. Дай хоть сколько, я уйду и больше не появляюсь.

— Навсегда исчезнешь из моей жизни? — уточнила вдова.

— Да, да, — закивала гостья.

Хозяйка пошла в кабинет, принесла восемь тысяч американских рублей, сунула их в жадные руки бывшей однокурсницы, захлопнула за ней дверь и навалилась спиной на створку. Господи, за что ей все это? Сначала муж оказался вором, игроком, никогда ее не любившим, теперь бывшая подруга проявила себя гадиной. Почему с ней происходит этот ужас? Неужели украденные отцом доллары, из которых ей досталось совсем немного, были прокляты? Вероятно, следовало их отдать Волкову...

И тут ожил мобильный, не посмотрев на экран, она отозвалась.

— За тобой осталось девятьсот девяносто две тысячи, — прозвенел в ухо голос ушедшей однокурсницы, — если трудно сразу отдать, можно частями.

— Ты же пообещала больше не появляться! — похолодела Кнутова-Федина. — Откуда ты знаешь мой номер?

Послышался смешок.

— Из базы мобильного оператора. Тебя, дорогая Лиза, ох, прости, Майя, найти совсем не сложно. Я не обманщица, как и пообещала, встречаться с тобой не стану, муж придет. Нас по три сотни тыщ в месяц устроят. Не расплатишься? Читай про себя в «Желтухе».

Лиза посмотрела на замолчавший сотовый и села на пол. Сил дойти до гостиной не было, плакать она тоже не могла.

Она никогда ранее не интересовалась бульварной прессой, но на следующий день купила «Желтуху» и просмотрела ее от А до Я, боялась, что однокурсница уже побеседовала с репортерами. Кнутова большую часть жизни провела в страхе, опасаясь, что ее найдут люди Волкова, что кто-то узнает про обмен личностями, потом ее пугали мысли о долгах мужа, вдруг содержатель подпольного казино прикатит к супруге в пух проигравшегося клиента и заявит: «Одна семья — общий кошелек. Расплачивайся за своего благоверного».

А теперь новый кошмар, тесно связанный со старым. Папарацци опубликуют статью, и жизнь рухнет. Ей следовало подумать и понять, что бывшая однокурсница не рискнет обратиться в прессу, да и бульварный листок навряд ли заинтересуется владелицей маленькой клиники, где нет звездных клиентов. Но у страха глаза невероятно велики. Представляете, как ей было плохо?

Глава 39

Во вторник она снова чуть ли не с лупой изучила газету и выдохнула с облегчением. В среду вечером жертва шантажа пришла домой, села у телевизора, включила какой-то канал и попала на программу, смакующую происшествия.

— Страшное ДТП на МКАДе, — вещал корреспондент, — водитель Виталий Павлович Хрусталев не справился с управлением и на высокой скорости впечатался в бетонный отбойник. Шофер погиб на месте, вместе с ним до приезда «Скорой» от несовместимых с жизнью травм умерла его жена Елизавета Андреевна Кнутова. ГАИ рассматривает несколько версий произошедшего: алкогольное отравление сидевшего за рулем, неисправность транспортного средства. Возможно, у Хрусталева случился сердечный приступ. Аналогичное ДТП произошло сегодня еще и на...

Лиза-Майя потеряла способность слышать. Вымогатели разбились? Неужели ей опять повезло? Сначала умер муж-игроман, а теперь на том свете к нему присоединились бывшая подруга с супругом?! Хорошо бы черти в аду нашли для этой гоп-компании сковородки погорячее...

Рассказчица остановилась и посмотрела на пустую бутылку.

— Попить не дадите?

— Вам с газом или без? — галантно осведомился Костин, нажимая на кнопку вызова.

— Простую, — попросила владелица клиники.

— Надо же, какое совпадение, — восхитилась я, когда Лиза-Майя напилась воды, — и Виталий под машину попал, и семейная пара на том свете оказалась. У них вроде ребенок был, наверное, его в детский дом отдали.

Лиза-Майя заморгала.

— На что вы намекаете?

— Ни на что, — заверила я, — просто удивляюсь. И малышку жаль. Остаться без родителей плохо.

— Я их не убивала, — закричала Федина. — Я нормальный человек, мне в голову мысль лишить кого-то жизни никогда не придет. Ей-богу!

— Но вам же пришло в голову заплатить сто пятьдесят тысяч долларов Обжорину за наезд на Сыркина, — напомнила я.

Лиза-Майя прижала кулаки к груди.

— Вы представить себе не можете, в какую ситуацию я попала. Если расскажу, не поверите.

— Интересно послушать, — сказал Роман. — Что же произошло?

— Сначала появился Григорий Петрович, — прошептала владелица клиники.

— Ваш, так сказать, папа? — уточнила я.

Кнутова-Федина лихорадочно закивала.

— Моя однокурсница оказалась гаденьким человеком, когда мы затеяли обмен, она заверила, что никого из родни не имеет, ни отца, ни матери. Сирота горькая.

— И вы ей поверили? — удивился Володя. — Не стали ее биографию изучать?

— Как? — взвилась владелица клиники. — Когда эта история замутилась, Интернет далеко не у каждого дома был. Я и сейчас-то не особенно уверенно в нем плаваю, а тогда и подавно в Сети не разбиралась. И вообще я привыкла людям доверять. И вдруг! Спустя несколько месяцев после того, как шантажисты на тот свет отправились, звонит мне мужик и говорит:

— Майя Григорьевна Федина? Слава богу, я нашел вас! Григорий Петрович вернулся, но с ним беда, он инсульт перенес.

Я его перебила:

— Простите, о ком вы говорите? И с кем я беседую?

Он здорово удивился:

— Я Филеас Фогг, представитель английского госпиталя «Английский пациент», Григорий Петрович, ваш отец, он у нас много лет работал по контракту, а потом с ним случился инсульт, но нетяжелый, речь сохранилась, паралича нет, почти стопроцентное выздоровление. Но вы врач, понимаете, мозговой удар не проходит бесследно, и непонятно, как он отразится на человеке. Господин Федин вполне адекватен в быту, он способен сам себя обслужить, сиделка ему не нужна, но работать в нашем госпитале ему нельзя. Я привез Григория в Москву, он мог бы и сам долететь, но мне все равно нужно было посетить Россию, я, как вы слышите, свободно говорю на языке Пушкина, но у нас сейчас много пациентов из вашей страны, хочется отшлифовать лексику...

Он болтал без остановки, и я в конце концов поняла, что произошло. Мерзкая однокурсница, желая заполучить семьсот тысяч долларов, скрыла от меня, что у нее жив отец. Федин много лет работал за границей в разных клиниках пластической хирургии, последние годы в Англии. В его анкете была упомянута дочь Майя Григорьевна Федина. Чертов англичанин решил найти ее и раздобыл мой телефон.

У меня земля из-под ног уплывать стала, я пролепетала:

— Мы с отцом не очень ладим, давно не виделись...

А собеседник возразил:

— Госпожа Федина, если между вами и существовали разногласия, то Григорий о них забыл. После инсульта у него огромные проблемы с узнаванием людей. Со мной, например, он знакомился заново и постоянно имя забывает, но общается нормально. Не волнуйтесь, папа вас любит, с трепетом ждет встречи, приезжайте в клинику, мы сидим в приемной у вашего кабинета.

Лиза-Майя обвела нас взглядом.

— Оцените последние слова! Они в приемной у моего кабинета! У моего кабинета!!! Надо ехать в офис, обнимать папеньку. Каково?

— Страх материализовался, — вздохнула я. — Подойдете к папаше, а он отпрянет: «Это не моя дочь! Вы кто?» И как вы поступили? Наверное, в обморок упали?

Лиза-Майя оперлась локтями о стол.

— Сначала я подумала, что умру, потом откуда ни возьмись появилось хладнокровие. Припарковалась у клиники, позвонила секретарше, приказала ей спешно идти в операционное отделение, уж не помню, под каким предлогом. Поднялась наверх, гляжу, в креслах двое сидят, один встал.

— Здравствуйте, я Филеас Фогг, Григорий, вот ваша дочь.

Я было рот открыла, хотела соврать, что сделала ринопластику, вдобавок изменила форму рта, вкачала гель в щеки, в общем, поработала капитально над внешностью, узнать прежнюю Майю невозможно, но Федин раскрыл объятия.

— Майечка! Доченька! Сколько лет, сколько зим! Ты красавица...

Я поняла, что он реально после инсульта никого не узнает, поверил, что видит свою дочь. Фогг обрадовался, попил с нами кофе и ушел, Григорий Петрович радостно заявил:

— Значит, теперь я у тебя работаю?

Я ответила:

— Папа, давай пока повременим со службой.

Начала ему вопросы задавать, он вполне разумно объяснил, что у него квартира в Москве, денежный запас, он счастлив, что вернулся в Россию, готов работать в клинике, где его кабинет? Я его еле вытолкала, предложила отвезти домой, «папаша» отмахнулся:

— Прекрасно доберусь сам.

Я не настаивала, надеялась, он более не появится, вдруг под машину попадет?

На следующий день прихожу на работу, а Федин у рецепшен стоит, дура-администратор сияет от счастья.

— Майя Григорьевна! Какой у вас папа замечательный! Столько всего знает! С Пироговым дружил! Ах! Ах! Какой человек! Здорово, что он у нас работать согласился!

Григорий Петрович мне на шею кинулся.

— Деточка, в каком кабинете я могу расположиться? Хочу приносить пользу...

— Неприятно, — сказал Костин.

Хозяйка клиники покраснела.

— Что делать прикажете в такой ситуации? Баба с рецепшен вмиг всем растрепала: из-за границы вернулся отец Фединой. Я попыталась от старика избавиться, приедет он в «Юность», а я профессора назад домой к нему отвезу. Но он каждое утро ровно в девять вновь у рецепшен маячил и ласково курлыкал:

— Доченька, забыл, как тебя зовут, и где мой новый кабинет, запамятовал.

И ведь что делал! Оттащу «папашу», допустим, в десять в его апартаменты, выдохну... глядь; а он в полдень опять у стойки прохлаждается.

Пришлось сдаться, теперь Григорий Петрович сидит в «Юности», все давно поняли, что он не в себе, клиентов к нему не посылают. Но он иногда кого-нибудь сам в холле отлавливает.

— Старичок дает пациентке капли кота Епифана и счастлив, — усмехнулась я. — Но почему вы не поместили «папочку» под надзор? Не наняли ему сиделку? Не отправили в интернат для слабоумных.

— Я пыталась, — всхлипнула Кнутова-Федина, — пригласила одну медсестру, другую, третью — все быстро отказались от работы, сказали: «Григорий Петрович совершенно нормален, ему присмотр не нужен, не видим никаких проявлений маразма, он разумный человек». Отвела «отца» в пансион для стариков с проблемами, он там несколько дней пожил, и меня к главврачу вызвали, а тот орать начал:

— Видел таких! Хочешь от отца избавиться? Да он нормальнее нас! Оставь его в покое, он прекрасный человек, чудесный врач. У него теперь мой телефон есть. Задумаешь Григория Петровича в психушку сдать, он мне звякнет, я тебя на весь свет ославлю! Гадючка!

Прдставляете? С посторонними он адекватный, а со мной и в «Юности» идиот! В учебниках психиатрии такие случаи описаны, называется избирательная амнезия, редкая штука. Человек после инсульта восстанавливается вроде полностью, выходит на службу, нормально работает, на улице адекватен, в магазине, в других местах тоже. А дома никого не узнает, чудит по полной программе. Родственники злятся, считают, что больной над ними издевается... Это бывает один раз на миллион случаев. Ну почему, почему мне так не везет, а? Кое-как я ситуацию с Фединым устаканила, клиенткам, которым он капли кота Епифана давал, бесплатные процедуры дарим... И вдруг произошло нечто невероятное. Ожил Виталий, мой муж!

Бунин, к большому моему удивлению хранивший до сих пор молчание, скорчил рожу.

— Звучит забавно, но совсем не похоже на правду. Покойник явился к супруге спустя несколько лет после кончины? Материализовался в полночь у вас в спальне? Скалил зубы? Ухал совой? Выл волком? Хотелось бы посмотреть на этот спектакль, но я закоренелый материалист, ни в существование зомби, ни в призраков не верю.

— Он был совершенно живой, — простонала Майя Григорьевна, — имел наглость приехать в «Юность». Сижу я в кабинете, ломаю голову, в какой фирме лазер купить, где скидка больше, да цены милее, и тут входит секретарша.

— К вам Сыркин, он на прием записан.

Я, естественно, говорю:

— Приглашай.

Появляется мужчина... взглянула я на него, и неприятно стало, очень похож на покойного Виталия. Чуть толще, лысый, в очках, но здорово на мертвеца смахивает. Сел он в кресло, очки снял и заявил:

— Привет. Только не ори, это я! Чего, не рада?

Лиза-Майя потерла лоб ладонью.

— У меня перед глазами разноцветные круги завертелись, а он давай рассказывать, и чем дольше говорил, тем яснее я понимала, не дает мне Господь тихого счастья. Только из одной беды вынырну, другая за ноги хватает и под черную воду тащит. Муж вернулся! И ему, как всегда, надо денег!

Лиза-Майя заплакала и начала вытирать лицо рукавом кофты, я подала ей коробку с бумажными салфетками.

— Принести вам успокаивающую микстуру?

— Не надо, — отказалась Кнутова-Федина. — Меня столько лет все это мучило, сейчас легче от разговора делается. Если вы устали...

— Бодры, как пингвины, — заявил Бунин.

— Очень внимательно вас слушаем, — заверил Костин.

Хозяйка клиники скомкала салфетку, уставилась в одну точку и заговорила тоном лектора, выступающего перед ничего не знающими о выбранной профессии первокурсниками.

Глава 40

Виталий без долгих предисловий объяснил ей, что во всех его несчастьях виновата она. Подлая жена отказалась дать три миллиона супругу, вот на него и наехал хозяин подпольного казино, выдвинул ультиматум: или с ним в течение недели расплачиваются, или он обратится к тем, кто за процент выколачивает из людей долг. Виталий понимал, что бандиты с ним церемониться не станут, поклялся не позднее понедельника притащить требуемую сумму, а сам кинулся к Сергею Мазаеву, с которым подружился за игорным столом, и задал ему любимый вопрос россиян:

— Что делать?

Приятель не проявил оптимизма.

— Дерьмо дела, живым тебя не отпустят. Деньги есть?

— Ни копейки, — ответил Витя, — голый совсем.

— Мда, — озадачился Сергей. — А с бабами как? Только по-честному. Нормалек? Или ушел из большого секса, выступаешь в любительских соревнованиях по виагре?

— Нет у меня проблем. А при чем здесь это? — не понял Виталий.

Мазаев запустил руку в волосы.

— Есть одна бабенка. Денег лом. Вся тюнингованная по высшему разряду: импланты повсюду, морда натянутая. Веселая такая, отвязная, погудеть любит, по клубам шарится. Ей мужик нужен. Каждую ночь. И днем. Хорошо бы не один раз. Потянешь такую? Если да, познакомлю. Она лавэ не считает, понравишься ей, заплатит долги, оденет-обует, без проблем жить станешь. Но до тех пор, пока ты ее шпилишь. Повесит голову твой «парень», получишь пинок под зад. Да, про возраст не сказал, шестьдесят пять ей.

— Блин, — протянул Виталий, — я столько не выпью. Хотя... можно попробовать.

И Мазаев свел приятеля с бесшабашной Викой. Пенсионерка оказалась забавной, сохранила менталитет подростка, сексуальный аппетит тридцатипятилетней женщины, легко срывалась с места, могла плясать всю ночь, а утром париться в бане. Виталий ей очень понравился, а услышав про его долги, Вика махнула рукой:

— Не парься. Улажу проблемку.

Через неделю любовница принесла сожителю паспорт.

— Держи. Ты теперь Виталий Павлович Сыркин.

— Где взяла документ? — напрягся он.

— Настоящий Сыркин умер, — пояснила Вика, — вроде под машину попал. Ты по его бумагам поживешь, пока владелец казино не успокоится. Не дрожи, подпольного крупье скоро посадят или пристрелят, долго они не живут. Ищет он сейчас Андрея Яковлева? Флаг ему в руки, ты умер.

— Как умер? — поежился Виталий-Андрей.

— Машинка тебя переехала, — заржала Вика, — сбила и смоталась. На дороге Андрюша лежал, в кармане документы нашли. Я у тебя удостоверение личности без спроса взяла. Усе! Выкинь мысли про долг из башки, не сиди с кислой рожей, мне угрюмые парни не нравятся. Не дрожи, у меня есть Шурик! Шурик — волшебник! Все может, только свистни, прибежит, лапами побьет — и о'кей, май дарлинг, пей кофеек с каплями Саган.

— Капли Саган? — окончательно потерял нить беседы Виталий.

— Коньячок, — пояснила Вика, — говорят, французская писательница Франсуаза Саган очень его уважала и совсем не каплями глушила. Перестань трястись. Был ты Андрюша, стал Виталя. Зачем платить деньги, если можно мертвяком прикинуться и ни копеечки не отдавать? Три «лимона» жалко. Попомни мое слово: и года не пройдет, как мужик, который игорным бизнесом владеет, куда-нибудь да денется. И как Шурик все проделал, меня ваще не колышет. Паспорт Сыркина настоящий, фотка твоя, поехали в ресторанчик.

— Значит, я Виталий Павлович Сыркин, — пробурчал Виталий, — добрый день тебе.

— Вот за что ты мне нравишься, — заржала Вика, — на одной волне мы. Ржу-не могу, как подумаю, что кручу шуры-муры с призраком. Вау! Такого у меня еще не было! Шуры-муры с призраком!

Виталий ни словом не обмолвился развеселой Викуше, что это уже его вторая смена личности и как ему повезло: Сыркин оказался полным его тезкой, к имени «Андрей» Виталий так и не привык.

Несколько лет парочка жила душа в душу, потом Вика внезапно умерла. Виталий растерялся, он не знал, что делать, и начал искать завещание любовницы. Он надеялся, что ему достанется хороший кусок денежного пирога, но откуда ни возьмись появились адвокаты, и оказалось, что у Вики трое взрослых детей, внуки...

Сыновья не одобряли образ жизни неприлично богатой мамы, но против получения ее капитала, загородного дома, драгоценностей ничего не имели.

Не успела кошка чихнуть, как Виталий Павлович очутился на улице. Практически голым. Жадные детки отняли у последней любви маменьки и коллекцию часов, и собрание перстней, и сумки-портфели из крокодиловой кожи, и костюмы, сшитые на заказ, и обувь, произведенную в единственном экземпляре... Правда, Виталий успел припрятать одно кольцо. Его он сдал в скупку, снял комнату в коммуналке и задумался о жизни. Куда идти работать? Что делать? Как решить жилищный вопрос? Годы, проведенные с Викой, сделали Виталия бонвиваном, сибаритом, он привык к дорогим вещам, загородному особняку, золотой кредитной карте. Лишиться в одночасье всего было очень больно. Ему показалось, что его приподняло ураганом, пронесло несколько километров и шмякнуло о грязную, загаженную проселочную дорогу.

Неделю лже-Сыркин пролежал в комнате, щелкал пультом, потом вышел на улицу и в киоске у метро увидел журнал, на обложке которого красовалась фотография Лизы-Майи. Он купил его, прочитал интервью владелицы клиники «Юность», несказанно обрадовался, записался на прием к своей «вдове» и сказал ей:

— Значитца так, покупаешь мне квартиру, машину, устраиваешь на работу и живи счастливо.

Кнутова-Федина замолчала, потом издала стон.

— Боже! За что мне это?! Попыталась ему объяснить, что статья опубликована в рекламных целях, я заплатила журналу и за обложку, и за интервью, там мои бизнес-успехи сильно преувеличены. Но он только смеялся и говорил: «Хочешь все потерять? Устрою в пять минут. Не знаешь, почему наши друзья по обмену погибли?»

Ну как он про их смерть узнал? Говорил, что я наняла кого-то их убить... ой, не могу!

Майя зарыдала.

— Пришлось ему квартиру купить... двушку... иномарку... он спорил... требовал подороже... Я устала, невероятно устала, так долго... бесконечно боялась... сил нет.

— Сколько раз можно наступать на одни грабли? — возмутилась я. — У «призрака» рыльце в пушку по самые уши! Он дважды менял личность, задолжал хозяину подпольного казино! Да он должен был намного больше вас бояться огласки. Почему вы не сказали ему: «Пожалуйста, можешь идти со своими историями куда угодно, но тогда и я рот открою».

Кнутова-Федина опять вытерла лицо рукавом.

— Я попыталась именно так высказаться, а он рассмеялся: «И чего? Вместе погибать станем, пусть мне плохо будет, но я тебя с собой на дно утащу, тонуть приятнее в компании. Хочешь обо мне правду растрепать? Не Сыркин я, не Яковлев, а Хрусталев? Отлично! А кто кашу заварил, кто воду замутил? Чья это идейка с самого начала? Кто тридцать миллионов долларов заныкал? Бабло твое было?»

Майя зажала ладонями уши.

— Не хотела его слушать! Опять ужас вернулся. Спать не могла. От любой еды тошнило. Купила ему квартиру, думала, он отстанет. Но пришлось ремонт делать, мебелью обставлять. Работать он не хотел, требовал денег, денег, денег...

— И тут к вам обратилась Лаура Кривоносова, — влез в беседу Роман, — попросила проконсультировать мужа.

— Да, — всхлипнула собеседница, — не повезло Никите Владимировичу, у него была болезнь Крейтцфельдта-Якоба. Физически он мог протянуть год, и два, и три, а вот умственная деятельность угасла бы очень быстро. И эта перспектива его испугала. Никита очень любил Лауру, не хотел, чтобы жена возилась, как он мне сказал, «с кабачком». Я проводила с ним сеансы психотерапии, пыталась справиться с его суицидальными настроениями, и вроде удалось. А потом он застрелился.

— Во время доверительных бесед Обжорин признался вам, что беспокоится, на какие средства станет жить жена, — продолжил Костин. — Вы предложили ему убить Сыркина, составили предсмертное письмо, которое Никита переписал. Вот только заказчица не знала, что исполнитель патологически безграмотен. Правильная орфография записки сразу заставила нас усомниться в его подлинности.

— Нет! — воскликнула Лиза-Майя. — Нет!

— Не вы придумали текст? — уточнил Володя. — А кто?

— Он меня сам попросил, — захныкала врач, — сказал: «Майя Григорьевна, я не Пушкин, мысли на бумаге плохо излагаю. Вы уж сами его накропайте, а я перекатаю». Так мы и сделали. Это он так решил, не я.

— Суть дела от вашего уточнения не меняется, — подчеркнул Владимир. — Никита стеснялся своей безграмотности, потому и решил составленный вами текст аккуратно переписать. Но он не подумал, что отсутствие ошибок удивит Лауру.

Я вздохнула.

— Предсмертную записку медсестра не читала. О кончине мужа она узнала от меня, а я увезла ее к ней домой. На следующий день вдова уехала на работу и ее отравили. Не довелось бедняжке послание самоубийцы прочесть. За убийство Обжорину вы заплатили сто пятьдесят тысяч, денег было жалко, поэтому вы решили забрать их у Лауры. Дальше просто. Подсыпать медсестре в термос снотворное легко, вся клиника знала, что Кривоносова перед уходом пьет успокаивающий чай. И с ключом от ее квартиры проблем не возникло, полагаю, вы просто взяли днем из шкафчика Лауры в раздевалке связку, в соседнем торговом центре сделали копию ключей и вернули оригиналы на место. Проще только чихнуть. В квартиру Кривоносовой вы вошли в районе обеда, решили перестраховаться, вдруг несчастная утром еще жива была. Но вам не повезло, ключика от ячейки вы нигде не нашли, потому что до вас там успели побывать Игорь Артемьев, более известный как Шнапси, и Юрий Прохоров, последний унес модель автомобиля и папку с докладом. А первый — столь нужный вам ключ от сейфа. Полагаю, банк, где вы спрятали плату Обжорину за убийство мужа-вымогателя, выбрали из-за того, что в нем простые правила входа в депозитарий, паспорт предъявлять не надо, договор об аренде ячейки показывать не требуют, войти в хранилище может любой обладатель ключа, даже камеры видеонаблюдения там нет. В банке объяснили нам отсутствие видеонаблюдения как заботу о сохранении тайны клиента. Просто там не желают тратить деньги. А Виталию вы пообещали дать приличную сумму и пригласили его к себе в гости, чтобы вручить ему деньги. Его сбили неподалеку от вашей квартиры, он должен был пересечь Ремонтную и свернуть в Беленский переулок, где распложен ваш дом. Другого пути, кроме как по Ремонтной, к дому нет. Ремонтная вечером всегда пустая, прекрасно просматривается. Обжорин остановил машину неподалеку от пересечения с переулком, сбить вымогателя ему было просто, потом следовало застрелиться на месте. Пистолет вы купили, стрелять исполнитель умел отлично. Все бы выглядело так, будто самоубийца, ехавший в парк, случайно сбил человека и покончил с собой на месте. Вам показалось, что предусмотрено все, но появился Шнапси, Игорь Артемьев. Обжорин принял его за священнослужителя и исповедался перед смертью, рассказал правду про наезд. Ох, чуть не забыла! Вы купили мобильный на радиорынке, там легко приобрести симку на чужое имя, вручили его Никите Владимировичу.

— Понятно зачем, — влез в разговор Роман, — опасались, что он передумает, испугается, не собьет пешехода. Убить человека совсем непросто, не каждый на это согласится. Небось звонили исполнителю, подстегивали его, напоминали: «Ты скоро обезумеешь, а сто пятьдесят тысяч послужат Лауре подушкой безопасности на долгое время». Обжорин очень любил жену, ради нее пошел на убийство.

— Судя по тому, что рассказывала о Никите Елена Яшина, он не мог никому причинить вред, — не выдержала я. — Странно, что бывший спортсмен согласился на преступление.

— Близость смерти здорово меняет человека и не всегда в лучшую сторону, — остановил меня Костин. — Я уверен, Майя Григорьевна сообщила Обжорину про Виталия Павловича много интересного. Думаю, эта информация оказалась неполной. Про украденные своим отцом миллионы и обмен личностями Лиза-Майя исполнителю не сообщила, зато в красках живописала о зависимости Виталия от покера, о его связи с Викой и так далее. Кнутова-Федина не получила диплома психфака МГУ, но она отличный манипулятор, сумела убедить Никиту, что он сделает благое дело: избавит мир от подлого человека и обеспечит любимую жену.

Я подняла руку.

— Маленький вопрос. Чтобы поставить точный диагноз, Обжорин должен был пройти обследование. В «Юности» нет необходимого диагностического оборудования. Как вы определили, что у Никиты Владимировича болезнь Крейтцфельдта-Якоба?

— Я по образованию невропатолог, — ответила дамочка, — базовые знания не теряются.

— Даже самый опытный в мире доктор не сможет определить недуг без аппаратной диагностики, — не успокаивалась я.

— Я отвела Никиту к профессору, — уточнила Лиза-Майя.

— Не откажите в любезности, назовите имя специалиста, адрес клиники, — тут же потребовал Костин.

— Вы мне не верите, — всхлипнула докторица. — Моего честного слова вам мало? Очень обидно. Академик Вайнтрауб Иосиф Рафаэлович. Мировая величина. Его жене в моей клинике пластику делали, мы ей большую скидку предоставили. Профессор из благодарности Никиту принял.

Бунин постучал по клавишам ноутбука и широко улыбнулся.

— И когда вы к светилу обращались?

— Неужели вы полагаете, что я помню число? — всплеснула руками Лиза-Майя. — С моим-то рабочим графиком? Я забываю даже про свой день рождения!

— Однако, несмотря на плотную занятость, вы умудрились выделить часы для занятий психотерапией с Никитой Владимировичем, — напомнила я.

— Я веду милосердный прием, разве это плохо? — оскалилась Лиза-Майя. — Стараюсь помогать людям.

— Похвально, — кивнул Роман. — Но может, хоть год назовете, когда Обжорину помогли? Прошлый? Позапрошлый?

— Ну что вы, — снисходительно улыбнулась Кнутова-Федина, — так долго с этой болезнью разум не сохранишь. Консультация состоялась весной, в самом начале.

— Неувязочка получается, — радостно сообщил Бунин, — господин Вайнтрауб в январе улетел в США, вернется лишь через год, о чем сообщается на его страничке в Фейсбуке. Сомневаюсь, что вы летали с Обжориным в США в госпиталь, который пригласил профессора на временную работу. В этом кабинете часто бывают люди, которые тщательно спланировали и осуществили преступление, и всех их вычислили благодаря маленьким косякам. Вы были не готовы к вопросу про клинику, где консультировался Обжорин, пришлось выкручиваться на ходу, вот и назвали первую пришедшую на ум фамилию, но пролетели мимо кассы.

— Уважаемая Майя Григорьевна, уж буду вас так называть, — подхватила я, — давайте вернемся в начало года, когда Никита еще не знал свой диагноз. Что предшествовало вашей встрече с ним? Никита Владимирович отправился на курсы фитнес-инструкторов, ему трудно давалась учеба, в особенности анатомия, поди запомни названия костей, да еще по-латыни. Лаура переживала за мужа, сказала Яшиной, что посоветовалась с владелицей клиники, та велела Киту принимать

«Быстроум», похвалила БАД, отметила его высокую эффективность. Обжорин стал глотать капсулы, и сообразительности у него прибавилось. Но вскоре у Никиты Владимировича появилось головокружение, дрожь в руках, провалы в памяти... На днях я зашла в аптеку, чтобы купить «Быстроум», и узнала, что этот БАД еще зимой запретили продавать в России. Добавка не очень хорошо действовала на многих людей, она вызывала головокружение, дрожь в руках, провалы в памяти... кое-кому из принимающих капсулы ставили диагноз: болезнь Паркинсона. Лаура, рассказывая Яшиной о вашей доброте и желании помочь, воскликнула: «Майя Григорьевна дала Киту три банки «Быстроум», денег не взяла, велела пить по восемь капсул в день».

— На что вы намекаете? — всхлипнула Майя.

Я выпрямилась.

— Вы с помощью огромной дозы биодобавки спровоцировали у Обжорина ухудшение состояния здоровья, наврали ему про неизлечимую болезнь и отправили его убивать Виталия Павловича. Мы проконсультировались со специалистами и знаем, что человек, глотающий три таблетки этого средства, гарантированно наносит вред своему здоровью. А «добрая» Федина прописала Никите восемь штук в день. Ясное дело, Обжорин стал терять равновесие, ему делалось все хуже и хуже.

— Нет! — закричала Федина. — Нет! Он бы точно стал безумным! Я знаю! Я врач! Невропатолог! И не надо представлять Обжорина белым и пушистым! Он торговался, как на восточном базаре! Я предложила ему десять тысяч долларов, но...

Лже-Майя зажала рот рукой.

Роман вскинул брови.

— Бум! Слово не конфета, вылетело, назад в коробку не положишь.

Через два часа тяжелой беседы, прерываемой плачем, лже-Федина призналась, что наняла Никиту для убийства Виталия Павловича. Пообещала покойному мужу денег, пригласила к себе, велела Обжорину ждать на Ремонтной улице. Супруг Лауры долго не соглашался лишить жизни человека, но владелица клиники накидывала сумму. Когда она дошла до ста пятидесяти тысяч, Никита сдался. Желание обеспечить любимую Лауру победило моральные принципы Обжорина, заставило его забыть заповедь «не убий».

— Это была самооборона, — рыдала Майя, — я спасалась от мерзавца Виталия. Он меня вынудил! Но я не трогала Лауру! Не ходила к ней! Не собиралась забирать ключ от ячейки! Не подсыпала медсестре снотворное. Решила после похорон Обжорина сказать дуре: «Лора, твой муж проходил у меня психотерапевтические сеансы и признался, что нанялся убить человека за сто пятьдесят тысяч. Это деньги кровавые, лучше ими не пользоваться, отдай их мне, я верну доллары заказчику. Если откажешься, я обращусь в полицию, и тебя посадят». Она бы отдала, я хорошо знала Лорку, та была до идиотизма правильной.

Мне захотелось отправиться в туалет и тщательно вымыть руки с мылом. Госпожа Кнутова-Федина виртуозно прикидывается несчастной козой, а на самом деле она хитрая и расчетливая авантюристка. Давайте вспомним, кому в голову взбрела идея обменяться документами с однокурсницей? Кто умело манипулировал Обжориным, дав ему предварительно «Быстроум»? Разве нормальная женщина способна на такое? А лже-Майю словно прорвало:

— Никита понял, что я на многое готова, и стал выдвигать свои условия. Сначала цену до небес взвинтил... Не смотрите на меня так! Да, у меня есть деньги! Да, я скопила капитал! Да, кое-что от трех миллионов осталось! Да, да, да! Я могла Обжорину заплатить! Я хотела наконец-то пожить спокойно, без страха, без шантажистов! Никита гору долларов у меня откусил, да еще заявил: «Я все сделаю, но через две недели у меня конкурс автомоделей, хочу медаль получить за свою работу». Слышали когда-нибудь больший бред? Награду завтрашнему покойнику хочется получить! И ведь уперся: «Только после соревнований». А мой воскресший мерзавец потребовал от меня огромную сумму, думаю, он опять в карты проигрался. Я вскипела и заявила Никите:

— Нет! Плевать на твои игрушечные машинки. Или убьешь его завтра, или катись к черту. Найду другого!

Сказала и испугалась, вдруг он откажется! Но Обжорин неожиданно струсил.

— Хорошо, хорошо, будь по-вашему. Вы правы, медаль мне уже без надобности.

Может, мне надо было всегда со всеми жестко разговаривать, а нс мямлить интеллигентно?

Глава 41

Наша беседа с Кнутовой-Фединой подошла к концу, когда она вдруг схватилась за сердце и, не говоря ни слова, лишилась сознания. Костин вызвал «Скорую», машина приехала быстро и увезла Майю с подозрением на инфаркт.

— В принципе мне все ясно, — подвел итог Роман, когда врачи покинули офис.

— Кроме нескольких деталей, — возразила я. — Кто звонил мне и сообщил про жвачку и запах духов в комнате? Кто и почему подсказал нам, что в деле замешана Федина? Я понимаю, почему она отрицает, что отравила Лауру: ей не нужно обвинение в еще одном убийстве. Но кто сдал преступницу? Откуда этот человек знал, что сделала владелица клиники?

— Прошу тебя, съезди в торговый центр «Атлас», — попросил меня Костин, — зайди в магазин «Английский пациент», где находится телефонная будка. Аноним воспользовался этим аппаратом.

— Ну и что? — удивилась я. — Он давно ушел.

Володя повернулся к Бунину.

— Рома, проверь, есть ли где-то в Интернете человек с именем Филеас Фогг. Ищи в России.

— Сейчас, — пообещал Роман. — А кто он такой?

— Не исключаю вероятности, что у какого-то иностранца и в самом деле в паспорте стоит это имя, — вздохнул Вовка. — Но чтобы в России у кого-то было такое — сомнительно. Это псевдоним.

Я объяснила:

— Филеас Фогг — герой романа Жюля Верна «Вокруг света за восемьдесят дней». Вместе со своим камердинером Паспарту он совершает кругосветное путешествие, чтобы выиграть пари, заключенное в Реформ-клубе в Лондоне. Ты Жюля Верна не читал?

— Романова, я что, по-твоему, алфавит не учил? — надулся Бунин. — Невозможно всех литературных героев упомнить. У меня мозг занят более важными сведениями. Вот вам, битте, Филеас Фогг. Пишет о путешествиях, рассказывает о разных странах, его Фейсбук нечто вроде путеводителя, сообщает, какие достопримечательности посмотреть, где что купить. Аккаунт не очень популярен, всего пятьдесят подписчиков.

— Личная информация есть? — спросил Костин.

— Филеас Фогг родился в тысяча восемьсот семьдесят третьем году, — прочитал Бунин, — напридумывал всякой ерунды. Слушайте, мужик как-то связан с магазином «Английский пациент», он постоянно снимки его интерьера выкладывает, сообщает: «Самые лучшие сувениры из всех стран мира находятся здесь». На снимках всегда один бородатый дядька. Небось это он сам. Я от народа фигею. Скрыть свои настоящие данные и показать фото себя в лавке. Это по-нашему!

— Может, это не он, — усомнился Костин.

Я встала.

— Надо с этим дяденькой побеседовать.

— Зачем? — удивился Бунин.

Я не смогла сдержаться.

— Может, мой мозг и забит всякой ерундой, но среди чепухи сохраняются важные сведения. Рассказывая, как ей на голову полгода назад свалился «родной» папенька, Лиза-Майя сказала, что профессора, пережившего инсульт, из-за границы привез в Москву и привел в клинику иностранец по имени Филеас Фогг, прекрасно говорящий на русском. Жаль, что чудесный писатель Жюль Верн нынче не особенно популярен, большинство современных детей о нем не слышало. Ну разве что смотрели мультик по роману «Вокруг света за восемьдесят дней». Но и те, кто почти одного возраста со мной, не все знакомы с творчеством великого француза или капитально забыли его романы. Лже-Майя не заметила ничего необычного в имени человека, который сопровождал Григория Петровича, а я удивилась имени иноземного гостя, но и только. А вот сейчас мне стало понятно: интересная история закручивается.

* * *

Не успела я войти в забитый всякой чепухой магазинчик, как увидела за прилавком того самого седого пожилого мужчину. Он читал какую-то газету. Услышав звон колокольчика, продавец отложил ее, поднял глаза, секунду помолчал, потом усмехнулся.

— Здравствуйте, Евлампия Романова, рад вас видеть.

— Добрый вечер, господин Филеас Фогг, — в тон ему ответила я, — хотя сомневаюсь, что вас так зовут в действительности. По нашей информации, магазином «Английский пациент» владеет Федор Алексеевич Пахмутов.

— Глупо было Фоггом называться, — вздохнул мой собеседник.

— Верно, — согласилась я, — и не стоило говорить, что госпиталь, где якобы работал Григорий Петрович Федин, именуется, как ваша торговая точка «Английский пациент», и звонить из будки, которая стоит у входа в лавку, не очень удачная идея. Правда, анонимное сообщение сделали вы не сами. Кого попросили? Подростка из числа покупателей?

— Возраст по звуку определили? — удивился Федор Алексеевич. — Вы правы, я выделил из толпы скромно одетого паренька, тот за небольшую плату согласился позвонить. Только я потом испугался, он из будки прямо зеленый вышел, сказал, там чем-то сильно воняло, у него чуть приступ астмы не случился.

— Хорошо, что тинейджер носит при себе дозатор, — заметила я. — Предвидя ваш очередной вопрос, отвечу, на записи слышно, как мальчик пользуется баллончиком. Теперь объясните, что происходит?

Мой телефон тихо звякнул, прилетело сообщение от Бунина, я быстро прочитала его и посмотрела на Пахмутова.

Он встал, закрыл магазин, открыл дверь, ведущую в служебное помещение, и предложил:

— Лучше устроимся там. Вы не против? Я не агрессивен. Не нападаю на женщин, на мужчин, кстати, тоже. Давайте представим теоретически, что у меня есть друг. А у него была любимая дочь...

— Давайте лучше перестанем вести себя, как дети, играющие в шпионов, — остановила я Федора Алексеевича. — Имя вашего приятеля Григорий Петрович Федин. Он на самом деле работал за границей, уехал давно, когда его дочь Майя родила больную девочку, а вернулся недавно.

Пахмутов показал на чайник.

— Хотите, заварю настоящий индийский...

— Хочу услышать правду, — перебила я Пахмутова. — Женщина, которая поменялась с настоящей Майей паспортом, рассказала много интересного. Какова ваша роль во всей этой истории?

— Лично моя? — напрягся Пахмутов. — Я всеми силами пытался отговорить Гришу от глупого поступка. Майечку уже не вернуть, но он решил наказать ее убийцу!

— Давайте по порядку, — попросила я, и владелец магазина начал рассказ.

Григорий Петрович Федин, врач-дерматолог, очень любил свою дочь Майю, которую воспитывал один. Когда она вышла замуж и родила ребенка, отец понял, что в крохотной квартирке им тесно, и подался по контракту в Африку, чтобы заработать на просторное жилье. Служил Федин в глухом месте, с дочкой связи почти не поддерживал, позвонить из африканской глубинки было сложно, письма доставляли нерегулярно, да и Майя не сообщала ему никаких подробностей своей жизни, отделывалась короткими фразами: «У нас все хорошо. Не волнуйся». Истину он узнал, когда вернулся в Москву и обнаружил, что в его родной квартире живут другие люди. Новая хозяйка жилья дала Григорию Петровичу номер телефона. Федин позвонил и услышал голос.

— Майечка, — закричал доктор, — что происходит?

— Тише, — попросила женщина, — езжай на рынок в Измайлово, там есть кафешка «Роза», там встретимся.

Ничего не понимающий отец кинулся по указанному адресу, и когда к нему за столик подсела располневшая брюнетка, не сразу понял, что этот Майечка.

Узнав, что сделала дочка, отец притих. Он понимал, что на отчаянный шаг Майя пошла ради получения денег на лечение Ниночки, ни в коем случае нельзя говорить, что дочь затеяла неописуемую глупость, она просто потеряла голову.

— Кнутова думает, что я сирота, — объяснила Майя, — в противном случае наш обмен не состоялся бы. Папочка, мы можем встречаться, но ты должен звать меня Лизой, Андрюшу Виталием, а, если кто заинтересуется, кем ты приходишься нашей семье, говори, что ты врач, который лечит Ниночку. Не ругай меня и не сердись, что я обменяла квартиру. По условиям договора с Кнутовой, мне надо было перебраться в другое жилье, это был самый стремный момент! Я наврала Елизавете, что родительская квартира давно продана, что мы с Андрюшей и Ниночкой мыкаемся по съемным углам, Кнутова очень обрадовалась. Но на самом-то деле мне предстоял обмен, причем делать его пришлось в рекордно короткий срок. И еще засада! Ты перед отъездом определил меня собственницей жилья, но остался в нем прописан. Мне пришлось заплатить кое-кому, чтобы твое имя исчезло из документов. Но я справилась! Я получила деньги на лечение Ниночки!!!

И что оставалось делать Григорию Петровичу? Авантюру затеяли без него, невероятную глупость уже совершили, а говорить дочке все, что он о ней думает, отец не стал. Он понимал, что Майей руководило желание спасти свою дочь. На привезенные из Африки деньги Федин купил квартиру, устроился дерматологом в больницу, и жизнь как-то наладилась. Вот только Ниночка умерла, дочь Григория впала в депрессию, много плакала, потом родила вторую, здоровую девочку, ожила, повеселела, но стала постоянно говорить о тяжелом материальном положении. Григорий Петрович старался как мог помочь ей, но он много не зарабатывал. А его дочь хотела для своего ребенка все самое лучшее, мечтала устроить девочку в элитный детский сад, затем в самую престижную гимназию, отправить ее учиться в Оксфорд, купить ей шикарные платья, катать в роскошной машине... Федин пытался объяснить Майе, что по одежке надо протягивать ножки, ребенок еще мал, не надо каждый день рыдать из-за того, что не сможешь закатить кровиночке свадьбу, как у голливудской звезды, не стоит планировать поступление крошки, которая еще и читать не научилась, в лучший университет мира. Но Майечка кричала:

— У других детей все есть, я хочу, чтобы у моей в сто раз больше было! Господи! Пошли мне денег! Очень много! Ничего, я найду способ получить состояние! Что-нибудь придумаю!

И ведь на самом деле придумала.

Как-то раз Майя пришла к отцу красная от злости, рассказала, что ходила к той, с кем поменялась документами, потребовала от нее валюты, но получила не всю сумму, а жалкую подачку.

— Вместо миллиона эта стерва всего восемь тысяч долларов дала, — возмущалась дочь, — у самой клиника пластической хирургии, клиентов лом, баксы мешками загребает. Ну ничего, я из нее бабло вытрясу. Все отслюнявит.

— Не делай этого, — попросил Григорий Петрович, — опасно становиться на путь шантажа, да и не порядочно.

— Я живу, как хочу, — огрызнулась Майя, — нужны деньги на воспитание Катеньки. Можешь внучке состояние дать? Нет? Вот и помалкивай.

Неделю Григорий Петрович обижался, потом решил помириться со своей дочкой и узнал, что она с мужем погибла в ДТП.

Пахмутов потер ладонью затылок.

— Не стану рассказывать, что произошло, когда Гриша услышал про смерть дочери и зятя. Сначала он впал в безумие, потом понял: его любимых людей лишила жизни мерзкая тварь, которая подбила его наивную, простодушную дочь на авантюру. Майечка пришла к ней с требованием денег за молчание, а мерзавка подстроила аварию. Ну и...

Федор замолчал.

— ...он решил ей отомстить, — договорила я за собеседника, — однако, ругая дочь за авантюризм, отец поступил не лучше, разыграл целый спектакль. Прикинулся полубезумным стариком, вынудил убийцу дочери взять его на работу. Зачем он это затеял?

Пахмутов включил чайник.

— Дочь была смыслом жизни Федина. Я Грише говорил: твой зять был хорошим, но очень слабым человеком, он во всем подчинялся жене, права голоса не имел, и мог сесть за руль подшофе. Водился за парнем такой грешок. А твоя дочь, уж прости, была бесшабашной и любила этакое русское: «авось сойдет». Помнишь, как за пару месяцев до отъезда в Африку мы отмечали твой день рождения? Зять тогда выпил, потом сел за руль, Майя рядом устроилась. Я встревожился.

— Нельзя в таком состоянии автомобилем управлять, оставайтесь на ночь.

Твоя дочка отмахнулась.

— Он совершенно трезвый, что ему пара бокалов вина? Это доза для младенца. Я не могу спать нигде, кроме дома, ничего с нами не случится. Андрей прекрасно водит, всегда спокойно доезжаем, почему сегодня будет иначе?

Обычно жены мужиков останавливают, когда те, наклюкавшись, за баранку лезут, а твоя наоборот поступила. Никто их не убивал, ДТП — результат их глупого поведения.

Гриша меня молча выслушал и отрезал:

— Нет! Аварию подстроила баба, которая отняла у дочки и зятя их биографию.

Пахмутов бросил в кружки пакетики, залил их кипятком и поставил чай на столик.

— Понимаете, у Гриши никого нет, к маленькой внучке он не привык, практически не знает ее. В гости к малышке дедушка заходил нечасто, мать опасалась, что ребенок подрастет и начнет спрашивать, кто такой Григорий Петрович, велела отцу изображать педиатра. Это не способствовало возникновению близких отношений между дедом и крошкой. После смерти родителей девочки Григорий Петрович занервничал, по документам он не являлся Катюше дедом, но судьба ее его беспокоила. Гриша поехал в органы опеки, представился лечащим доктором Кати и спросил, что будет с девочкой? Дама из соцзащиты оказалась сочувствующей, она объяснила:

— Понимаю вашу тревогу, но с Катенькой все будет хорошо. Ей заинтересовалась прекрасная семья, очень обеспеченная, у них есть все, кроме ребенка. Они мечтают о маленькой девочке. Катюша подходит им идеально. Она будет жить в таких условиях, которые ей мало кто обеспечит. Не переживайте за судьбу пациентки.

Пахмутов вздохнул.

— После кончины любимой дочери в жизни Гриши образовалась пустота, исчез смысл бытия, а когда в голове Федина оформилась мысль о мести, вот тут появилась цель. Гриша придумал план: он планомерно будет изводить эту Лизу, превратит ее жизнь в ад, разрушит бизнес, лишит гадину всякой надежды на счастье, причем будет делать это медленно. Мне он сказал: «Я всегда был противником смертной казни, но не потому, что жалею преступников, а потому, что понимаю: существование за решеткой тяжело и безысходно. Люди, которые хотят, чтобы убийцу расстреляли, не правы. Пуля оборвет жизнь, и все. Нет, пусть убийца мучается, осознавая, что до конца дней ему предстоит не видеть неба, слышать только ругань охранников, жрать гнилую баланду. Но я не смогу засадить хозяйку «Юности» за решетку! Знаю, она убила моих любимых людей, но доказательств на руках нет. Попытался поговорить со следователем, который ДТП занимался, прямо ему сказал: «Записывайте, сейчас сообщу имя

той, которая доченьку мою на тот свет отправила».
А мужик возразил: «Погибшая женщина — сирота».

Я ему попытался правду выложить, а он выслушал
и сказал: «Анализ показал, что шофер был пьян, но я
разберусь, приходите через неделю».

Спустя семь дней следователь меня не принял, он
заболел, потом занят был, я пытался к его начальству
попасть, но мне не удалось, и я понял: никто не желает разбираться, полицаи предпочитают убийство как
простое происшествие оформить, я не добьюсь правды.
Денег у меня, чтобы следователю заплатить, нет. Значит, я сам превращу жизнь убийцы, мерзавки, гадины
в ад! Каждое утро, просыпаясь, я буду думать: настал
еще один день без моей девочки, но та, что отняла
у нее жизнь, сейчас испытывает мучения. От такой
мысли мне сразу становится легче. Я все продумал,
сейчас расскажу».

Федор отхлебнул чаю.

— Мне его затея показалась нереальным бредом.
Прикинуться человеком, который после инсульта страдает провалами в памяти? Изобразить, что считаешь
владелицу клиники своей дочерью? Чушь! Кнутова-
Федина никогда не поверит Григорию Петровичу. Но
представляете, она перепугалась невероятно! Когда
под видом англичанина я рассказывал ей про болезнь
«отца», в глазах Лизы-Майи плескался ужас.

Я слушала Пахмутова, не перебивая. Кнутову-Федину не один год душил страх, он начисто лишал ее способности трезво мыслить. Григорий Петрович, придя в
клинику, нажал на самую больную ее мозоль, ничего
удивительного, что она затряслась и перестала соображать. Лиза-Майя больна психически.

— В Грише проснулся гениальный актер, — продолжал тем временем Федор, — он получал огромное удовольствие от того, как «доченька» вздрагивает, сталкиваясь с «папенькой» в стенах своей клиники красоты. Гриша следил за ней и повторял:

— Мерзавка непременно задумает новое преступление, я стану его свидетелем и разоблачу дрянь, посажу ее навсегда за решетку.

Федин оказался прав. Он заметил, что хозяйка «Юности» сначала уезжает домой, а потом часа через полтора после закрытия клиники зачем-то возвращается на работу.

Пахмутов допил чай и продолжил:

— Детали сообщать не стану, буду краток. Гриша раздобыл запасной ключ от главного входа клиники, подслушал беседы Лизы-Майи с Никитой Обжориным и понял, что баба планирует кого-то убить с помощью мужа Лауры. Представляете, эта дрянь умело внушала простоватому, не очень умному мужику, что тот скоро умрет, но предварительно превратится в идиота, его любимая супруга останется нищей, надо ее обеспечить.

Федор криво усмехнулся.

— Она так хотела избавиться от какого-то чувака, что перестаралась, слишком эмоционально описывала, как будет бедствовать Лаура, лишившись Никиты, ну просто у метро с коробкой в руках встанет. А потом предложила Обжорину всего десять тысяч долларов за убийство. Но мужик, напуганный мощной артподготовкой, заявил:

— Меньше чем за двести тысяч не соглашусь. Столько стоит новая квартира с мебелью и ремонтом. Я знаю! Мы такую, пока я не заболел, купить мечтали. Лорочка ее приобретет, старую сдавать будет и никогда голода не узнает. Платите двести, и я все сделаю. На меньшее не согласен.

Сошлись они на ста пятидесяти тысячах.

Пахмутов протяжно вздохнул.

— Гриша просто в восторг пришел и стал ждать развития событий. Нет, я неверно сказал, он не просто ждал, он наблюдал за всеми, знал, что Лаура пошла в полицию, просила взять у нее заявление о пропаже мужа, ей там отказали. Потом Гриша выследил, как Кривоносова поехала в агентство Вульфа. Вот тут он заликовал, сказал мне:

— В полиции дураки сидят, они дело возбуждать не станут, а про Вульфа в Интернете написано: «Терьер! Вцепится и не отпустит».

Когда вы появились в клинике и подошли к рецепшен, Гриша сразу узнал вас, ваше фото есть в Сети, да вы еще представились настоящим именем, оно редкое. Мой друг пришел в полный восторг, но... не оправдали вы его надежд, Евлампия. Ничего не понимали, тыкались как слепой кутенок в разные стороны, подсказки не услышали!

— Подсказки? — удивилась я. — Какой?

Пахмутов вынул из кармана бархатный мешочек, вытащил из него очки, водрузил их на нос и сердито произнес:

— Гриша в процессе разговора с вами прямым текстом сказал: «Я вернулся в Россию, и, представьте, не узнал родную дочь. Она меня обняла: «Папа, папа, как я рада, что ты снова в Москве, будешь у меня работать, вот твой кабинет». А я на нее смотрю, чужая совсем, сердце мое молчит при виде этой женщины». Гриша был уверен: госпожа Романова поняла, что нужно заняться лже-Фединой, изучить ее прошлое. Но вы пропустили информацию мимо ушей. Он совал вам в руки снимок настоящей Майи студенческих лет, а вы его не взяли. И вы смеете считать себя профессионалом сыска!

Я подняла руку.

— Подождите. Встаньте на мое место. Я оказываюсь в кабинете у пожилого человека, который не может запомнить имя пациентки, несет разную чушь, а после показа снимка и пассажа про то, что ему родная дочь кажется чужой, предлагает мне капли из гроба кота Епифана. И как вы отнесетесь к словам такого человека? Я была уверена, что господин Федин безобидный местный сумасшедший. Медсестра Аня подтвердила мое мнение, сказала, что Григорий Петрович отец Майи, дочка обожает его, потому он и бродит по клинике.

— А жвачка? — рассердился собеседник. — Гриша без экивоков заявил: «Майя Григорьевна любит противную жевательную резинку, моя дочь такую бы никогда не употребляла».

— Я объяснила вам, почему не восприняла слова Федина всерьез, — вздохнула я.

— Вы бы вообще ничего не поняли, если бы вам не позвонили и открыто не сообщили, кто тащится от «Треш» и душится «Диабло», — повысил голос Федор. — В квартире покойной Лауры этими духами пахло, нет, воняло, от всего: от занавесок, ковра, одежды в шкафу... Аромат очень стойкий, он небось до сих пор не выветрился. Кривоносова не душилась, а авантюристка, которая прикидывается Майей, просто обливается этим парфюмом! Ну неужели, когда вы по клинике бродили, вам этого никто не сказал?

Я пожала плечами.

— Нет. Значит, чтобы отомстить Лизе, Григорий

Петрович отлепил одну из прикрепленных ею куда-то жвачек, принес ее в квартиру Лауры, наклеил на стакан, опшикал все в доме духами «Диабло» и ушел, полагая, что оставил немало улик для поимки убийцы? Расследуя кончину Кривоносовой, мы должны были задержать Кнутову-Федину и отдать ее в руки правосудия?

— Да, да, да, — закивал Пахмутов.

Я уставилась на него.

— Бывают глупые люди, я сталкивалась и с теми, кто ведет себя неадекватно. Было когда-то у Макса дело, при расследовании которого выяснилось, что жертва пятьдесят лет назад обозвала убийцу «белобрысой уродиной», почти полвека женщина таила обиду, не могла забыть услышанных в детстве оскорблений, а потом отравила бывшую одноклассницу. Разные люди встречаются, подчас они поступают так, что диву даешься. Но история с Григорием Петровичем ни в какие ворота не лезет. Она кажется невероятно глупой, а вот поди ж ты, все получилось так, как задумал Федин. Мы выяснили, кто толкнул Обжорина на преступление, узнали правду про обмен личностями.

— Чего притихли? — спросил Федор. — Осознали масштабы собственного непрофессионализма?

Я перевела дух.

— Федор Алексеевич, но почему Григорий Петрович, сообразив, что к нему пришла сотрудница детективного агентства, не сказал прямо: «Евлампия, хочу рассказать вам правду про владелицу клиники». Отчего бы Федину не действовать открыто? Он же меня узнал, ну и рассказал бы все честно!

— А жвачка! — наехал на меня собеседник. — Почему информацию о ней вы не заметили? Гриша вам прямым текстом сказал про «Треш»!!!

Я растерялась. Федин упоминал про жвачку? Совсем не помню! Возможно, он и в самом деле говорил про нее, но я, наслушавшись глупостей, которые нес старик, в какой-то момент отключила слух. Я решила, что Григорий Петрович не в своем уме. Пахмутов прав, я поступила непрофессионально, а Федин обладает потрясающим актерским талантом, он прекрасно исполнял роль юродивого, но слегка перестарался. То-то Лиза-Майя жаловалась нам, что от «папеньки» ушли все сиделки, а в пансион для людей с психическими проблемами Федина не взяли. Перед этими медработниками Григорий Петрович «выключал» идиота. Мне следовало обратить внимание на стоны Кнутовой-Фединой и поинтересоваться: почему специалисты считают его нормальным.

— Молчите? — усмехнулся Федор. — Ясно, вам сказать нечего.

— У меня тоже есть вопрос, — встрепенулась я.

Пахмутов снял очки.

— После вашего появления в «Юности» я ему сказал: «Ты добился своего, в клинику приехала Романова, Вульф напал на след. Может, теперь ты перестанешь изображать маразматика? Дело сделано».

А он ответил: «Нет, Федя, дело будет сделано, когда эту дрянь пинками в тюремную камеру загонят. Вдруг у частных детективов что-то не получится, а я раскроюсь и тогда потеряю шанс продолжать начатое, гадюка-то узнает кто я. Нет, пока уродина на свободе, я буду изображать ее отца. Когда ее арестуют, тогда я и сниму маску».

— Более или менее понятно, — пробормотала я. — Остался один вопрос. Откуда Григорий Петрович узнал, что Лаура будет отравлена снотворным?

— Я уже говорил: он следил за владелицей клиники! — подпрыгнул Пахмутов. — Экая вы невнимательная.

— Значит, Федин знал, что она хочет отравить Кривоносову? — продолжала я. — И ждал, когда она это сделает, чтобы налепить на стакан жвачку? Ваш друг не спас медсестру? Разрешил ее убить?

Пахмутов молчал.

— И еще одна неувязочка, — сказала я. — Снотворное бросили в чай, который вдова Обжорина пила вечером перед уходом домой. Похоже, она задремала на ходу, вошла в квартиру и сразу легла. Человек, который отравил Лауру, должен был находиться вечером в клинике. Но Майя Григорьевна в тот день ушла с работы в час, она сломала штифт и коронки на передних зубах, ей попался в шоколадном батончике гвоздь. В три она села в кресло стоматолога, ушла от протезиста в одиннадцать вечера. На следующий день она в «Юности» не появилась, опять поспешила на свидание с бормашиной. С наспех поставленными имплантами что-то случилось. И с той поры владелица клиники просто поселилась у дантиста, она не отвечала на телефонные звонки, не приезжала в «Юность», поэтому я не могла встретиться с ней. В медцентре, где дама чинит зубы, эту информацию подтвердили. Лже-Майя наворотила дел, обменялась документами с однокурсницей, наняла Обжорина убить Виталия Павловича, но к смерти Лауры она не причастна. Кри1воносову отравил Григорий Петрович, на преступление он пошел, чтобы наказать ту, кто, по мнению отца, убила его любимую дочь. Но Григорий Петрович ошибся, мы подняли дело о том ДТП и получили заключение эксперта. Там указано, что водитель находился в состоянии алкогольного опьянения. Мне очень хочется спросить у Федина: почему он решил, что жизнь Лауры Кривоносовой ничто по сравнению с его параноидальным желанием засадить за решетку Лизу? Я нисколько не одобряю владелицу клиники, но ведь настоящая дочь Григория Петровича согласилась на обмен личностями и получила за это семьсот тысяч долларов. Это безумная, поломавшая многим людям судьбу сделка, но она была честной. Настоящую Майю Федину Кнутова Лиза не обманула и не убивала, жизни ее лишил муж, сев пьяным за руль. А вот Григорий Петрович нарушил заповедь «не убий», и оправданий этому нет.

— С Гришей вы не побеседуете, — буркнул Пахмутов. — Мой друг уехал. Куда, понятия не имею, мне он ничего не сказал. Вчера прислал эсэмэску, вот.

Федор протянул мне свой мобильный, я прочла лаконичный текст: «Все хорошо. Обустраиваюсь на новом месте. Этот номер больше не будет работать».

Владелец лавки посмотрел мне в глаза.

— Я понятия ни о чем не имел. Знал лишь, что Гриша хочет отомстить за смерть дочери. Да, что Григорий Петрович на стакан жвачку налепил и духами квартиру опрыскал, он мне об этом рассказал, но в его интерпретации события выглядели так: лже-Майя отравила тайком чай медсестры, всыпала в него восемнадцать таблеток снотворного, которое взяла в стационаре, она хитрая, следов не оставила. Поэтому Гриша решил подсказать сыщикам, кто убийца. Посмотрят они на жвачку, вдохнут аромат «Диабло» и сложат картинку.

Я повторила:

— Восемнадцать таблеток?

— Ну, может, двадцать, я мог перепутать количество, — поморщился Пахмутов, — но суть-то из-за этого не меняется.

— Пилюли маленькие, — протянула я, — интересно, как Григорий Петрович их рассмотрел, да еще посчитал? Думаю, его не было рядом с владелицей клиники.

Интересная деталь, о которой вы, похоже, не знаете, потому что во время нашего разговора ни разу о ней не сказали. Речь идет об упаковке снотворного «Дорминочь», она лежала на тумбочке в квартире Кривоносовой. Как лекарство туда попало, если жену Обжорина на работе отравила лже-Майя? Кто его принес? Да тот же, кто устроил спектакль со жвачкой и парфюмом. Вам Григорий Петрович наврал про таблетки, которые владелица клиники якобы бросила в термос медсестры. А приехавшей по вызову полиции он хотел дать понять: Лауру убили у нее дома, снотворное ей подсыпал тот же человек, который облился «Диабло» и любил жевать «Треш». Я уже говорила, что все затеянное Фединым глупо. Ладно духи, о том, что они резко пахнут, убийца мог не подумать. Но какой глупец будет оставлять столько улик: и жвачка, и пустая коробка «Дорминочь». Но ведь на какое-то время план Григория Петровича сработал.

Федор Алексеевич, ваш друг отравил Лауру, чтобы обвинить в ее убийстве лже-Майю. А вы, получается, ему помогали.

У Пахмутова затряслись пальцы.

— Но я не знал... Гриша постоянно твердил, что Лауру отправила на тот свет та, что отняла у него дочь. Он мне совсем иначе все представил. Что теперь делать?

— Давайте закроем магазин и поедем к нам в офис, — предложила я, — поговорим с господином Вульфом. Расскажите ему то, что сообщили мне. От всей души советую вам так поступить.

Эпилог

Забегая намного вперед, скажу, что Григория Петровича задержать не удалось. Роман выяснил, что в момент отправки эсэмэски Пахмутову Федин был в аэропорту. Улетел он в Беларусь, а там его следы затерялись, то ли Григорий спрятался где-то в деревне, то ли уехал из Минска дальше, мы так и не узнали. Наверное, у убийцы Лауры были документы на другое имя. Пытаясь найти Федина, мы узнали, что он продал свою московскую квартиру, договорившись с покупателями так: он живет в доме еще год, а когда покинет жилье, ему на карту бросят всю сумму за него. Оказалось, что у Федина со времени его работы в Африке остался там счет. Доллары отправились в далекое путешествие, перетекали из одного банка в другой и в конце концов затерялись. «Маразматик» Григорий Петрович перехитрил Романа, Бунин был вынужден признать:

— Ничего поделать не могу, валюта куда-то делась.

Лиза-Майя пока содержится в психиатрической больнице, ее судьба зависит от вердикта специалистов. Если фальшивую Федину признают вменяемой, ее ждет суд, в противном случае даму отправят на лечение. Лично мне кажется, что она не в себе, но я не психиатр.

Пахмутов сидит под подпиской о невыезде, но полагаю, владелец лавочки «Английский пациент» легко отделается.

Но в тот день, когда мы с Федором ехали в наш офис, я еще ничего этого не знала, сев за руль, спросила Пахмутова:

— Почему Григорий Петрович внезапно сорвался с места? По какой причине он уехал, не доведя историю с наказанием фальшивой дочери до конца?

— Понятия не имею, — растерялся тот, — сам в шоке. Что-то его, похоже, испугало! Понимаю, вам хочется во всем разобраться, поскрести ложкой по сусекам. Но на этот вопрос может ответить только сам Григорий, придется смириться: кое-что для вас останется тайной.

Я проводила Федора к Костину, а сама вышла на улицу и решила выпить чаю в ближайшем кафе, почему-то у меня неожиданно сильно заболела голова.

Я устроилась за столиком, стащила с головы шапочку и сняла с носа очки от солнца. В маленьком зале никого нет, кроме девушки, которая уткнулась носом в айпад. Надеюсь, мои зеленые волосы ее не шокируют, а завитые брови, напоминающие шерсть карликового пуделя, она издалека не увидит. Официантка не торопилась ко мне с меню, я решила пойти в туалет помыть руки.

Не успела я подойти к зеркалу, как из кабинки вышла женщина лет тридцати. Увидев меня, она замерла с открытым ртом, потом взвизгнула:

— Евлампия! Здрасси!

От неожиданности я чуть не уронила дозатор с жидким мылом.

— Добрый день. Мы с вами встречались?

— Да, то есть нет, — зачастила незнакомка, — вы мой кумир! Восхищаюсь вашей смелостью, умением эпатировать окружающих! Рада вживую увидеть звезду Инстаграма. Разрешите селфи? Меня зовут Обезьянка Джо! Запомните!

Я не успела шарахнуться в сторону, странная особа вытащила из кармана айфон, схватила меня под руку и начала щелкать фотоаппаратом, выкрикивая:

— Улыбаемся! Во все зубы! Чудесно! Суперски.

Я еле-еле смогла отпихнуть от себя незнакомку, но она не успокаивалась, сунула мне под нос свою трубку:

— Глядите! Бью-блогер Франц постоянно постит ваши луки, называет вас самой оригинальной модницей Москвы! Знаете, сколько подписчиков Франца мечтает с вами сфоткаться!

Незнакомка перелистнула айфон, и я увидела собственные снимки, сделанные явно в нашем офисе. Я в вязаном колпачке с «глазами», а вот крупный план моих соединившихся вместе бровей и ресниц, мое изображение в образе африканского вождя...

— Николай, — прошипела я, испытывая желание придушить стажера, — он отправляет мои снимки своей девушке Марине, та под ником Франц ведет в Интернете бьюти-блог! Ну, Коля, погоди! Сейчас вернусь на работу, мало тебе не покажется.

— Вы звезда! — пела тем временем посетительница кафе. — Обожаю вас! Еще селфи! У Франца более ста тысяч подписчиков, каждый мечтает вас встретить.

Я онемела. Сто тысяч? Мне придется побриться наголо и прилепить резиновый нос, чтобы иметь возможность спокойно работать. Я не стану душить Николая, я его разрежу на мелкие кусочки, настрогаю на лапшу.

— Улыбочку! — требовала дамочка. — Во все зубы! Опля!

Дверь туалета приоткрылась.

— Верка, — заорал мужской голос, — скока можно тебя ждать? Чем ты занимаешься? Десять минут под дверью кукую.

— Губы крашу, — соврала моя поклонница, потом заговорщицки шепнула мне: — Ох уж эти мужчины, такие странные! На рыбалке он терпеливый, а в жизни нет. Не забудьте, я Обезьянка Джо, подпишитесь на меня. — И убежала из туалета.

Я посмотрела ей вслед. Обвиняя женщин в нелогичности, представители сильного пола сами часто ведут себя абсурдно. Кто-нибудь мне объяснит, почему мужик, способный шесть часов кряду смотреть на поплавок, не может подождать десять минут, пока его жена попудрит носик?

Дверь туалета приоткрылась, показалась голова только что ушедшей женщины:

— Евлампия! Напоминаю! Я Обезьянка Джо, дайте честное слово, что подпишетесь на меня! Иначе я не уйду!

— Непременно, — соврала я, хотя у меня нет ни одного аккаунта в соцсетях, — обязательно.

— Еще одно селфи. Можно? — заканючила тетка.

Я разозлилась, но через мгновение улыбнулась:

— Давайте, Обезьянка Джо, только покрашу губы.

— Ой, вы такая милая, — обрадовалась надоедливая особа, — другая бы на вашем месте заорала, швырнула в меня чем-нибудь тяжелым.

Я достала из сумочки помаду. Ну, во-первых, в предбаннике туалета нет тяжелых предметов, кроме диспенсера с жидким мылом и контейнера с салфетками, а их мне от стены не оторвать даже в состоянии аффекта. А, во-вторых, всякий раз, когда злость хватает меня за горло, я думаю, что сейчас потеряю несколько минут своей жизни, которые больше никогда не повторятся. Это время лучше провести по-другому, и тогда на моем лице сама собой появляется улыбка, дурное настроение испаряется. Лучше быть веселой и счастливой, чем злой и несчастной, а вот какой ты будешь, зависит исключительно от тебя.

Литературно-художественное издание

ИРОНИЧЕСКИЙ ДЕТЕКТИВ

Донцова Дарья Аркадьевна

ШУРЫ-МУРЫ С ПРИЗРАКОМ

Ответственный редактор О. Рубис
Редакторы И. Шведова, Т. Семенова
Художественный редактор В. Щербаков
Технический редактор О. Лёвкин
Компьютерная верстка В. Фирстов
Корректор Т. Остроумова

ООО «Издательство «Э»
123308, Москва, ул. Зорге, д. 1. Тел. 8 (495) 411-66-86; 8 (495) 956-39-21.
Өндіруші: «Э» АҚБ Баспасы, 123308, Мәскеу, Ресей, Зорге көшесі, 1 үй.
Тел. 8 (495) 411-68-86; 8 (495) 956-39-21.
Тауар белгісі: «Э»
Қазақстан Республикасында дистрибьютор және өнім бойынша арыз-талаптарды қабылдаушының
өкілі «РДЦ-Алматы» ЖШС, Алматы қ., Домбровский көш., 3«а», литер Б, офис 1.
Тел.: 8 (727) 251-59-89/90/91/92, факс: 8 (727) 251 58 12 вн. 107.
Өнімнің жарамдылық мерзімі шектелмеген.
Сертификация туралы ақпарат сайтта Өндіруші «Э»

Сведения о подтверждении соответствия издания согласно законодательству РФ
о техническом регулировании можно получить на сайте Издательства «Э»

Өндірген мемлекет: Ресей
Сертификация қарастырылмаған

Подписано в печать 31.08.2015.
Формат 80×100^1/$_{32}$. Гарнитура «NewtonCTT».
Печать офсетная. Усл. печ. л. 14,81.
Тираж 23 000 экз. Заказ № 11393.

Отпечатано в ООО «Тульская типография».
300026, г. Тула, пр. Ленина, 109.

ISBN 978-5-699-82618-6